MASQUERADE
HOTEL
HIGASHINO KEIGO

MASQUERADE HOTEL * HIGASHINO KEIGO

マスカレード・ホテル
東野圭吾
集英社

マスカレード・ホテル

1

電話が鳴った。内線電話だった。十六階のエレベータホールにある館内電話からだ。

山岸尚美は、嫌な予感を覚えた。ついさっき、一人の男性客のチェックインを済ませた。その客に提供したのは十六階のシングルルームだ。ベルボーイの町田が荷物を持ち、客を部屋へ案内しに行ってから五、六分が経過している。町田は入社一年目の新人だ。何か重大なミスをしたのでなければいいが、と危惧した。

「はい、フロントです。何かありましたか」尚美は訊いた。

「町田です。あの、今、お客様を１６１５号室に御案内したところ、臭いがするといわれまして……」

「臭い？」

「煙草の臭いです。禁煙室なのに、どうしてなのかと……」

尚美は、そばにある端末機を操作した。画面上に1615号室のデータが表示された。たしかに禁煙室だし、清掃も間違いなく行われている。これまでにも、煙草の臭いが残っていたという記録はない。

「わかった。お客様は？」

「1615号室でお待ちいただいております」

「じゃあ、あなたも一緒に待ってて。すぐに行きます」

電話を切った後、尚美は再び端末機のキーを叩いた。今度は、宿泊客のデータを確かめた。大阪から来た会社員だ。一週間前に予約を入れている。部屋の条件として、禁煙室、窓が大通りに面していない、なるべく角部屋、といったことが挙げられていた。チェックインの際に応対したのは尚美自身だが、特に偏屈な印象は受けなかった。

フロント内を素早く見回した。フロントオフィス・マネージャーは、臨時の会議があるということで事務棟に行っている。

若手フロントクラークの川本を手招きして呼んだ。

「1615号室のお客様からクレーム。急いで代わりの部屋を探しておいて」

「わかりました。シングルですね」川本が端末の画面を見る。

「シングルとツイン、それからデラックスツインで探してちょうだい」

わかりました、と川本が答えるのを背中で聞き、尚美はマスターキーを手にフロントカウンターを出た。

エレベータで十六階に上がると、ベルボーイの町田が1615号室の前に立っていた。尚美に気づき、彼のほうから駆け寄ってきた。

「変なんです。最初に御案内した時には、たしかに臭いなんかはなかったと思うんです。それが、僕がエレベータホールで電話して戻ってきたら……」

「今度は臭ったの？」

ええ、と怪訝そうに町田は頷く。

「わかった。川本君が代わりの部屋を探してくれているから、あなたはフロントに行ってちょうだい」

「わかりました」

町田がエレベータホールに向かうのを見届けてから、尚美は1615号室のドアをノックした。すぐにドアが開き、中年男の四角い顔が現れた。一重瞼の目は濁っていて、口元は不機嫌そうに曲げられている。

尚美は頭を下げた。

「このたびは大変御迷惑をおかけしております。部屋に臭いが残っていたとか」

男性客は室内に向けて顎をしゃくった。「まあ、入ってみなさいよ」

失礼します、といって尚美は部屋に足を踏み入れた。

敢えて嗅覚を働かせるまでもなく、すぐに異変に気づいた。たしかに煙草の臭いがする。ただし部屋に染みついたヤニの臭いではない。火のついた煙草の先から立ち上る煙、いわゆる副流煙の臭いだ。

　おそらく町田の疑念は当たっている。彼が電話をかけている間に、この男性客は隠し持っていた煙草に火をつけたのだろう。

「どう？　臭うでしょ？」男性客が、やや関西なまりで威圧的に尋ねてくる。

　尚美は再び頭を下げた。

「御不快な思いをさせてしまい、誠に申し訳ございません。早速、代わりの部屋を御用意させていただきます。電話をかけてもよろしいでしょうか」

「ああ、早くしてほしいな」

　はい、と答え、尚美は携帯電話でフロントにかけた。すぐに川本が出た。

「状況はどう？」尚美は訊いた。

「同じフロアですと、１６１０、１６１２が空いています。どちらも禁煙室で、ほかの条件も満たしています」

　尚美は心の中でかぶりを振った。その二室はシングルだ。わざとクレームをつけるぐらいなのだから、そんな部屋に案内しても意味がない。

「１６２０、あるいは１６３０はどうかしら」

　川本が息を呑む気配があった。尚美の意図を理解したのだろう。

「１６２０なら使えます。清掃も済んでいます」

「じゃあ、町田君にキーを届けるようにいって」

「わかりました」

電話を切り、尚美は男性客に笑顔を向けた。

「お待たせしました。代わりの部屋を御用意いたしましたので、これから御案内させていただきます」

「禁煙だろうね」

「大丈夫です」尚美は棚に置いてあった旅行バッグを提げた。

１６２０号室の前まで行くと、マスターキーを使ってドアを開けた。どうぞ、と男性客に入るよう促した。

一歩部屋に入った男性客が戸惑うのを、尚美は背中から感じ取った。スイートルームに案内されるとは思っていなかったのだろう。

「こちらの部屋でいかがでしょうか。おそらく臭いも大丈夫だと思うのですが」

男性客は臭いを嗅ぐしぐさを見せた後、尚美のほうに首を回した。

「この部屋を使っていいの？　いっておくけど、追加料金なんかは払えないよ」

尚美は顔の前で手を振った。

「もちろん料金は今のままで結構です。こちらの不手際で御不快な思いをさせてしまったこと、深くお詫びいたします」

「うん、まあ、以後気をつけてくれればいいよ」男性客は眉の横を掻いている。どことなくばつが悪そうだ。

そこへベルボーイの町田がやってきた。カードキーを男性客に渡し、尚美は町田と共に部屋を後にした。

「なんか、むかつきますよね。まんまと作戦に引っかかったって感じじゃないですか」エレベータホールに向かう途中で町田がいった。「絶対、あいつが煙草を燃やしたんですよ。因縁つけて、部屋をグレードアップさせようって魂胆だったんだ」

「証拠もないのに、そういうこといわないの。お客様は常に正しい、そう教わったでしょ」

「でも、スイートはないでしょ」町田は唇を尖らせた。「ツインとかデラックスツインで納得したと思いますよ」

「納得しなかったら？　なんだかんだと難癖をつけられて、結局いくつも部屋を見せて回るようなことになったら、そっちのほうが面倒だと思わない？」

「それはそうですけど」

「昔、先輩から教わったの、お客様と無駄な駆け引きはしないこと」

「はあ」町田は納得のいかない顔つきのままで頷いた。

尚美がフロントに戻ると、フロントオフィス・マネージャーの久我が川本と話をしているところだった。彼女に気づくと頷きかけてきた。

「クレームがあったそうだね」

尚美は肩をすくめてみせた。

「片付きました。大したことじゃありません。すぐに報告書にまとめます」

久我が右手を小さく出してきた。

「報告書は後でいい。それより、これから事務棟に行ってくれ。二階の会議室で、総支配人たちが待っておられる」

「えっ？　総支配人が事務棟で、ですか」

尚美は少し驚いて、久我の整った顔を見返した。総支配人の部屋は、フロントオフィスの裏にある。通常の会議は、いつもそこで行われる。

「社外の人間が関わっていることだから、あっちの会議室を使うことになっただけだ。心配しなくていい。君が何かミスをしたとか、そういう話じゃない」

「久我さんは、用件を御存じなんですね」

「うん。たった今、聞いてきた。でも、ここで君に話すわけにはいかない。非常に重要な話だから。それに僕には、うまく説明する自信がない」

尚美は顎を引き、上目遣いに久我を見た。「何だか、怖そうですね」

するとと久我は真剣な目になった。

「そう、とても怖い話なんだ。だから君の力が必要なんだよ」

「私の？　どうして？」

「それは――」いいかけたところで久我は首を振った。「この先は総支配人たちから聞いてくれ」

尚美は吐息をつき、わかりました、と答えた。

彼女はフロントを離れ、従業員用の廊下を通り、非常口からホテルの外に出た。コルテシア東京の主な事務部門は、隣の建物に置かれている。『コルテシア東京別館』の看板が出ているが、無論、営業用の宿泊施設などはない。

事務棟に入ると、階段で二階に上がった。総務課や人事課が置かれているフロアだ。会議室のドアをノックした。どうぞ、と男性の声が聞こえた。

ドアを開け、頭を下げながら部屋に入った。総支配人の藤木の姿がまず目に飛び込んできた。日頃は温厚な顔つきの藤木が、眉間に皺を寄せていた。彼の右隣には、宿泊部長の田倉がいる。尚美や久我たちの直属の上司だ。冗談好きで陽気な人物だが、藤木と同様、深刻そうな目を尚美に向けてきた。

藤木の左隣にいるのは総務課長の片岡だった。ふだんの彼を尚美はよく知らなかったが、いつもこのような険しい表情をしているわけではないだろう、と思った。

会議机の手前には、ベルキャプテンとハウスキーピングの責任者が座っていた。彼等も呼ばれたらしい。

ただ事ではない、と尚美は改めて思った。

「急に呼んだりして申し訳なかった。とりあえず、座ってくれ」片岡がいった。

尚美はベルキャプテンの隣に座った。

「じつは、君たちに頼みたいことができたんだ。ただし、非常にデリケートな問題だから、ホテル外の人間はもちろんのこと、ホテルの人間にも、現段階では迂闊にしゃべらないでもらいたい」

尚美は膝に置いた両手を握りしめ、藤木を見た。彼は真剣な表情のままで小さく頷きかけてきた。

「単刀直入にいうと、警察の捜査に協力しなければならなくなった。しかも厄介なことに、殺人事件の捜査だ」

片岡の言葉に、尚美は息を呑んだ。まるで想像していなかった内容だ。制服の内側で心臓がせわしなく動き始めた。

「新聞やニュースで頻繁に報道されているから君たちも知っているかもしれないが、最近、都内のあちらこちらで殺人事件が起きている。発表は控えられているが、どうやらそのうち三件の事件については、同一犯による連続殺人事件の可能性が高いということなんだ。しかも、近々四つ目の事件が起きる可能性があるという。で、問題なのは、次の事件はどこで起きるかということだが――」片岡は指先で机を二度突いた。「うちのホテルで起きる、と警察はいっている」

えっ、と尚美は声をあげていた。「どうしてですか」

片岡は首を横に振った。

「それについて、警察は詳しく教えてくれない。捜査上の重大な秘密事項だといってね。だけど、犯人がこのホテルを次の犯行場所に選んでいることは間違いないというんだ。これまでに起きた事件のインターバルを考えると、これから十日以内に起きる可能性が高いともいっている」

尚美は唇を舐めた。口の中が渇いている。

「警察がそこまで摑んでいるということは、犯人についてはある程度目星がついているということなんですね」

彼女の質問に、片岡は弱ったように眉根を寄せた。

「ところがそうじゃないらしい。いろいろと捜査はやっているようだが、どうやらまだ犯人は特定できていないみたいなんだ」

「じゃあ、次に誰が狙われているのかが判明しているわけですか」

「いや、それもわからんそうだ」

えーっ、と今度は尚美の横でベルキャプテンの杉下が声を漏らした。

「犯人について何も手がかりがなくて、誰が狙われているのかもわからないのに、次にこのホテルで事件が起きることだけはわかってるんですか。それって、どういうことなんですか」彼は尚美の疑問を代弁してくれた。

「だからそれについては教えてもらえないといってるだろ」

「それがわからないのに、どうやって捜査に協力するんですか」尚美は思わず強い口調になっていた。自分の頬が強張っていることにも気づいた。

「山岸君」ここで藤木が割って入ってきた。「君たちの疑問はもっともだ。我々だって、今回の話を聞いた時には同じように感じた。だけど、警察には警察の事情がある。理由は明かせないということであれば、従うしかない。我々としては、理由はどうあれ、そんな物騒な事件が起きるおそれがあるのなら、何としてでも防がねばならない。警察が捜査協力を求めてきたといったが、こちらとしても警察の力を借りる必要がある。私のいっていることはわかるね？」

ふだんでも声を荒らげることのない藤木だが、いつも以上に穏やかに語りかけてきた。そのことが一層、この部屋の空気を張りつめたものにした。

「本当に、そんな恐ろしいことが起きるんでしょうか。このホテルで」尚美は片岡に視線を戻した。

「かなり高い確率で起きる、と警察はみている。私には、そうとしかいえない」

尚美は深呼吸をした。まだ実感が湧いてこなかった。夢の中で断崖絶壁に立たされているような気分だった。

「それで……私たちは何をすればいいんでしょうか？」

片岡が顎を引いた。

「今もいったように、具体的なことは何もわかっていない。警察の言葉をそのまま伝えれば、近いうちにこのホテルで殺人事件が起きる、誰かが誰かを殺そうとしている、ということだけが判明している。こんな状況では、ただ警備を強化するだけでは意味がない。残念な話だが、宿泊客をはじめ、ホテルを訪れる人間すべてを疑ってかかる必要がある。とはいえ、我々素人にできることはたかが知れている。極端な話、何かが起きてから警察に連絡していたのでは間に合わない」

彼のいいたいことが尚美にもわかりかけてきた。

「警察の方に常駐してもらう、ということですか」

「一言でいうとそういうことだが、そのやり方はいろいろある。たとえばレストランやバーだと、捜査員が客を装って飲食するふりをしていればいい。宴会場なんかでも、それなりの格好をしていれば、会場周辺を歩きまわっていても誰も変には思わないだろう。問題は宿泊客だ。ホテルを訪れるすべての宿泊客を観察し、宿泊施設内で起きるすべての出来事をリアルタイムで把握するためには、捜査員が客になりすまして泊まっているだけではだめなんだ。捜査員は、君たちと同じように表舞台に立っている必要がある」

「表舞台？」尚美は首を傾げた。「それはどういう意味ですか」

突然田倉が、小さく唸り声を漏らした。皆の視線が彼に集中した。

失礼、といって田倉は咳払いをした。「片岡さん、説明の続きをどうぞ」

片岡は頷き、改めて口を開いた。

「これは警視庁のほうから提案してきたことだが、早い話、捜査員を職場に潜入させたいそうだ」

「潜入……」

「捜査員がホテルマンの格好をして、正面玄関やフロントに立つってことだよ。時には客室に入ることもある」

「そんな馬鹿な」尚美は笑い顔になっていた。悪い冗談に違いないと思ったからだ。だが片岡や藤木たちが深刻な顔つきで黙り込んでいるのを見て、彼女もすぐに表情を引き締めることになった。「警察は本気でそんなことを？」

「本気らしい」片岡が答えた。

「で、ホテルとしてはどう対応を？」

「会長や役員らとも相談した。結論からいうと、警察の要望を聞き入れることになった」

尚美は瞬きし、藤木を見た。彼は、ゆっくりと瞬きした。

「一応お伺いしたいんですが」彼女は片岡に視線を戻した。「潜入する捜査員に、ホテルで勤務した経験はあるんでしょうか」

片岡は肩をすくめた。「あるわけないだろう。ずぶの素人だ」

「潜入する捜査員の数は？」

「まずは五人。状況によっては増やす可能性もあるそうだ。とりあえずフロントに一名、ベルデスクに一名、ハウスキーピングに三名だ」

尚美の隣でベルキャプテンの杉下たちが身体を緊張させる気配があった。彼等の職場名が出てきたからだろう。

「ここまで話せば、用件はわかってもらえると思う。なぜ君たちが呼ばれたのかもね」片岡は続けた。「君たちには、捜査員の教育、指導、さらには仕事の補助を行ってもらいたい。難しいとは思うが、よろしく頼む」

「ちょっと待ってください。どうして私なんですか」尚美は片岡と藤木を見比べ、さらに田倉にも視線を向けた。「杉下さんたちが呼ばれたのはわかります。でも、なぜ私なんですか。フロントには、私よりもキャリアの長い人がたくさんいます。それに捜査員というのは男性の刑事さんでしょう？　女性から指導されるのは、先方としても抵抗があると思うんですけど」

「君を推したのは私だよ」藤木が口を開いた。「田倉君とも相談して、君が適任だと判断した」

尚美は首を振った。

「御存じのはずです。私は新人の指導が得意じゃないんです」

「いつまでもそんなことはいってられないだろう？　それに君を選んだのは、指導力を期待してのことじゃない。理由はただ一つ、君が女性だからだ」

「どういうことでしょう」

藤木はゆっくりと身を乗り出した。

「我々が忘れてならないのは、たとえ犯罪防止のためとはいえ、決してお客様に迷惑をかけたり、不快な思いをさせてはいけないということだ。警視庁の捜査員が潜入していることなど、お客様には関係がない。それによる影響がサービスの質に出てはならない。今回の話を聞いた時、私は何とかベルボーイとハウスキーパーだけにしてもらえないかといってみた。フロントに捜査員を潜ませるのは反対だった。お客様と最も頻繁に接する職場だし、お金を扱う必要もある。付け焼き刃の教育を受けた程度の人間には、とても任せられないと思った」

「同感です」

「しかし警察からは、情報の集中するフロントは不可欠だといわれた。捜査という目的を考えてみれば、たしかにその通りだ。そこでどうするかを田倉君と二人で考えた。その結果、フロントクラークに化けた捜査員のそばに、常に誰かを付き添わせるしかないということになった」

「それはわかりますが、どうして私なんですか」

「考えてみたまえ。同じ制服を着た男性のフロントクラーク二人が常に一緒にいるというのは、どう見ても不自然だろう。だけど不思議なもので、一方が女性なら、何となくコンビに見える。二人一組で行動していても、不自然さが少ない」

「つまり、社会において女というのは男のアシスタント役だから、ということですか」尚美は自分の声が尖るのを自覚した。

山岸君、と窘《たしな》めるように田倉がいった。それを、まあまあと藤木がなだめ、改めて尚美に語りかけてきた。

「私がそう思っているわけじゃない。だけど多くの人間は、そうした構図を見慣れている。それが現実だ。だからそれを利用して、今回の難しい局面を乗り切ろうと思う。これはほかでもない。うちのホテルを利用する、お客様のためを考えてのことだ。それとも君は、ロイヤルスイートへの案内を、うちの制服を着ただけの刑事一人に任せても平気かい？」

「いえ、それは……」尚美は下を向いた。客のためだ、といわれれば返す言葉がない。

その時、ドアをノックする音が聞こえた。どうぞと片岡が答えると、一人の男性社員が入ってきて片岡に何やら耳打ちした。

片岡は、わかった、と部下にいった後、藤木や田倉と小声で短い会話を交わした。何かの確認をしたようだ。

片岡が尚美たちのほうに向き直った。

「じつをいうと、すでに警視庁の人間が来ていて、別室で待機してもらっている。君たちさえよければ、今すぐにでも顔合わせを済ませておきたい。ここに入ってもらって構わないだろうか」

尚美はベルキャプテンの杉下たちと顔を見合わせた。二人はすでに諦めたような表情になっている。彼等の職場にしろ、急に素人を迎え入れるのは大変だろうが、難易度はフロントオフィスほどではない。キャスティングボートを握っているのは自分なのだと尚美は悟った。

「わかりました」観念して答えた。「仕方がないですね」

片岡は部下に頷きかけた。男性社員は足早に部屋を出ていった。

「いろいろと難しいと思うが、ホテルの安全のためだ。がんばってくれ」

藤木にいわれ、はい、と尚美は答えた。この人物には入社以来目をかけてもらっている。こういう時にこそ役に立たねば、とも思った。

「久我君には、すでに話してある」田倉がいった。「君一人に押しつける気はない。みんなでバックアップしていくつもりだから心配しなくていい」

「ありがとうございます」

上司二人からここまでいわれれば、もう文句はいえない。逆に、なるべく頼らないようにしようと心に決めた。

「十日、とおっしゃいましたよね」ベルキャプテンの杉下がいった。「十日以内に何らかの事件が起きるおそれがあるって」

「警察の話によれば、そういうことだ」片岡が答えた。

「じゃあ、十日間の辛抱ってことですね」

「それはわからない」藤木がいう。「犯人が逮捕されるか、うちのホテルが安全だと確認されるまでは、捜査員が置かれることになると思う」

　そうか、とベルキャプテンは呟いた。

　再びノックの音がして、ドアが開けられた。先程の男性社員が顔を覗かせた。

「お連れしました」

「入ってもらってくれ」片岡が答えた。

　男性社員に促されてまず入ってきたのは、五十歳前後と思われる、顔の大きな男性だった。穏やかな笑みを浮かべているが、その目には、世の中の暗部を知り尽くしているような不気味な光が宿っていた。

　その後ろから、四人の男性と一人の女性が入ってきた。尚美は立ち上がりながら男性たちを注視した。フロントクラーク役は、この中にいるわけだ。

　片岡が中年男性を尚美たちに紹介した。警視庁捜査一課の係長で稲垣というらしい。

「稲垣さん、彼等が先程お話しした三人です。事情は説明しました。三人とも、快く引き受けてくれました」

　おうそれは、と稲垣係長は相好を崩した。

「今回は、無理な提案を聞き入れていただき、ありがとうございます。御負担をかけることになるとは思いますが、凶悪な犯罪を防止するための苦肉の策だということで、どうか御協力をお願いいたします」低いが、よく響く声だ。言葉は丁寧だが、相手に有無をいわせぬ圧倒的な雰囲気がある。尚美たちは、ただ黙って頭を下げた。

片岡がポケットからメモを取り出した。「ええと、セキネ巡査というのは……」自分です、といって一人の男性が前に出た。大柄な若者で、刑事というよりは何かのスポーツ選手に見えた。

「あなたにはベルデスクを担当していただきます。彼がベルキャプテンの杉下君です」

よろしくお願いします、と若い刑事は杉下に頭を下げた。

続けて片岡は三人の名前を読み上げた。女性と二人の男性が返事をした。彼等はハウスキーパーに扮するらしい。

つまり残った一人がフロントクラークということになる。尚美は、ちらりと彼を見た。三十代半ばぐらいで精悍な顔つきをしている。だが野蛮な印象は受けなかったので、ひとまず安心した。

「そして最後にニッタ警部補ですが、あなたにはフロントオフィスを担当していただきます。彼女が、指導係の山岸君です。わからないことがあれば、何でも彼女に訊いてください」

片岡の言葉を受け、ニッタと呼ばれた刑事が尚美の前に歩み出てきた。よろしく、といって差し出した名刺には、新田浩介とあった。

これから人にものを教えてもらうのに、よろしく、はないだろうと思いながら、尚美は名刺を受け取り、作り笑顔で見返した。

「どうぞよろしくお願いいたします、新田さん」わざとゆっくりとした口調でいってみた。

だが新田はそれを皮肉だとは全く気づいていないのか、横柄な表情で頷いている。馬鹿かこいつと思い、尚美は不安になった。

「では、これからすぐにトレーニングに入っていただきます。なるべく早く捜査を開始したいということですから、こちらのほうで、これなら大丈夫だと判断でき次第、それぞれの職場についていただきます。――それでよろしいですね」

片岡が稲垣に確認を取った。結構、と警視庁の係長は答えた。さらに彼は部下たちのほうを向き、よく響く声で続けた。

「おまえたち、プロの方々に迷惑をかけないようにしっかりやるんだぞ。そうして、何としてでも次の犯行を防ぎ、事件解決の糸口を摑むんだ。わかったな」

刑事たちは、はいっ、と威勢のいい声で返事をした。だが尚美は見逃さなかった。稲垣が部屋を出ようと背中を向けた瞬間、新田はげんなりしたようにため息をついたのだ。

宿泊部のオフィスは事務棟の三階にある。奥が更衣室になっていて、尚美なども、出勤してきたら、まずはここへ立ち寄る。

尚美は共用の机を使い、サービスマニュアルに目を通していた。サービスマニュアルとは、ホテルにおけるサービスのやり方を明記したもので、新人の研修などでも使用する。警視庁の捜査員を、とりあえず見てくれだけでもホテルマンらしくするには、このマニュアルに沿って指導するのが一番いいと思ったからだ。

更衣室から人が出てくる物音が聞こえた。新田浩介が、フロントクラークの制服に身を包んで現れた。

「基本的にはスーツと同じなんで助かりましたよ。ベルボーイでしたっけ。あの玩具《おもちゃ》の兵隊みたいな制服は、俺には無理だな」くだけた口調でいう。

「シャツの第一ボタン」尚美は彼の襟元を指差した。「きちんと留めてください。ネクタイを緩ませないように。それから髪型も整えてください。地下一階に理髪店があります。スタッフ仕様の髪型といえばわかります」

新田はスラックスのポケットに両手を突っ込み、肩をすくめた。「髪が伸びたホテルマンだっているでしょ？」

尚美は首を大きく横に振った。

「いません。うちのホテルにはいません。スラックスのポケットに両手を突っ込んだままで話す人もいません。新田さんも従ってください」

新田は横を向き、鼻の上に皺を寄せた。

「シャツの第一ボタン。早く留めてください」

「はいはい」

彼が不機嫌そうな顔で留めるのを見ながら、尚美は深呼吸をひとつした。

「姿勢がよくありません。まずそれを直してください。それから歩き方も」

「悪いけど、生まれてからずっとこの歩き方なんですがね。足を左右交互に出すやり方だ」

「トレーニングをします。廊下に出てください」尚美はドアに向かいかけた。だが後から新田がついてこないことに気づき、足を止め、振り返った。「どうしたんですか」

新田は頭を掻きながら近づいてきた。

「山岸さんでしたっけ、あなたは何か誤解されているようだ」

「何をでしょう？」

「俺がこのホテルに来たのは殺人事件を阻止するためであって、ホテルマンの教育を受けるのが目的じゃない」

「わかっています」

「だったら、俺の髪型や歩き方なんかはどうでもいいんじゃないですか。どうせ、実際の業務はあなた方がやってくれるわけでしょう？　俺としては、フロントで宿泊客に目を光らせていられるなら、それでいいんです。俺を本物のホテルマンに仕立て上げてくれだなんて、誰も頼んじゃいない」

尚美は、怒鳴りたくなるのを辛うじてこらえた。唾を呑み込み、一呼吸置いてから相手の顔を見つめた。

「今のままであなたがフロントにいたら、ホテルにとっても、警視庁にとっても、いい結果が出るとは思えません」

「どうして？」

「どこから見ても、あなたはホテルマンには見えないからです。身だしなみが悪い上に傲慢で横柄な態度をとるホテルマンなど、一流ホテルにはいません。私は警察の捜査に関しては素人ですが、もし私が犯罪者で、警察の存在に神経質になっているのだとしたら、真っ先にあなたのことを怪しむでしょう。そして犯罪者ではなく、一般の宿泊客だとしたら、あなたのようなホテルマンがフロントにいるホテルなど、絶対に泊まりたくないと思うでしょうね」

新田は目を剝いた。さらには歯まで剝き出しそうな気配を見せた。その前に尚美は続けていった。

「もしあなたが犯人に気づかれたくないのなら、私の指示に従ってください。それもできないということであれば、どうか今回の突飛な捜査は断念してください。どうしますか」

新田は唇を嚙んだ。怒りたければ怒ればいいと尚美は思った。

だが彼はふうっと大きく息を吐き、ネクタイを締め直し始めた。

「あまり細かいことをいわれても無理ですよ。なんせ、俺は刑事だから」

「いわれなくても、今の新田さんはどこから見ても刑事にしか見えません。どこから見てもホテルマンに見えるようにするには、細かいことこそが重要なんです。さあ、ついてきてください」

尚美が再びドアに向かうと、頭を搔きながら新田はついてきた。

2

鏡に映った自分の髪型を見て、新田は気力が萎えそうになった。我ながら精悍だと自惚れていた容貌が、すっかり毒気のない間抜け面《づら》に変わっている。これではあまりに迫力がなく、容疑者を取り調べる際に支障が出るのではないか、と不安になるほどだ。

「いかがでしょうか」自らの髪も奇麗な七三分けにしている理容師が、笑顔で尋ねてきた。

「いいんじゃないかな」新田は力なくいった。「たぶん」

「こちらで働いている方は、大体こんな感じに仕上げておられますよ」

「そう。それならいいんだ」

山岸尚美にいわれたように、スタッフ仕様の髪型にしてくれと注文したのだった。理容師は新田のことを、中途採用で入ってきた人間のように思ったらしい。面倒なので、話を合わせておいた。

理髪店はホテルの地下一階にあった。店を出て、一階に上がるエスカレータに乗ろうとしたところで、新田さん、と上から声をかけられた。見上げると、長身のベルボーイが下りてくる。よく見ると関根だった。

「おう、何やってるんだ。休憩か」

「新田さんを探してたんですよ。山岸さんに訊いたら、地下にいるって」関根はエスカレータを階段のように駆け下りてきた。

「ふうん。それにしてもおまえ……よく似合ってるな」新田は笑みが漏れるのを堪《こら》えられなかった。

「そうですか」関根はなぜか嬉しそうな顔をした。「新田さんも、髪を切ってホテルマンらしくなったじゃないですか」

「切れっていわれたんだよ、あの口うるさい女ホテルマンに」

「山岸さんのことですか。ずいぶんと厳しく仕込まれているみたいですね」

「顔合わせの後、最初に何をやらされたと思う？　立ち方と歩き方のレッスンだぜ。姿勢が悪いだの、軸がぶれてるだの、細かいことをうるさくいいやがる。それが済んだら、今度はお辞儀の仕方と話し方の矯正だ。幼稚園かここは。おまけに床屋に行ってこい、だ。自分を何様だと思ってやがる」

関根は口元を押さえたが、目は笑っていた。

「山岸さんは、フロントクラークの中でも、かなり優秀な人だそうです。その分、新人の教育も厳しいって聞きました」

「あれは独身だな。間違いない」新田は断言した。「若作りしてるけど、たぶん三十路は過ぎてるだろ。男がいないもんだから、心にも顔つきにも潤いってもんがなくなってるんだ。あんな女と、これからずっと一緒にいなきゃいけないのかと思うと気が滅入る」思わず声が大きくなった。

通りかかったサラリーマンらしき男性が、ちらりと視線を投げてきた。

「そうですか。美人とペアなんて羨ましいなと思ってたんですけど」

「ああいうのがタイプなのか。いつでも代わってやるよ。ただし俺は、玩具の兵隊はやらないけどな」

「玩具の兵隊？」

「何でもない。それより、どうして俺のことを探してたんだ」

「ああ、そうだ」関根は上着の内ポケットから折り畳んだ紙を出してきた。「新田さんに、これを渡しておこうと思って」

広げるとそこにはホテルの一階フロアの平面図が描かれていた。ところどころ、黄色いマーカーで印をつけたところがある。よく見るとソファや椅子が並んでいる場所だ。

「ついさっき、張り込みの捜査員たちが到着したんです。これは配置されている場所です。知らない顔もあるので、お互いにわかるようにと、こういうものが配られたんです」

印の横には、文庫本、週刊誌、右腕時計、眼鏡と書き込まれている。これは何だ、と新田は訊いた。

「目印です。一時間から二時間で交代しますから、捜査員の顔ぶれは頻繁に変わります。そのたびにそのことを周知させるのは煩雑ですから、目印をつけることにしたそうです」

「なるほどな。もう張り込みは始まってるのか」

「始まっています。一階のロビーには三人の捜査員がいます。新田さんが知っている顔もありますよ」

「わかった」新田は図面をポケットにしまった。「ほかに連絡事項は？」

「今夜、十時から事務棟で会議だそうです。尾崎管理官が来られるってことでした」

新田は肩をすくめた。

「このおかしな計画を思いついた張本人がお出ましか。今日いきなり来られても、俺に報告できる成果といえば、歩き方と話し方の基本を習ったことぐらいなんだけどな。あと、この髪型を披露するぐらいか」

「単に現場の状況を確認しておこうってことだと思いますよ」

エスカレータに乗り、二人は一階に上がった。ベルデスクに向かう関根と別れた後、新田は張り込みの様子を見て回ることにした。

髪を切ったせいで首筋が涼しく、落ち着かなかった。だがそのことを意識すると、不思議に背筋が伸びる。気がつけば、山岸尚美から指導された姿勢をとっていた。

こんなやり方で、本当に犯人を逮捕できるのだろうか――これまでの経緯は理解しているが、やはり疑問は払拭できなかった。史上稀に見る不可解な事件が発生したというのに、ただこうして待ち伏せしているだけでいいのか。

そう、こんな事件は過去に一度もなかった。連続殺人事件であることは明白だが、それぞれの被害者には何の繋がりもなく、犯行の手口にも共通点はない。それにも拘《かかわ》らず連続殺人と断定できるのは、犯人が現場に共通のメッセージを残しているからだ。

第一の事件が起きたのは、十月四日の夜だった。午後八時二十三分に人が死んでいるという110番通報があった。公衆電話からだった。通報者は場所をいっただけで、名乗らずに電話を切った。現場は、りんかい線品川シーサイド駅から徒歩五分ほどのところにある月極駐車場だ。最寄りの交番から警官が駆けつけたところ、契約車両のボルボXC70の運転席で、三十歳前後の男が死んでいた。

絞殺だった。首には細い紐の痕が生々しく残っていた。また、後頭部に鈍器で殴られた痕があった。

死体の身元はすぐに判明した。ボルボの所有者の岡部哲晴という会社員だった。近くのマンションに部屋を借りていて、この夜はゴルフのレッスンに行くことになっていた。ボルボのトランクにはゴルフセットが入っていた。

出発しようとしたところを不意に襲われたと考えられた。盗まれたものはない。ただ、助手席のシートに奇妙なメモが残されていた。そこには次の二つの数字が印刷されていた。

45.761871

143.803944

これらが何を意味するのか、誰にもわからなかった。事件と関係があるのかどうかも不明だった。とりあえずは手がかりとして重視しない、というのが上からの指示だった。

品川警察署に特捜本部が開設された。新田たちもそこに詰めることになった。

敷鑑《しきかん》捜査を担当した新田は、被害者岡部哲晴の人間関係を調べるうちに、一人の男に目をつけた。被害者の会社の同僚だ。その男には動機があると睨んだ。そこでアリバイを調べてみることにした。

だがその男にはアリバイがあった。犯行があったと推定される時間、男は自宅の固定電話に出ていた。しかも電話は明らかに偶然かかってきたものだった。

諦めきれず、新田はあれこれと考えを巡らせたが、彼の推理を根底から覆す事件が起きた。それが第二の殺人だ。

死体は十月十一日の早朝、千住新橋付近にあるビルの建設現場で見つかった。青いシートをかぶせて置かれていた。殺されていたのは野口史子という四十三歳の主婦だった。夫は足立区内で町工場を経営している。彼によれば、野口史子は十月十日の夕方、実家へ行くといって出かけたらしい。その後夫は友人と酒を飲み、午前一時頃に帰宅した。史子はいなかったが、実家に泊まったのだろうと思い、特に心配はしていなかったという。

解剖の結果、死亡時刻は前日の午後六時から九時の間と推定された。つまり史子が家を出て間もなくのことなのだ。首には扼殺《やくさつ》の痕があった。背後から襲われたと思われた。

盗まれているものはないようだったが、被害者の衣服の下から一枚の紙が見つかった。雑誌か新聞から切り取ったと思われる活字が、その紙には貼り付けられていた。一昔前に流行った脅迫状のようなものだ。使われている活字は、数字と小数点だけだった。それが次のように並んでいた。

45.648055
149.850829

被害者本人が、自分の意思で入れていたとは思えない。これは犯人からの何らかのメッセージと考えるべきだった。だがそうなると品川の事件との関連を考えずにはいられない。この数字は何を意味しているのか、両方の事件の繋がりは何か。

だが大勢の捜査員がどこをどう調べてみても、二つの事件に関連性は見出せなかった。やがて捜査陣の間では、似たような数字がたまたま現場に残されていただけで、元々関係などないのではないか、という意見が出るようになった。あるいは、品川の事件のことを関係者の誰かがうっかり外部に漏らし、それを耳にした誰かが千住新橋での事件を起こす際に利用したのではないか、という者もいた。

しかし偶然にしては、あまりにも二つの事件現場に残された数字は似通っている。また、数字のことが外部に漏れた形跡もなかった。

そんな時、さらなる衝撃が捜査陣を襲った。第三の事件が起きたのだ。十月十八日の夜のことだった。

被害者は畑中和之という五十三歳の高校教師だった。殺害現場は首都高速中央環状線の葛西ジャンクションの下にある道路上で、被害者が毎夜ジョギングで走るコースに入っていた。全身に鈍器で殴られた痕があったが、致命傷となったのは後頭部への打撃だった。絞殺や扼殺の形跡はない。

被害者はジャージの上からウインドブレーカーを羽織っていたが、そのポケットに一枚の紙片が入っていた。そこには、次の二つの数字が印刷されていた。

45.678738
157.788585

3

ロビーのソファに腰掛け、文庫本を読んでいる男がいた。だがそんな目印を確認する必要などなかった。その人物は、新田と同じ係にいる本宮という刑事だった。頭蓋骨の形がわかりそうなほど痩せていて、真っ黒な髪をオールバックにして固めている。おまけに細い眉の上に五センチほどの傷跡が残っている。今すぐヤクザに化けるのは簡単だが、どう転んでもホテルマンにはなれない容貌だ。

新田に気づいた本宮は、にやりと唇の端で笑った。

「なかなか似合ってるじゃねえか。どうだい、気分は」

「最悪です」テーブルを挟んで向かい側の席に新田は腰を下ろした。「正直いって、すでにげんなりしてるんですよ。できれば、ほかの人に代わってもらいたいですね」

本宮は文庫本をテーブルに置いた。書店のカバーが付いているので、何の本かはわからない。

「うちの係にいる、ほかの連中の顔を思い浮かべてみろ。ホテルマンって面《つら》か？　英会話だって、さっぱりだ。その点おまえは見た目が悪くねえし、帰国子女だから英語も問題ない。決まったことなんだから、今さらつべこべいうな」

「ちょっと愚痴ってみただけです」新田は文庫本を手に取った。開いてみると『鉄腕アトム』のマンガだった。

本宮が傍らの鞄から一冊のファイルを出してきた。「これを見てみろ」

「何ですか、これ」新田はファイルを手に取った。そこには様々な人物の写真が貼られていた。スナップ写真だったり、何かの証明写真だったりする。写真の下には氏名と三人の被害者との関係が書き込まれている。

「これまでの事件に関係している人間たちだ。写真の数は五十七枚ある」

ファイルの意味を新田は理解した。

「万一写真に写っている人間が現れたら、徹底的にマークするというわけですか」

「そういうことだ。ここだけじゃない。非常口や従業員用の通用口にも見張りがいる。全員が、これと同じファイルを持っている」

「準備は万全ということですか」

新田の言葉に、本宮は口元を曲げ、ファイルを鞄に戻した。

「俺たちがどんなに見張っていようとも、これまでの捜査で名前が挙がっていない人間が犯人だったらどうしようもない。そいつは堂々とやってくる。チェックインして部屋に入られたら、俺たちにはもう手を出せない。誰が怪しいのかを調べようもない。頼みの綱はおまえたちだけってことになる」本宮は肩をすくめて苦笑を浮かべた。「俺がこんな講釈をたれるまでもなく、係長からハッパをかけられてるだろうけどな」

先輩刑事の口調には、後ろめたさと苛立たしさが微妙に含まれていた。自分たちの無力を痛感しているのかもしれない。

「任務の重要性は十分に理解していますよ」新田は立ち上がった。

関根から受け取った図面によれば、このフロアではほかの二箇所で捜査員が張り込みをしている。一箇所はトイレのそばで、もう一箇所はフロントのすぐ前だ。新田は、それぞれの場所を確認してみた。どちらにも一度や二度は見たことがあるような人物がいて、新田のほうに意味ありげな視線を寄越してきた。向こうは当然、どういう刑事がホテルマンとして潜入しているのかは知っているはずだ。

チェックインする客が増えてきたらしく、フロントカウンターの前には列ができていた。週末のせいかカップルや家族連れが目につくが、ビジネスマン風の男性も多い。空港と行き来するリムジンバスのターミナルがすぐ近くにあるせいか、外国人客の姿も見られた。

隣から英語の呟きが聞こえてきた。相変わらずだな、という意味だった。金髪で背の高い男性が立っていた。スーツケースを引いている。

（相変わらず？）新田は英語で訊いた。

男性は苦笑まじりに首を傾げた。

（いつも同じ便を使うんだけど、この時間に来て、あっさりとチェックインできたためしがない。特に金曜日は、いつだってこの調子さ）

（そうなんですか）

金髪の男性は不思議そうに新田を見た。（知らないのか）

（すみません。まだ新人なもので。今日は見学しているだけなんです）

（そうだったのか。良いところに就職できてよかったじゃないか。僕がよく行くホテルの中でも、ここはベストファイブに入る）

（ありがとうございます）

（じゃあ、がんばるんだね。僕もがんばって並ぶとしよう）そういって男性はスーツケースを引きずりながら、列の後方に向かって歩きだした。

外国人客の後ろ姿を見送りながら、新田は自然に頬を緩めていた。ベストファイブに入る――自分とは無関係ではあるが、悪い気はしない。

その時だった。

「君」横から声が聞こえた。新田が無視していると、「おい、君」と、もう一度声をかけられた。そちらを向くと、五十歳ぐらいの太った男が不機嫌そうに睨んでいた。

何ですか、と新田は訊いた。

「これだよ。何とかならんのか」太った男は、二重顎を列のほうに向けた。

「何とかといいますと？」

「私は急いでるんだ。六時に、ここの日本料理店で得意先と会う約束になっている。その前にチェックインしておきたいんだ」

新田は腕時計を見た。六時五分前だった。列に並んでいたら、順番が来る頃には六時を過ぎているだろう。

「食事の後でチェックインされたらどうですか」新田はいってみた。

「先にチェックインしておかないと食事代を部屋付けにできないじゃないか。こっちにはいろいろと都合があるんだ。さっさと何とかしてくれよ」

「そういわれましても、どうしようもないです。ほかの皆さんはきちんと並んでおられるわけだし」

「私は、このホテルを何度も使ってるんだぞ」男は声に威圧感を滲ませた。「今回だって、エグゼクティブの部屋を予約してある」

「そういうことは関係ありません。おたく……お客様だけ特別扱いするわけにはいかないんです。いい大人なんだから、それぐらいのことはわかるでしょう」

太った男は、目を剝いて新田を見上げた。

「なんだ、その言い方は。客を何だと思ってるんだ」

「客だからといってルールを無視していいってことには――」

お客様、と声がして、黒い影が新田の左側から現れた。次の瞬間、彼の目の前には山岸尚美の背中があった。「どうされましたでしょうか」

「どうもこうもない。なんだそいつは」

太った男は興奮した口調で、自分の要望と新田に対する不満とをまくしたてた。文脈がでためで、まるで要領を得ない説明だった。

「そうでしたか。お急ぎのところ、大変申し訳ございませんでした」しかし驚くべきことに山岸尚美は事情を理解したらしく、男に頭を下げた。「そういうことでしたら、こちらでチェックインの準備を済ませておきますから、どうぞお客様は日本料理店のほうにいらっしゃっていてください。準備が済み次第、係の者に部屋のキーと宿泊票を届けさせますから、その際にサインをいただければ結構です」

「店に行っててていいんだな」男性客が仏頂面で訊いた。

「もちろんです。ただ恐れ入りますが、お名前を伺ってもよろしいでしょうか」

男性客の名前を確認すると、山岸尚美は新田のほうを振り返った。

「フロントの裏に回っててください。私もすぐに行きます」小声で囁いた。

新田は頷き、男性客を一睨みした。男がぎょっとしたようにのけぞるのを見て、彼は歩きだした。

フロントカウンターの後ろにあるドアを開け、裏側の事務所に入った。間もなく険しい表情の山岸尚美が入ってきた。

「新田さん、ああいうのは困ります」声が尖っていた。

「何が？　あの客がおかしいんですよ」

山岸尚美はゆっくりと瞬きしながら一度だけかぶりを振った。

「おかしくはありません。急いでチェックインしたいのにそれができないとなれば、何とかしてほしいと思うのは当然のことです」

「だけどほかの客はおとなしく並んでるじゃないですか。文句をいう客だけ特別扱いするってのはどうかな。たとえ相手が客でも、よくないことはよくないっていうべきじゃないんですか」

すると山岸尚美は、切れ長の目でじっと新田を見つめてきた。

「新田さんにお尋ねします。警察官は悪いことをした人を取り締まるのが仕事ですよね。では、ある行為が正しいか悪いかは、どのようにして決めるのでしょうか」

新田は彼女の顔を見返した。

「質問の意図がよくわからないな。正しいことと悪いことの区別なんて、まともに育った人間なら常識として身に付いているものでしょ」

山岸尚美は、つんと顎を上げ、かすかに微笑んだ。

「では伺います。以前は運転中に携帯電話を使用していても取り締まられることはありませんでしたが、今は違います。後部座席のシートベルトだって、前は締めなくても構いませんでした。悪くなかったことが、いつの間にか悪いことに変わっている。それって変じゃありませんか」

「それは詭弁だよ。変わったのは法律のほうだ。ルールが変わったんです。で、それに従わない、つまりルール違反をするのが悪いことだといってるんです」

「では、こういう言い方ができますね。警察官はルールが守られているかどうかで正しいか悪いかを判断する――違いますか」

「まあ、そうですね」新田は鼻の横を掻いた。

「それならば、私たちと同じです。私たちホテルマンも、ルールを大切にしています」

「そうかな。じゃあ、どうしてさっきの客にルールを守らせないんですか。遅く来た自分が悪いんだから、順番が来るまで並ぶってのがルールでしょう」

だが山岸尚美は首を横に振った。「そういうルールはありません」

「何だって?」

「ルールはお客様が決めるものです。昔のプロ野球に、自分がルールブックだと宣言した審判がいたそうですが、まさにそれです。お客様がルールブックなのです。だからお客様がルール違反を犯すことなどありえないし、私たちはそのルールに従わなければなりません。絶対に」

驚きのあまり咄嗟に言葉が出ず、新田はセットしたばかりの頭を掻きむしった。

「お客様は神様ってわけだ。決して逆らうなと。だけど客の我が儘《まま》を全部聞いていたらきりがないでしょう。我も我もと全員が好き勝手なことをいいだしたら、収拾がつかないじゃないですか」

「そこを何とかするのが私たちの仕事です。すべてのお客様が上品で理性的で辛抱強いとしたら、ホテルマンほど楽な仕事はありません」

新田はまた返答に窮した。深いため息をついた。

「立派な心がけだと思うけど、そこまでしなきゃいけないのかな」

新田が首を傾げた時、「それがホテルなんです」と後ろから声が聞こえた。振り返ると、三十代後半と思われる痩せた男性が立っていた。フロントクラークの制服を着ている。

「失礼。奥にいたら話が聞こえてきたものですから」

男性は久我と名乗った。フロントオフィス・マネージャーという肩書きらしい。

「事情は伺っております。こちらとしては、できるかぎりの協力をさせていただくつもりですので、何か御要望があれば遠慮なくおっしゃってください」

それはどうも、と新田は頭を下げた。

「新田さん、ホテルマンに化けるといっても、特に難しく考える必要はありません」久我は笑顔でいった。「基本は、お客様を快適な気分にさせる、ということです。身だしなみや言葉遣いに気を配るのも、そのためです。自分のいったことに反論されれば、殆《ほとん》どの人は不愉快になります。だからホテルマンはお客様には反論しません。しかし、何でもいいなりになるわけでもありません」

「どういうことです」

「今もいいましたように、お客様を快適な気分にさせることが第一なのです。逆にいえば、それさえ果たされれば、必ずしもいいなりになる必要はないということです」

「何ですかそれは。禅問答のようですね」

「いずれわかります。山岸君と一緒にいればね。彼女は優秀ですから」

久我にいわれ、新田は改めて山岸尚美を見た。彼女は冷めたような表情で彼の視線を受け止めたが、すぐに切れ長の目を伏せた。

軽い夕食を済ませた後、新田は山岸尚美に促されてフロントカウンターに入った。とはいえいきなりチェックインの手続きなどできるはずがないから、今日のところは後方に立ってクラークたちの仕事ぶりを眺めるだけだ。もちろん実際には、新田の目は訪れる客の一人一人に向けられている。何食わぬ顔でやってくる者の中に、第四の殺人を目論んでいる人物が潜んでいるかもしれないのだ。
それにしても――。

いろいろな客がやってくるものだ、と新田は感じた。一口にビジネスマンといっても、それぞれが持っている雰囲気は千差万別だった。高級品を身に着けている者もいれば、スーツや靴と同様に表情もかなりくたびれた男もいる。ホテルマンに対して横柄な口をきく者もいれば、妙に卑屈な者もいる。

週末のせいか、今日はビジネスマンよりも旅行客のほうが目立っているようだ。明らかに親子連れと思われる四人組は、どうやら寒い地方から来たらしく、しきりに「やっぱり東京は暖かい」と繰り返していた。父親らしき男は、宿泊票にサインをするより先に東京ディズニーランドへの行き方を山岸尚美に尋ねた。もちろん彼女はサインをせかすようなことはせず、観光用マップを示しながら丁寧に説明を始めた。苛立った気配など微塵も見せなかった。

ひと目でヤクザとわかる男もいた。周りを威嚇する歩き方でカウンターに近づいてくると、ガムをくちゃくちゃと噛みながらぶっきらぼうに、「サトウ」とだけいった。川本という若いクラークが下の名を尋ねると、細い眉の間に皺を刻み、「さっき電話した者だ。さっさと紙を寄越せよ。書いてやっから」といった。

男が宿泊票にサインをしている間に、川本は小声で山岸尚美に、デポジットつまり保証金を要求すべきかどうかを尋ねた。山岸尚美は、いらない、と短く即答した。

ベルボーイがカウンターに近づいてきた。川本は彼にカードキーを渡そうとした。だが男は、「いいよ、ついてこなくて」といってキーを奪い、歩きだした。新田が男を目で追っていると、派手な身なりをした女が横から現れて、男の右腕に自分の左腕をからませた。二人はエレベータホールに向かった。

　客足が途切れた時、デポジットを取らなかったことについて山岸尚美に質問してみた。

「理由は簡単です。おそらく拒否されるだろうと予想したからです」彼女はあっさりと答えた。

「そんなことで？」

「あの時、ほかにもお客様がいらっしゃいました。あそこで揉めたりすれば、その方々が不愉快な思いをすることになります。お待たせしているお客様にも迷惑がかかります。臨機応変に対応することも私たちには求められているんです」

「たしかにあの客なら文句をいったかもしれない。でもそれで手順を曲げるってのはどうかな。いくら客がルールブックだといっても、金を取るべきところで取らないっていうのはおかしいんじゃないですか。客がごねたら何でもいうことをきくというのなら、宿泊料を払いたくないといわれたら、どうするんですか」

　この問いに対する彼女の答えは明快だった。

「料金を支払わない方はお客様ではありません。したがって、その方のルールに従う必要もないということになります。こちらは手順通りに対応します。まず支払っていただけるよう説得し、それが叶わない場合には警察に通報します」

「それならデポジットも――」

「デポジットは単なる保証金です。お預かりしなくても、別の形で支払いが保証されていれば問題はありません」

「別の形というのは？」

「私の経験による勘です」山岸尚美は少し胸を張った。「刑事さんも勘を働かせることがあるでしょう？　それと同じです。あのお客様はスキッパーではないと判断しました」

「スキッパー？」

「料金を支払わずに立ち去る人のことです」

「ああ……ふうん、自信があるんですね。根拠は？」

「目立っていたからです」彼女はきっぱりと答えた。「自分の存在をアピールしておられました。ああいう方は、スキッパーにはなりません」

「そうかな」

新田が首を傾げると、山岸尚美はカウンターの下にあるキャビネットから厚みが五センチほどもあるファイルを出してきた。

「部外者には絶対に見せてはならないことになっているのですが、新田さんは例外とします。これは、都内のホテルから寄せられたスキッパーに関する情報をまとめたものです。被害に遭ったホテルは、即座に情報を公開します。性別、推定年齢、顔や身体の特徴、どんな偽名を使ったか、どんな住所を記したか、どんなものを注文したか、可能なかぎり詳しく開示するんです」

新田はファイルを開き、息を呑んだ。彼女がいったように、様々なホテルからファクスが送られている。ホテル間でこれほどの情報交換がなされているとは、彼はまるで知らなかった。

「そのファイルを見ていただければわかると思いますが、スキッパーの手口は大体似たようなものです。予約を入れるのは前日か当日。滞在を延長し、食事代その他をすべて部屋付けにしておき、外出のふりをして行方をくらますというのが典型的なパターンです。大半は中年の男性で、平凡な会社員を装っています。どのケースでも共通していえるのは、スキッパーは決して目立たないということです。印象に残ると、もうほかのホテルには行けなくなりますから」

新田はいくつかの報告書に目を走らせてみた。彼女のいう通りだった。特徴を記す欄には、口数が少ない、声が小さい、俯《うつむ》きがち、地味な服装、といった言葉が並んでいる。

「もちろん、中には例外もあります。全身をブランド品で固めた美女がスキッパーだったこともあります。でも、ホテル側に警戒感を抱かせない、という点では共通しています。その点、先程のお客様は――」

「印象が悪く、怪しげだった」新田は山岸尚美にファイルを返した。「なるほどね。納得しました。それにしても、いろいろな客が来るものだ」

「お客様は神様ばかりではありません。悪魔も混じっています。それを見極めるのも私たちの仕事なんです」そういって彼女は口元を緩めた。

午後十時になると新田は事務棟に移動した。総務課の会議室には、すでに管理官の尾崎や稲垣の姿があった。本宮も来ていた。新田が入っていくと、おう、とどよめきの声が上がった。

「似合ってるな」尾崎が新田の制服姿をしげしげと眺めていった。「姿勢まで違ってるじゃないか。たった一日で、よくそこまで化けたものだ」

「あの女性に、かなり絞られたんだろ」稲垣が、にやにやした。「総支配人がいってたからな。彼女なら刑事相手でも臆することがないだろうって」

まさにその通りだったので、新田はただ苦笑を返しただけだった。その時、「遅くなって申し訳ありません」といって関根が入ってきた。ベルボーイの服を着たままだ。

今度はどよめきではなく、爆笑が部屋を包んだ。

しかし空気が和んでいたのはここまでだ。じゃあ始めようか、と尾崎がいった途端に全員の顔から笑みが消えた。稲垣が頷き、皆を見回した。

「ホテル側の好意で、この部屋を現地対策本部として使用させてもらえることになった。捜査員の待機、情報交換などに使用する。ただし、目立った行動は慎むように。万が一にも、警察が張っていることを犯人に気づかれてはならない。こうして必要最小限の人間で会議を行うのも、それが理由だ。これまでに起きた三つの殺人に繋がりがあること、犯人が第四の事件を起こそうとしていること、その場所が判明していること——いずれについても事件が解決するまでは公表しない方針だ。みんなも、うっかり口外せぬよう気をつけてくれ。ではまず、ホテル側からの情報だ。——本宮」

はい、といって本宮が立ち上がった。

「一週間以内にホテルで行われるイベントについて報告します。平日の夜は、ほぼ毎日、何らかの宴会、パーティが行われます。多くは企業主催のもので、出席者は二百人から三百人といったところです。昼間については、向こう一週間は特に大きなイベントはありません。ただし土曜日と日曜日は、結婚式並びに披露宴の予定がぎっしりと入っております。たとえば明日の土曜日は、結婚式が八組入っています。詳しいことをまとめましたので、目を通しておいてください」

　A4サイズの書類が新田のところにも回ってきた。今後行われる予定のパーティ、結婚式、披露宴が、ずらりと書き込まれている。パーティを主催する企業に関するデータだけでなく、結婚式を挙げる男女と出席予定者の名前までもが参考資料として添付されていた。

「結婚式の名簿、よくホテル側が提供してくれたな」尾崎がいった。

「渋られましたが、警備強化のためといって説得しました。ただし、外部に漏らすことは厳禁です」

「そりゃそうだろうな。みんなも気をつけてくれ。それはともかく、これまでの手口から考えて、今回の犯人がパーティや披露宴といったイベント会場で凶行に及ぶ可能性は低いように思うのだが、どうかな」尾崎は誰に尋ねるでもなくいった。

「これまでに起きた事件では、人目につきにくい場所で被害者が一人になったところを狙われていますからね」稲垣が応じた。「しかしイベントに乗じて犯行に及ぶ可能性は大いにあると思います。見知らぬ人間がごった返している状況は、犯人にとって都合がいいかもしれません」

「たしかにその通りだ。やはり犯人は客を装ってやってくるんだろうな」

「その可能性も高いですが、私は五分五分ではないかと考えています」

「というと？」

「客を装った場合、必ず従業員と顔を合わせることになります。またホテル内で立ち入れる範囲もかぎられてきます。人目につかない場所で殺人を犯すという目的を果たすには、ホテルの関係者を装ったほうが有利だと犯人は考えるかもしれません」

尾崎は短く刈った白髪を後ろに撫でつけた。

「なるほどな。その場合、犯人は関係者用の出入口を使うわけか。そこの警備はどうなってるんだっけ」

「従業員や業者が利用する出入口は、大小合わせて五箇所あります。そのすべてに警備員の格好をした警官を立たせることにしました。従業員が私服で出入りする際には身分証を提示してもらいます。下請け業者に対しては、極力いつもと同じ人間を寄越してもらうことにし、それができない時には必ず事前に知らせるよう要請してあります」

「例の写真付きリストは？」

「もちろん、見張りにつく者全員に持たせてあります」

写真付きリストとは、本宮が持っていたファイルのことだろう。

尾崎は机に両肘をつき、顎の前で指を組んだ。

「ホテル関係者の出入口についてては、そんなところでいいかな。あとは正面玄関か。一階のロビーには、常時三人の捜査員を張り込ませているんだったな。ホテルに入ってくる人間をチェックするということでは、これで抜けはないはずだが……」

「リストに載っている人間が来れば、必ずわかります」尾崎の言葉を稲垣が補足した。

その後、奇妙な沈黙が続いた。その意味を新田は感じ取り、本宮とのやりとりを思い出した。二人の上司は、犯人がリストに載っていない場合のことを考えているのだ。これまでの捜査の網に全く引っかかっていない人間が犯人では、どんなに大勢の見張りを立てても無駄だ。

「問題は、我々が犯人の顔を知らず、そいつがホテル内に潜り込んだ場合のことだな」尾崎が口を開いた。「防犯カメラの件、どうなった」

「一階のフロアには現在三つのカメラが付けられており、全体が見渡せるようになっています。宴会フロア、婚礼フロア、レストランフロア、客室フロアは、エレベータホールと廊下に取り付けられています。死角になるところがいくつか見つかりましたので、カメラを追加設置する予定です。モニターのある警備員室には捜査員を配置します」稲垣が即座に答えた。

「そのカメラというのは、目立つのか」

「いえ、一見したところ防犯カメラだとはわかりません。なかなか巧妙にカムフラージュされています。ホテルにとって、あまりイメージがよくないからでしょう」

「だろうな。しかし目立たないからといって、犯人がカメラの存在を知らないとは考えにくい。どうせ下見をしているだろうからな。そんな中で犯人はどうやって人殺しなんかをやろうとしているのか。まずは犯行場所として、どこを選ぶだろうか」皆から意見を募るように尾崎は室内を見回した。

ベテラン刑事が遠慮がちに手を挙げた。「トイレが怪しいんじゃないですか」

予想外の回答だったらしく、尾崎はぴんと背筋を伸ばした。「トイレか」

「あそこには防犯カメラが付いてませんからね。もし犯人が、殺す相手は誰でもいいと考えているなら、犯行には一番都合のいい場所だと思います。用を足している時、人間は無防備になりますしね」

「だけど、後から誰かが入ってくるとは考えないかな」

「そこは工夫です。トイレに入ってる人間が一人で、しかも個室にいる時を狙うんです。入り口に清掃中の札を立てておけば、誰も入ってきません。後は獲物が個室から出てくるのを待てばいい」

先輩刑事の意見に、なるほどと新田は感心した。この刑事は年配だが、足で捜査を始める前に、まずじっくり考えるタイプなのだ。

「一理あるな」尾崎はいった。「共用のトイレは、いくつぐらいあるんだろう」

「たしか、一階のフロアに二つあったはずです」稲垣が答えた。「地下にもありましたし、宴会フロアや婚礼フロア、レストランフロアにもあると思いますから、全部合わせると結構な数になるかもしれません」

「巡回程度じゃだめだな。そこにも見張りをつけよう。人員は俺が確保する。ほかに犯行場所となりそうなところはないか。宴会場なんかはどうだ。昼間は殆ど使われてないんだろう？　つまり人目がないってことだ。そこに連れ込んで殺害する――そういうことは考えられないか」

「宴会場は無人でも、廊下はひっきりなしに人が通りますからね。防犯カメラもあります。その可能性は低いと思います」

稲垣の意見に、新田も同感だった。今回の犯人が、そんな杜撰《ずさん》な犯行計画を立てているとは思えない。

「じゃあ、ほかにはどこが考えられる?」

稲垣は一瞬躊躇《ためら》いの表情を浮かべた後、口を動かした。

「犯人としては犯行現場を絶対に見られたくないわけですから、防犯カメラのない場所を選ぶしかありません。それは共用トイレと同様、プライバシーが保たれている空間——客室ということになります」

「たしかに客室内にカメラはない。だけど廊下にはあるだろ? 事件発覚後にカメラの映像を調べれば、どういう人間が出入りしたかはわかるわけだぞ」

「もちろん、帽子をかぶるなどして顔は隠すと思いますが」稲垣は答えた。

尾崎は唸り声をあげ、腕組みをした。「犯人は宿泊客を狙っているということか。やはり、そういうことになるのか」

どうやら彼自身、それが最も可能性が高いと初めから考えていたようだ。

「これまでの犯行を見るかぎり、犯人はかなり大胆です。目撃者がいてもおかしくないような、際どいことをやってのけています。今回も、犯人はそうした自分の強運に賭けるような気がします」稲垣が険しい顔を作った。

「だとすると」尾崎の鋭い目が、新田や関根たちに向けられた。「こっちとしても頼みの綱に賭けるしかないわけだな」

4

深呼吸を一つしてからドアをノックした。総支配人の部屋に入る時の癖だった。

どうぞ、という声が聞こえたので、尚美はドアを開いた。真正面にデスクがあり、藤木が座っていた。その脇には田倉が立っている。

「お呼びだと伺いましたので」

「うん、まあ入ってくれ」藤木がいった。

「失礼します」尚美は頭を下げ、部屋に入った。

「遅くまで御苦労様。疲れただろう」藤木は老眼鏡を外した。

「大丈夫です。お二人こそ、お疲れじゃないですか」上司たちの顔を交互に見た。

「私や田倉君は平気だよ。特に何をするというわけでもない。その点君は、朝からずっと働きづめだ。身体を壊さないかと心配だよ」

「ありがとうございます。でも、本当に平気ですから」尚美は微笑んでみせた。

時刻はすでに午前零時を過ぎていた。コルテシア東京では日勤、遅番、夜勤の三交代制を敷いており、午後は五時と十時に業務の引き継ぎが行われる。今日、彼女は日勤だったから、本来なら午後五時には解放されるはずだった。ところが警察への捜査協力という異例の事態により、遅番から夜勤への引き継ぎが行われる午後十時を過ぎても、まだホテルにいなければならなかった。

いうまでもなく、新田が残っているからだ。

「新田刑事はどうしてる？」田倉が尋ねてきた。

「先程、事務棟から戻ってこられて、今はホテル内を見回っておられます。フロント業務は一段落しましたから」

「そうか。じゃあ、少しゆっくり話しても大丈夫だな」藤木は立ち上がり、そばのソファに向かった。

藤木が一人掛けのソファに腰を下ろしたので、彼と向き合うように尚美は座った。田倉も彼女の隣に来た。

「今回は、無理なことを頼んで申し訳なかったね」藤木が柔らかい眼差しを向けてきた。

尚美は苦笑で応じた。

「試練だと思って、何とか乗り切ってみます」

「試練か。たしかにそうだな。君だけの試練ではなく、うちのホテル全体が試されているのかもしれない」藤木は頷いた。その目には真剣な光が蘇っていた。「それで、どうかな。今日一日やってみた印象を率直に話してもらいたいんだがね」

「新田さんのことですか」

「もちろんそうだ。正直に答えてほしい」

尚美は一旦視線を落とした後、改めて藤木の顔を見つめた。

「あの方をホテルマンに仕立て上げるのは非常に難しいと思います。お客様へのサービスを実際にお任せするのは危険です」

藤木は田倉と顔を見合わせた後、尚美のほうを向いた。

「それは新田刑事だからだろうか。それとも刑事という人種には無理ということだろうか」

尚美は首を傾げた。

「わかりません。もしかしたら刑事さんの中にも適任者はいるかもしれません。ただ、新田さんと一緒にいて思ったのは、この人たちと私たちとは価値観も人間観も全く違うということです」

「それはどういう点で？」

「すべてにおいてです。私はこの世界に入った時、感謝の気持ちを忘れるなと教えられました。お客様への感謝の気持ちがあれば、的確な応対、会話、礼儀、笑みなどは、特に訓練されなくても身体から滲み出てくるからです」

「その通りだね」

「ところがあの方は……いえ、おそらく警察官という人種は、他人を疑いの目でしか見ないのだと思います。この人物は何か悪いことをするのではないか、何か企んでいるのではないかという具合に、常に目を光らせているのです。考えてみれば当然です。それが職業なのですから。でも、そんなふうにしか人を見ることができない人間に、お客様への感謝の気持ちを忘れるなといっても無理です」

「なるほどね。まあ、そうかもしれないな」藤木は田倉と頷き合った。

「じつは、ベルキャプテンの杉下君からも話を聞いたんだ」田倉が尚美にいった。「ベルボーイ役の刑事……関根といったかな。あの人についてね。杉下君によれば、動きはきびきびしていて悪くないんだが、目つきがよくないということだった。特にお客様の顔や服装をじろじろ見る癖があるらしい。一種の職業病なんだろうなあ」

「新田さんもそうです。チェックインされるお客様のことを必要以上に観察しておられます。その目は鋭くて、とてもホテルマンには見えません。お客様に気づかれるんじゃないかと、はらはらしどおしです」

藤木は顔を曇らせ、腕組みした。

「警察からの説明によれば、捜査員の中でも品のいい人材を選んだということなんだけどなあ」

「それは総支配人、そうかもしれません」田倉がいった。「夕方から何人かの捜査員がロビーやラウンジなどで見張りを始めたのですが、どの人物も恐ろしく強面《こわもて》でして、新田さんたちは、たしかにましなほうだと思います」

「そんなにひどいのかね」

「ひどいというか、独特の雰囲気があります。あまりに目立つようですと、ほかのお客様を怖がらせることにもなりかねません」

「それはいかんな。私から稲垣係長に直接電話をかけて、少しは配慮してくれるように頼んでみよう。それはともかく、今の山岸君の話を聞いたかぎりでは、さっきの件はやはり断ったほうがよさそうだな」藤木は思案顔を田倉に向けた。

「同感です。こういっては何ですが、新田刑事のフォローだけで山岸君は手一杯の状態です。この上、さらに面倒をみなければならない人間が増えるとなれば、フロントオフィスは完全に混乱します」

「あの、どういうことでしょうか」尚美は二人の顔を見比べた。

田倉が唇を舐めた。

「じつは、潜入させる捜査員の数を増やせないかと警察がいってきたんだ。事務棟で行われた捜査会議で、そういう提案が出されたらしい」

尚美は目を見開いた。

「この上さらに、フロントに刑事を置くというんですか。そんなの無茶です。あの刑事……新田さんだけでも大変なのに」

藤木は眉間に皺を寄せ、頷いた。

「わかった。この件については断ろう。しかし潜入捜査員を全く増やさないというわけにもいかない。どうすればいいかな」

「やはり、妥協できるとすればハウスキーパー役でしょう」田倉がいった。「お客様と接する機会が少ないし、実際の業務は本物のハウスキーパーに任せれば問題ありません。ハウスキーパーなら何人増やしてもらっても構わないと警察に提案してみたらいかがですか」

「そうだな。だけど、向こうとしては不満だろうな。お客様との接触がない職場では意味がないというかもしれない」

「その場合は、ベルボーイ役をあと一人か二人増やすということでどうでしょう。とにかくフロントクラーク役は避けてもらいましょう」

「わかった。その線で話を進めてみよう」藤木は自分の気持ちを確認するように首を縦に何度か振った後、やや表情を和ませて尚美を見た。「疲れているところを悪かったね。今夜は、もう帰りなさい。ほかの者もいることだし、朝までなら新田刑事を一人にしておいても問題ないだろう。君は九時までに出勤してくれればいい」

ありがとうございます、と尚美は頭を下げた。午前九時というのは、夜勤から日勤への引き継ぎが行われる時刻なのだ。

彼女は立ち上がり、ドアに向かいかけた。だが途中で足を止めると、上司たちを振り返った。

「ひとつ質問してもいいでしょうか」

藤木は当惑したように瞬きした後、「何かね」と訊いてきた。

尚美は小さく息を吸ってから唇を動かした。

「お二人は御存じなのではありませんか。なぜ警察が、次にこのホテルで殺人が起きると考えているのかを。そしてその根拠について、かなり信憑性があると感じておられるのではないですか」

田倉が狼狽の気配を見せ、口を開こうとした。だがそれを藤木が手で制し、「なぜそう思うのかね」と尋ねてきた。

尚美は小さくかぶりを振りながらいった。

「不思議で仕方がないんです。総支配人や田倉部長は、お客様へのサービスを何よりも大切にされる方々です。捜査員に従業員の制服を着せるだけでなく、実際に接客をさせるというのは、どう考えても無謀です。その無謀なことを受け入れられたということは、余程の理由があるとしか思えません。少なくとも、このホテルで殺人が起きるおそれがあるからという程度の漠然とした説明では、お二人は納得されないはずです」

藤木は吐息をつき、田倉を見た。田倉は顔をしかめ、後頭部を撫でている。その様子を見て、尚美は確信した。

「やっぱり、御存じなんですね」

藤木は顎を引いた。

「君のいう通りだよ。このホテルで殺人事件が起きると予想される理由について、私たちは警察から説明を受けている」

「それを教えていただくわけにはいかないのですね」

すると藤木は瞼を閉じ、黙考の表情を数秒間浮かべた後、頷いて目を開いた。

「そうだね。教えるわけにはいかないな。それは君のためでもある」

「私の？　どういうことでしょうか」

「詳しいことはいえないのだが、連続殺人犯は、現場に奇妙なメッセージを残しているそうだ。はじめは警察にも意味がわからなかったが、やがて解読された。その結果、次の犯行現場がうちのホテルだと判明した。このことは機密事項でマスコミにも公表されていない。もしこのことが外部に漏れ、犯人に気づかれたらどうなるか。おそらく犯人は、このホテルでの犯行を中止するだろう。そうなってしまえば、警察が犯人を逮捕する術をなくすことになる。彼等が持っている手がかりは、そのメッセージだけだからね」

「犯人をおびき寄せるために、メッセージが解読されたことを隠しておくわけですね」

「そういうことだ。だがここで考えなければならないのは――いや、じつをいうと考えたくもないことだが、万一事件が起きてしまった時のことだ。うちのホテルは、被害者遺族からだけでなく、世間のすべての人々から非難を浴びることになるだろう。狙われていることがわかっていたなら、なぜそのことを公表しなかったのかと。正直いうと、最初に警察から相談を受けた時、私は公表することを考えた。もちろんそのことによって、当分の間はお客様の足が遠のくことも覚悟した。だが今もいったように、うちが公表してしまえば、警察が犯人を逮捕するチャンスをなくしてしまうことになる。さらには、犯人は別の場所で殺人を行うかもしれない。うちのお客様が殺されなければそれでいいというものではない。私は悩んだよ」

藤木の言葉が、尚美の胸に重く沈んだ。彼が利益優先主義者ではなく、常に社会的責任を意識する人物だということはよく知っている。

「悩まれた結果、捜査に協力する道を選ばれたわけですね」

「そうだ。お客様の安全は絶対に守るという警察の言葉を信用することにした。とはいえ、最悪の事態も考慮しておく必要がある。もし事件が起きてしまったらどうするか。たぶん世間もマスコミも、ホテル側がどれだけのことを把握していたのかを追及するだろう。その際、詳しいことを知っていたのは一部の人間だけだと判明すれば、ホテルの受ける被害は最小限に抑えられる。

あとは、その一部の人間が責任を取ればいいだけのことだ」

尚美は、はっとして藤木を見つめ、次に田倉に視線を移した。二人とも穏やかな表情をしていたが、その目には固い決意の色があった。

「従業員たちには余計なことを知らせないほうがいい——そうお考えなのですね。私のためだとおっしゃったのは、そういう意味なのですね」

「理解してくれるとありがたい」藤木は静かな口調でいった。

「よくわかりました。もうこれに関する質問は一切いたしません。総支配人たちの深いお考えを察しないで、申し訳ありませんでした」尚美は頭を下げた。

「謝る必要はない。明日も大変だろうから、今日は帰って、ゆっくり休みなさい」

「そうします。ではこれで」尚美はドアを開けた。

総支配人室を後にし、ひっそりと静まりかえった廊下を歩きながら、尚美は遠い昔のことを思い出した。大学受験のために上京し、このホテルに泊まった時のことだ。

それまで高級ホテルを利用したことなど一度もなかった。どうせなら楽しい思い出を作ろうと、このホテルに決めたのだ。初めて訪れた時、きらびやかな雰囲気に圧倒された。ここは一流の人間が集まる場所で、自分のような子供の来るところではないと直感的に思い知らされた。

何よりも彼女の心を摑んだのは、このホテルで働く従業員たちの颯爽とした姿だった。何があっても決してうろたえず、てきぱきと問題を処理していく様子は、プロフェッショナルとはどういうものかを尚美に示してくれているようだった。特に印象に残っているのは、外国人客の応対をしていたフロントクラークだ。何かトラブルがあったようだが、彼は決して狼狽を見せず、流暢な英語で粘り強く説明を続けていた。不機嫌だった外国人客は、いつしか笑みを浮かべるようになり、最後には感謝の言葉を口にして立ち去った。しかしそのフロントクラークは特に安堵の表情を浮かべることもなく、淡々と次の客の応対を始めていた。自信に裏打ちされた平静さだと感じた。

その時尚美は、このホテルで二泊した。二日続けて受験があったからだ。最初の試験日、彼女は試験会場に着いてから、ちょっとした忘れ物に気づいた。母から渡された合格祈願のお守りを、ホテルのデスクに置いたままだったのだ。まあいいや、と彼女は思った。思い入れのある品ではないし、そもそも神頼みをする気もなかった。

ところが試験が始まる直前になって、会場係の女性が近づいてきて、尚美に封筒を差し出した。ホテルの人が届けてくれたのだという。中にはお守りと便箋が入っていた。便箋には、『大切なものだと思ったので、届けさせていただきました。試験、がんばってください。』と書かれていた。

感激すると同時に不思議に思った。どの大学を受験するか、ホテルの人間に話した覚えがなかったからだ。大学に問い合わせたところで教えてくれるとも思えない。

試験が終わった後、ホテルに戻った。するとフロントクラークが笑顔を浮かべ、「お帰りなさいませ。お忘れ物は無事に届いたでしょうか」と尋ねてきた。

彼女は戸惑いながら、はいと答えた。それはよかった、とフロントクラークは白い歯を見せた。

部屋に戻ると、室内は奇麗に清掃されていた。ベッドのシーツはぴんと張られていて、バスルームには水滴ひとつ残っていなかった。タオルも真新しいものに取り替えられていた。その反面尚美が置いていった服や本などには、極力触れないように配慮されているのがわかった。

自宅から電話がかかってきたのは、その直後だった。かけてきたのは母だった。彼女は試験の手応えよりも先に、「お守り、届いたの？」と尋ねてきた。

「おかあさん、どうしてそのことを知ってるの？」尚美は訊いた。

「だって、ホテルからうちに電話があったんだもの。部屋にお守りを忘れていかれたようなので、どこで受験するのか教えてもらえませんかって。私はね、わざわざ届ける必要なんかありませんっていったのよ。どうせあの子はお守りなんか信じてないし、私が無理に持たせたものだからって。でもホテルの人は、お守りを忘れたということで、お嬢様が不吉な気持ちになっていたらかわいそうじゃないですかとおっしゃったの。そういわれればそうかなあと思って、受験場所と受験番号を教えたのよ。あなた、ちゃんとお礼をいったでしょうね」

あっ、と受話器を持ったままで小さく叫んだ。「忘れてた」

母のため息が聞こえた。

「そんなことだから、いつまで経っても子供だっていわれるのよ。後できちんとお礼をいってきなさい。で、試験のほうはどうだったの？」

受験の手応えは悪くなかったことを伝えて母を安心させた後、尚美は部屋を出た。礼をいうためだったが、エレベータで一階に下りたところで立ち尽くした。誰に礼をいえばいいのかがわからなかったからだ。

お守りに気づいたのは部屋を掃除した従業員だろう。しかし自宅に電話をかけたのは、おそらく別の人物だ。そしてまた違う人間が、大学まで届けてくれたに違いない。

彼女がぼんやりと立っていると、黒い制服を着た男性が笑顔で近づいてきた。「いかがされましたか」

彼女は躊躇いがちに事情を説明した。するとその男性は合点したように大きく頷いた。

「お客様が山岸様でしたか。お守りが試験に間に合ったのなら幸いです」

「それでお礼をいいたいんですけど、どなたにいえばいいのかわからなくて……」

だが男性は微笑んだままで首を振った。

「そのお気持ちだけで十分です。私共は従業員全員でお客様へのサービス提供に努めております。いわばチームプレイなんです。ですから、お客様に喜んでいただけたとしても、誰か一人の功績というわけではありません。逆にいいますと、もしけしからん従業員がいて、お客様に御迷惑をおかけするようなことがあった場合も、その者一人ではなく、ホテル全体の責任だと考えております」

十代の娘に対しているとは思えぬ丁寧な言葉遣いで語られた内容には、仕事と職場に対するプライドと自信、さらには責任感が込められていた。穏やかな口調ではあったが、尚美は圧倒された。

「……そうなんですか」細い声で、辛うじてそう答えた。

「今回のことで、もし喜んでいただけたのなら」男性は直立不動の姿勢をとった。「次に上京された際も、是非当ホテルを御利用くださいますようお願い申し上げます」そういって頭を下げた。さらに、こう続けた。「もちろんそれが御入学のための上京であれば、私共としましても、この上なく嬉しいのですが」

尚美は言葉が何も出てこなかった。男性の話術は魔法のようだった。話しているだけで、幸せな気分になっていく。それが彼等の仕事なのだ。何という素敵な職業だろうと思った。

彼が最後に口にした予言は、結果的に実現することになった。無事大学に合格した尚美は、入学前に再びこのホテルに泊まったのだ。その際彼女は、彼を探してホテルの中を歩き回ったが、結局見つけることはできなかった。彼と再会したのは、彼女が大学を卒業し、このホテルに就職してからのことだ。

彼——藤木は総支配人に昇格していた。尚美が初めて会った時には副総支配人の肩書きだったということは、後から知った。

早いものだと思った。彼の下で働くようになってから十年が経とうとしている。これまでにもいろいろなことがあったが、今回ほどの危機は初めてだ。しかし彼の姿勢は、いささかもぐらついていない。ホテルのサービスとはチームプレイだから、もし何かあった場合にはホテル全体で責任を取る——つまり総責任者である彼自身に腹を切る覚悟があるということだ。難題は部下に押しつけ、トラブルが生じた場合には自分は何も知らなかったと逃げる経営者とは全く逆の考え方なのだ。

藤木のことは何としてでも守らなければならない、と尚美は思った。この素晴らしい職業に導いてくれた恩人なのだ。また、このホテルが一流であり続けるためにも、彼の存在は不可欠だ。自分に何ができるだろう、何をやらなければならないだろう――事務棟で着替えを済ませ、帰路に就いた後も、尚美はそのことを考え続けた。

翌朝、尚美は八時に出勤した。夜勤からの引き継ぎは九時からだが、やはり新田のことが気になったのだ。

フロントに行くと、チェックアウトしようとする宿泊客が並び始めていた。応対するフロントクラークたちの後ろには、早くも新田の姿がある。一番奥に立っているのは、ほかの者の邪魔にならないようにという配慮からだろうが、猟犬みたいに客たちを睨みつけていることが迷惑だとは考えていないようだ。

「おはよう、早いね」後ろから声をかけられた。久我だった。

おはようございます、と尚美も挨拶した。

「もう少しゆっくり出てきてもよかったのに。君は昨夜、かなり遅くまで残ってたそうじゃないか」

「そうなんですけど、何だかじっとしていられなくて」

久我は苦笑し、フロントのほうに目を向けた。

「厄介な生徒さんの面倒を見なきゃいけないから気が気じゃないか。夜勤の連中から聞いたんだけど、あの刑事、夜中の三時までホテル内の見回りをしていたらしい。で、仮眠を取った後、六時過ぎには起きてきて、あんな感じでホテル内のお客様を監視しているんだそうだ。さすがにタフだね」

「タフなのは結構ですけど、あの態度は困ります」

尚美は大股で歩き、素早くフロントの内側に入った。すぐに新田と目が合った。ちょっとこちらへ、と彼女は彼を奥の事務所に連れていった。

「何ですか。俺は勤務中なんですがね」

「新田さんの今の仕事はホテルマンに化けることでしょう？　それならお客様を睨まないでください」

新田は、ふんと鼻を鳴らした。

「悪人を見つけようとすると、どうしてもこういう目つきになってしまうんです」

尚美は首を振った。

「昨日もいったはずです。そんな目をしていたら、却って警戒されるだけです。それに、チェックアウトするお客様はホテルから出ていかれるわけだから、犯人の可能性は低いんじゃありませんか」

「それはわからない。チェックアウトしてから犯行に及ぶおそれだってあるわけですからね。捜査に決めつけは禁物です。だからこそ、こうして早起きしてるんです」新田の言葉には刑事の意地が込められているようだった。

「……そうですか。でもとにかく、目つきにだけは気をつけてください」

「まあ、何とか努力してみましょう」不承不承といった様子で新田は頷いた。

九時の引き継ぎを済ませた後は、本格的にチェックアウト業務が忙しくなった。尚美もフロントに立った。新田は後ろにいるが、どんな目つきをしているのかを見張っている余裕はない。

ようやく一段落した時、川本が近寄ってきて耳打ちした。「山岸さん、そろそろ古橋様がチェックアウトされる頃ですが」

尚美は時刻を確認した。午前十時を過ぎたところだ。古橋という客は、十階のツインルームに女性と二人で宿泊している。

彼女は受話器を取り、エグゼクティブ・ハウスキーパーの浜島に電話をかけた。

「はい、浜島です」快活な声が返ってきた。

「山岸です。昨日お話しした、1025号室のお客様の件です。いかがでしょうか」

「それでしたら、そちらの指示通りにやっています。お客様は、まだ部屋におられるようです。部屋が空き次第、作業にかかるようにいってあります」

「わかりました。よろしくお願いします」

電話を切ったところで、「何事ですか」と新田が訊いてきた。「何か問題のある客なんですか」

尚美はため息をついた。「客、ではなく、お客様といってください」

新田は煩わしそうに顔の前で手を振った。

「わかりましたよ。それより、何なんですか、そのお客様は」

「別に大したことではありません」

「気になりますね。不穏な気配を感じる。もしかして、スキッパーですか」

窺うような目をする新田の顔を尚美は見返した。刑事の嗅覚の鋭さを感じた。

彼女は周りに客の目がないことを確認してから声を落としていった。

「先月そのお客様が宿泊された際、チェックアウト後にバスローブが紛失していることが判明しました」

「バスローブが？　その客が持ち帰ったってわけですか。せこいことをする奴がいるものだなあ」新田が呆れ顔でいった。

「笑い事じゃありません。当ホテルのバスローブは一着二万円近くするんです。宿泊のたびに持ち帰られたらたまりません」

「なるほどね。で、どうするんですか」

「どうぞそこで御覧になっていてください。私たちには、私たちのやり方がありますから」

「そうですか。じゃあ、お手並み拝見といきますか」

新田がそういった直後、内線電話が鳴りだした。川本が出て、二言三言話した後、尚美に向かっていった。「たった今、部屋を出られたそうです。すぐにハウスキーパーに入ってもらいます」

「わかった。ありがとう」尚美は答えた。

「見事な連携ですね。チェックアウトの手続き中に、バスローブがなくなっていないかどうかを確かめるわけだ」新田が感心したようにいった。「この時間にチェックアウトするということは、いつ知ったんですか」

「チェックインの時です。さりげなく訊いておきました」

「へえ」

やがて古橋という客がエレベータホールのほうから現れた。四十歳ぐらいの大柄な男だ。顎が張っていて、目つきは鋭い。傍らにいるのは、三十前後と思われる派手な化粧をした女だった。女はガムを嚙んでいた。

フロントから離れたところにあるソファに女を座らせ、古橋が歩み寄ってきた。女の足元にはスポーツバッグが置かれている。

「お発ちでございますか」

尚美が訊くと、うん、と不機嫌そうな顔で古橋はカードキーを置いた。彼女はチェックアウトの手続きを始めた。

ところがコンピュータが利用明細を打ち出している間も、ハウスキーパーからの連絡は入ってこなかった。尚美はやきもきした。わざと手間取るふりなどをした。

「おい、早くしてくれよ。こっちは急いでるんだ」案の定、古橋が催促してきた。

「はい、ただいま――」

尚美が明細書を示すと、古橋は財布から現金を出してきた。釣り銭を渡せば、このまま逃げられてしまう。

その時、ようやく電話が鳴った。すぐに川本が出た。彼は片手でメモを取ると、それを尚美に差し出してきた。彼女はこっそりと目を落とした。

一着なくなっています――そう走り書きされていた。

尚美は川本に小さく頷きかけた。すると新田が川本に近づき、彼の手から受話器を奪って、何か話し始めた。川本は、きょとんとしている。

何をする気だろうと新田のことを気にしながら、尚美は古橋に釣り銭と領収書を渡した。古橋がそれらを財布に入れるのを見ながら彼女はいった。

「お客様、たった今清掃係から連絡が入りまして、お客様のお荷物に当ホテルの備品が紛れ込んだ可能性があるとのことでございます。お手数ではございますが、お連れ様のお荷物の中などを確認していただけませんでしょうか」

古橋の眉がぴくりと動いた。

「備品が紛れ込んだ？　何それ、どういう意味？　そんなもの、勝手に紛れ込むわけないだろ。それとも、俺たちが何かを盗ったとでもいうのか」

いえいえ、と尚美は手を振った。

「当ホテルの備品の中には、御自由にお持ち帰りくださって結構なものと、そうでないものがございます。それらについていちいち説明をお付けしていないものですから、時にお間違えになられるお客様もいらっしゃいます。御面倒だと思いますが、どうか御確認いただけないでしょうか」

古橋は口元を歪め、身を乗り出してきた。

「持って回った言い方はやめなよ。一体何がなくなったっていうんだ」

尚美は顎を引き、相手から目をそらさずに答えた。「バスローブです」

「バスローブ？　そんなもの、バッグに入れてるわけないだろ」

「ですから、一応御確認を」

「ちょっと待てよ。俺が入れてないといってるんだぜ。それなのに確認っておかしいじゃねえか。やっぱり俺が盗ったと思ってるんだな」

「いえ、決してそういうわけでは」

「わかったよ。バッグを取ってくるから、あんたが確認しろ」古橋は踵《きびす》を返し、連れの女に向かって歩きだした。

その時だった。突然新田が尚美の隣にやってきた。さらに、「お客様、古橋様」と呼び止めた。

古橋は険しい顔つきで振り返った。「何だよ」

「結構です。どうぞそのままお帰りになってください」

新田の言葉に、尚美は驚いて彼を見上げた。

「はあ？」古橋は大きく口を開いた。「どういうことだ」

「お客様を信じます。失礼いたしました」

「信じる？　だけどその女は――」古橋は鬼の形相で何かをいおうとしたが、新田と目が合った途端、その顔から毒気が抜けたようになった。

はっとして尚美は新田を見た。彼の目はふだん以上に鋭くなり、危険な光を放っていた。

古橋は瞬きを繰り返し、何度か大きく息をした。「……本当にもういいのか。俺を疑ってるんじゃないのか」声が上ずっていた。

「とんでもない。どうかお気をつけてお帰りください。またの御利用をお待ちしております」新田は丁寧におじぎをした。

古橋は尚美と新田の顔を交互に見た後、足早に連れの女のところに戻った。先程までとはうってかわった落ち着きのない様子で、二人で正面玄関へと向かった。

尚美は新田を見上げた。「どういうつもりですか。説明してください」

「あのバッグにバスローブは入ってない」

「そんなはずは……」

「ハウスキーパーに詳しい状況を訊いてみたんです。そうしたら、二つあるはずのバスローブの一方が消えていて、もう一方は未使用のままでクロゼットに入っているということでした」

「だから消えたほうのバスローブは盗まれたと……」

新田は薄く笑い、首を振った。

「俺がツインの部屋からバスローブを盗むとしたら、一着は風呂上がりに実際に使って、バッグに隠すのは未使用のほうにしますね。誰でもそうじゃないかな」

あっ、と尚美は小さく叫んだ。たしかにその通りだと思った。

電話が鳴った。川本が出て、短い会話を交わしてから電話を切った。

「ハウスキーパーからでした。新田さんがいったように、バスローブはベッドの下に隠してあったそうです」

「やっぱりな。隠すとすれば、あそこしかないと思った」新田は満足そうだ。

「ちょっと待ってください。わざと隠したってこと？」尚美は訊いた。

「おそらくね。あなたはさりげなくチェックアウト時刻を尋ねたといったけど、連中はその狙いに気づいたんじゃないかな。だからわざとバスローブの片方を隠した。チェックアウトの際にバッグの中を確かめられることは計算済みだ。中を見せてから、恥をかかされたとか名誉毀損だとかいって騒ぎ、何某かの金銭を出させようって魂胆だったんでしょう。前回バスローブを盗んだこと自体、今日の伏線だったのかもしれない。もしかしたら、あちこちのホテルでこの手を使って、小遣い稼ぎをしているのかも」

尚美は額に手を当てた。

「だとしたら、まんまとその手に乗るところだったんですね。……新田さん、どうして変だと気づいたんですか」

「悪事を見抜くという点では、あなた方よりも確かな目を持っているつもりです。だてに目つきが悪くなっているわけじゃないということかな」

後半の台詞は明らかに尚美への嫌味だったが、ここでは何もいい返せなかった。黙って俯いた。

その時、新田の携帯電話が鳴った。彼は低い声でしゃべった後、「ちょっと失礼。事務棟に行ってきます」といってフロントから出ていった。

その彼を尚美は追いかけた。新田さん、と声をかけた。

新田は足を止めた。「どうしました」

「大事な話があるんです。五分だけください」

「目つきのことなら努力しているつもりですが」

「そうじゃありません。どうしても教えてほしいことがあるんです。事件のことです」

新田の目がきらりと光った。「何ですか」

尚美は深呼吸をしてから口を開いた。

「メッセージのことです。連続殺人犯は、一体どんなメッセージを残していったのですか」

新田が息を呑む気配があった。

5

「ちょっとこっちへ」新田は山岸尚美の腕を摑んだ。素早く周囲に視線を走らせた後、二階に上がるエスカレータに向かって歩きだした。その陰なら人目につきにくいと考えたからだ。

「待ってください。引っ張らないで」

だがその言葉を無視し、新田は彼女の腕を引っ張りながらエスカレータの下まで進んだ。改めて周りの様子を窺ってから、ようやく手を離した。

「乱暴しないでください。言葉でいってくだされればわかります」山岸尚美は眉をひそめ、摑まれた腕をもう一方の手で擦《こす》った。

新田は彼女を上から睨みつけた。

「どうしてメッセージのことを知っているんですか。誰から聞きました？」

山岸尚美は小さく咳払いをした後、上目遣いに彼を見た。「上司からです」

新田は横を向き、舌打ちした。

「そういうことですか。やっぱり一般人は口が軽くてだめだな。秘密を自分たちだけで抱えるってことに慣れてないらしい」

「その言い方は、総支配人たちに対して失礼です。私がしつこく食い下がったので、メッセージの存在についてだけ教えてくれたのです。そのほかのことは一切教えてくれませんでした。もしものことがあった場合に、自分たちだけで責任を取ろうとしているからです」ふだんは淡々とした口調を貫いている山岸尚美が、ややむきになっていた。

「だったら、その気持ちを尊重したらどうですか。せっかく上の人たちが、あなたたち部下が困らないようにと配慮されてるわけだから、その好意を無駄にすることはないと思いますが」

「上司たちの気持ちには感謝していますし、それを無駄にする気はありません。ですから、それ以上問い詰めるのはやめておいたんです。でも、このままでは自分の気が済まないので、こうして新田さんにお伺いしているわけです」

「申し訳ないけど、あなたの気が済むかどうかなんて我々には関係ありません。捜査の足しにもならないと思いますしね」新田は腕時計に目を落とした。「失礼。うちの上司に呼ばれているものですから」

彼は大股で事務棟への通用口に向かいかけた。だが山岸尚美が追いかけてきて、彼の前に立ちはだかった。

「昨夜自宅に帰ってから、一体自分に何ができるだろうかと考えました。上司たちが最終的に責任を取ってくれるからといって、機械的に作業をこなしているだけではだめだと思ったからです。でも一晩中考えても結論らしきものは出ませんでした」

新田はため息をついた。

「そんなに大層に考える必要はありませんよ。捜査をするのも事件を防ぐのも我々警察です。あなた方は、ただこちらの要求通りに協力してくれればいい。そうすれば総支配人たちを助けられます」

「私はそうは思いません」彼女は背筋を伸ばして続けた。「先程、新田さんがお客様の計略を見抜かれるのを目にして、やっぱり警察の人は違うと思いました。私たちとは全く別の発想で人を見ておられる。とても真似のできないことです」

褒められて悪い気はしなかった。新田は頬を緩めた。

「ありがとうございます。でも大したことじゃありません」

「同時に気づいたんです。まだまだ自分は甘かったって。前回バスローブを盗んだからといって、今回も同じことをするんじゃないかと考えること自体、あまりにも単純すぎたと思います。もっと深く考えるべきでした」

にこりともせずにいう山岸尚美の顔を見て、真面目な女性だな、と新田は思った。いや、真面目過ぎる。一緒に生活したら肩が凝りそうだ。

「あなた方は警察官じゃないし、そこまで思い詰めることはないでしょう。そんなふうに考えながらお客様を見ちゃいけないんじゃないんですか。俺みたいな目つきになっちゃいますよ」

からかったつもりだったが、山岸尚美は真顔のままだった。

「疑うのと、相手の心を読もうとするのとは違います。その姿勢は元々ホテルマンに要求されることでもあるのです。新田さんは、今のやり方で本当に大丈夫だと思われますか。事件を防ぎ、犯人を逮捕できると思いますか」

「警察のやり方に何か不満でも？」

「捜査に口出しする気はありません。私は新田さんのサポート役を命じられ、最初は少し抵抗がありましたが、今はできるかぎりのことをやろうと思っています。だけど今のままでは十分な働きができるとは思えません。漠然と、次にこのホテルで事件が起きそうだからというだけでは、どんなことに気を配り、何を注意すればいいのかがわかりません。率直にいえば、本当にこのホテルで事件が起きるのだろうかと疑う気持ちさえあります」

やや興奮しているのか、山岸尚美の声は少し大きくなっていた。新田は周囲に目を配った後、人差し指を唇に近づけた。彼女は我に返った表情になり、すみません、と小声で謝った。

「犯人は次の犯行現場に、このホテルを選んでいます。それは事実です」新田は答えた。

「ですから、その根拠を教えてください」

「申し訳ないけど、それはできません。我々警察がその根拠を摑んでいるという事実自体が、すでに極秘事項なんです」

「でも詳しい中身を教えていただけないと十分なお手伝いが――」

山岸尚美が言葉を中断したのは、新田が彼女の顔の前に手を出して制したからだった。

「あなたは刑事ではない。そこまで考えなくて結構です。それにあなたは十分に俺をサポートしてくれています。もう少しほうっておいてくれてもいいのにと思うぐらいにね」

この台詞が皮肉だと気づいたらしく、山岸尚美は険しい顔で新田を睨みつけてきた。だがふだんよりも目を見開いた顔はなかなかの美人で、そのことに新田はどきりとした。

「どうしても教えてはいただけませんか」彼女は重ねて訊いてきた。

「無理です。ここでしゃべったら、俺は刑事失格です」

落胆したように視線を落とした山岸尚美を残し、新田は通用口に向かった。足早に歩きながら、これだから素人は困る、と内心で毒づいていた。警察に関わっているというだけで必要以上に高揚し、捜査に口を出したり、刑事の真似事をやりたがったりする。あの山岸という女性はそういうタイプではないと思っていただけに、少し意外だった。

ただし、あの表情は悪くなかったな――山岸尚美が最後に見せた顔を、彼は思い出していた。


事務棟の会議室は、相変わらず煙草の煙で空気が白く濁っていた。一部の飲食店を除いてホテル内がほぼ全館禁煙なので、見張り担当の刑事たちが交代のたびに大量に吸うからだった。今も三人の男が灰皿を囲んでいる。

稲垣と本宮が立ったままで話し込んでいた。そばにあるホワイトボードには何枚もの顔写真が貼られていたが、これといって容疑者が特定されていないことは、書き込まれた情報の少なさから窺えた。少しでも絞れる要素があったなら、その人物に関する書き込みが一気に増えるはずなのだ。

新田は彼等に近づいていった。稲垣に呼ばれているからだ。

「お疲れ様。何か変わったことは？」稲垣が尋ねてきた。

「特にありません。今の時間帯はチェックアウト業務が主で、新たな宿泊客はまだ来ませんし」

バスローブの件は報告するまでもないと新田は判断した。山岸尚美からメッセージに関する質問を受けたことも黙っておくことにした。

「そうか。今日は結婚式や披露宴があって、人の出入りが激しい。見張りを増やしているが、フロントからも注意して見張っていてくれ」

「了解です。ほかに何か？」

うん、と稲垣は頷いた。

「千住新橋の件だ。気になる情報が入った」ホワイトボードを指で叩いた。

千住新橋での被害者は野口史子という主婦だ。これまでのところ、怨恨や利害といった焦臭い人間関係は浮かんでいない。

「旦那の経営している町工場だが、かなりまずい状況らしい」

「潰れそうってことですか」

「というより」本宮が横からいった。「殆ど潰れてるといったほうがいいかもしれないな。半年前から社員に給料を払えなくなっている。銀行にも融資を断られたという話だ。自動車部品メーカーの下請けだが、何しろこの不況だ。いつ仕事が入るかもわからないという状況らしい。さてそういう時、中小企業の経営者が真っ先に考えるのはどういうことだと思う?」

新田は腕組みした。

「銀行が金を貸してくれないとなれば、まずは闇金に頼りますかね」

ふふっと本宮は薄笑いをした。

「闇金だって商売だ。取れるものが何もないやつには貸さねえよ。自殺でもされたら大損だからな」

自殺と聞いて、新田の頭にぴんとくることがあった。

「では、生命保険ですか」

本宮が、ぱちんと指を鳴らした。

新田は驚いて稲垣を見た。「被害者に生命保険が?」

「かけてあったそうだ。しかも一つじゃない」稲垣は続けた。「死亡した場合に約五千万円が入る保険と一億円が入る保険の二つに入っていたらしい。五千万のほうは十年ほど前に入っている。こいつは介護が必要になった時や入院時にも給付されるタイプのものだから、不自然とはいえない。問題は一億円のほうだ。保険に入ったのはつい最近で、保険料は掛け捨てで比較的安いとはいえ、月二万円近くになる。社員の給料を払えないって時に、そんなことをする経営者がどこにいる」

「じゃあ、旦那が保険金目当てで女房を殺《や》ったと？」新田の目はホワイトボードに向けられた。もちろん、被害者の夫である野口靖彦の顔写真も貼ってある。

「従業員が五人いる。その中の誰かにやらせた可能性もあるが、やはり一番怪しいのは靖彦だろうな」

「事件当日のアリバイはどうなっていますか」

「被害者の死亡推定時刻は十月十日の午後六時から九時の間だ」本宮がメモを見ながらいった。

「靖彦によれば、実家へ行くといって被害者が外出した後、友人たちと夜中まで酒を飲んでいたらしい。ただしその友人たちと会ったのは午後八時頃だから、犯行は十分に可能だ。しかも現場は自宅の近くときている」

新田は唸った。「たしかに怪しいですね。怪しすぎます」

「問題はそこなんだ」稲垣がいった。「動機は十分だし、アリバイはない。しかし旦那が犯人だとすると、あまりにも単純すぎる。何より、例の数字について説明がつかない。つまりほかの事件との関連が見えてこない」

新田はホワイトボードを睨んだ。犯人の遺留品は未発見だ。物証は極めて乏しく、動機があるというだけで靖彦を拘束するのは無理だろう。何より、稲垣がいうようにほかの事件との繋がりが不明のままでは、取り調べ自体がやりにくい。被害者の遺族たちにも例の数字の意味はまだ教えない、というのが捜査方針なのだ。

「で、俺は何をすれば？」新田は訊いた。

本宮が机の上から封筒を取り上げた。中から一枚の写真を出してきた。「これをよく見てみろ」

それは数十人の中高年が写った集合写真だった。殆どが男性だ。

「前から二番目の列で、左から三番目にいるのが野口靖彦だ」本宮はホワイトボードに貼ってある靖彦の写真を指した。

新田は二つの写真を見比べた。たしかに同一人物が写っている。

「この集合写真は？」

「五年前に開かれたパーティの時のものだ。自動車部品メーカーの主催だったそうだ。背景をよく見てみろ。見覚えはないか」

本宮にいわれ、新田は写真を凝視した。人物たちの背後に写っている柱に彫られた、特徴的な模様が目についた。

「このホテルですね」彼は呟いた。

「そうだ。ロビーで撮影したらしい」

「よく見つけましたね、こんな写真」

「野口の取引先を当たっていた捜査員が、たまたま見つけたってことだ」

「なるほど」

「このパーティの時に何か変わったことがなかったかどうか、調べてみてくれ」稲垣がいった。

「このホテルと野口の接点は、その時しかない。野口が事件に関わっているのなら、何かあるはずだ。宴会部への聞き込みは別の者にやらせるから、おまえは宿泊部門の人間を当たるんだ」

「わかりました。フロントの人間に確かめてみましょう」

「くれぐれも詳しいことは話すんじゃないぞ」

「わかってますよ」新田は写真を手にした。

フロントに戻った新田は、早速山岸尚美を捕まえ、裏の事務所に回った。本宮から預かった、野口靖彦が写っている集合写真を見せた。

「五年前に、こちらの宴会場で開催されたそうなんです。自動車部品メーカーが主催とかで」

山岸尚美は真剣な眼差しで写真を見つめた後、小さく頷いた。

「たしかにうちのホテルですね。このパーティは三年ほど前まで、毎年秋に開かれていたはずです。今は不景気の煽りを受けて、やめてしまわれたようですけど」

「この時のことで何か印象に残っていることはありませんか。どんなことでも結構なんですが」

新田の問いに、山岸尚美は眉をひそめて首を捻《ひね》った。

「私はその時にはすでに宿泊部にいましたから、宴会場でのことはよくわかりません。しかも五年も前となると……。同じようなパーティが、毎日のように行われていますし」

「そうですか」

新田は写真を上着のポケットにしまった。彼女の答えは予想していたものだったので、さほど落胆はしていなかった。

「そのパーティが何か？」山岸尚美が窺うような目をした。

「いや、何でもありません。たぶん事件とは何の関係もないでしょう」

それは本心だった。彼女がいったように、このホテルでは大小様々なパーティがしょっちゅう行われている。被害者の夫が五年前に出席していたからといって、とりたてて不自然とはいえない。

だが彼女は新田が本音をいったとは捉えなかったようだ。

山岸尚美は吐息をついた。

「何も教えてくださらないんですね。そちらから質問するばかりで」落ち着いた口調ではあったが、声に棘が混じっていた。

新田は苦笑した。

「刑事というのは、結果的に無駄になることを山のように調べるんです。事件に関係しているものは、ほんの一握りでしかない。でも調べないと、真実を見つけられない。捜査の目的についてお話しできないのは、捜査上の秘密ということもありますが、いちいち説明していたらきりがないという現実的な理由も大きいんです」

何か反論でもする気なのか、山岸尚美が息を吸い込む気配があった。だが結局そのままため息をつき、腕時計に目を落とした。

「そろそろアーリー・チェックインのお客様がお見えになる頃です。フロント業務に戻りませんか」

「いいですね。よろしくお願いします」

フロントでは、例によって新田は山岸尚美の背後に立ち、彼女たちが次々とやってくるゲストたちに応対するのを観察した。正式なチェックイン時刻まではまだ少し時間があるので、それほど忙しくはない。手の空いたフロントクラークがいる時には、声をかけて野口靖彦の写真を見せてみた。だが見たことがある、と答える者はいなかった。

そんなことをしていた新田が思わず目を見開いたのは、一人の中年男がチェックインをしにやってきた時だった。ずんぐりとした体形で、流行遅れのスーツをきつそうに着ている。男は先に新田に気づいていたらしく、目が合うと口元を緩めて会釈してきた。悪戯がばれて照れ笑いをする子供のような表情だった。

「ではヤマモト様、本日より御一泊、シングルルームの御利用ということでよろしいでしょうか」

山岸尚美に問われ、中年男は少しどぎまぎした様子を見せながら、「ああ、はい、それでいいです」と答えた。

チェックインを済ませた男は、ベルボーイに案内され、エレベータホールに向かった。途中、一度だけ新田に視線を投げかけてきた。

「今の客、1015っていいましたよね」新田は山岸尚美に小声で訊いた。

「そうですけど、それが何か」

だが新田は答えず、フロントを出た。足早にエレベータホールに行き、上りのボタンを押した。エレベータはなかなか来ない。つま先で床を何度か蹴った。

「新田さん」

後ろから聞こえた声に、彼はうんざりした顔を作った。見なくても、山岸尚美だということはわかる。

「どうしたんですか。あのお客様に何か問題でも？」

新田は首を振った。

「お客様じゃない。刑事です」

「刑事？」山岸尚美は眉をひそめた。

「しかも所轄です。あいつ、どういうつもりでこんなところに……」

エレベータの扉が開いた。失礼、といって新田は乗り込んだ。

十階に着くと、大股で１０１５号室に向かった。部屋は廊下の中程にあった。新田は拳でノックした。はあい、とのんびりした声がドアの内側から聞こえた。

ドアが開き、中年男の丸顔が覗いた。笑顔だった。

「やっぱり来られましたね。もし来られないようなら、こちらから電話をかけようと思っていたんです」

「どういうことですか。捜査員が宿泊客を装うというような話は聞いてませんが」新田は部屋に入り、室内を見回しながら訊いた。シングルベッドの上に鞄と上着が載っている。

「そりゃそうです。これは私が個人的にやっていることですから」

「個人的に？」

「私は新田さんと組ませてもらってるじゃないですか。それなのに何もしないのは心苦しいので、一度現場をこの目で見ておこうと思ったわけです。とはいえ外から見ているだけでは何もわかりませんから、きちんと手続きして、部屋を取ったというわけです。いやあ、やっぱり豪華なもんですなあ。こんなホテルに泊まったのなんて、結婚式以来です。奮発した甲斐がありました。新田さんも、よく似合っておられます。さすがですねえ」丸顔の男は、細い目をさらに細めた。

男は能勢といった。品川警察署の刑事だ。最初の事件が起き、特捜本部が開設された際、新田はこの男と組むように命じられた。

愚鈍そうなおっさん、というのが第一印象だった。言葉の端々に北関東を想起させる訛りが混じっている。動作も少しのろく、見ていて苛々することも多かった。ホテルでの潜入捜査は気が重かったが、この男と別れられたことだけはよかったと思っていた。

能勢の褒め言葉を払いのけるように新田は手を振った。

「あなたには、ほかにやるべきことがたくさんあるはずだ。こんなところで寛いでいる場合じゃないと思いますが」

「もちろん用が済んだら、すぐに署に戻ります」能勢は鞄を引き寄せ、中から手帳を出してきた。ドラマの刑事が使いそうな、茶色のカバーがついた手帳だ。

「用？」

「被害者の女性関係についてですが、面白い情報を摑んだんです。まだ上司にも報告していません。真っ先に新田さんにお知らせしておこうと思いまして」

「被害者というと?」

新田の問いかけに、能勢はぱちぱちと瞬きした。

「岡部哲晴さん、一人目の被害者です。だって私、品川署の人間ですから」

「ああ……そうか」

ホテルでの任務のことで頭がいっぱいで、個々の事件については印象が薄くなりつつあった。たしかに新田と能勢は、第一の被害者である岡部哲晴の人間関係を調べるよう命じられていたのだ。だが本格的な聞き込みを始める前に、新田は今回の潜入捜査を命じられたのだ。

「岡部さんのマンションの近くに、行きつけにしていた居酒屋がありました。そこの店員が——」

「いや、ちょっと待ってください」能勢が手帳を見ながら話し始めたので、新田はあわてて制止した。「俺に報告してもらっても困ります」

能勢は細い目で瞬きした。「どうしてですか」

「どうしてって……だって、あなたにはほかに相手がいるでしょう」

「ほかに、とは誰ですか」

「新しく組んだ相手です。俺の後任がいるはずです」

だが能勢は当惑した顔で小さく首を振った。

「いえ、私の相手は現在も新田さんのままです。別の人間と組むようには指示されておりません」

新田は丸い顔を見返した。

「それにしたって、俺とのコンビはもう解消だってことは、考えなくてもわかるでしょう」

能勢はほんの少しだけ目を見開いた。「新田さんは解消を命じられたんですか」

「いや、命じられてはいないけど……」

するといと能勢は満面に笑みを浮かべた。

「だったら、私たちの関係は継続中ですよ。まあ、とにかく聞いてください。その岡部さん行きつけの居酒屋ですが、岡部さんが女性と二人で来たことを店員が覚えていたんです。今年の夏だといってました。かなり親密な様子で、奥さんを連れてきたのかと思ったそうです。というのはですね、帰りに女性のほうが料金を支払ったそうです。自分のバッグから財布を出して。それなら店員が夫婦と思っても無理ありません」

新田はベッドに腰を下ろした。どうやら所轄の刑事は報告をやめる気はなさそうだ。

「私は、その女が今まで名乗り出てこないのがおかしいと思います。夫婦に間違われるぐらいに親密な仲なら、何らかの形で出てくるはずです」

「関わり合いになるのが嫌なんじゃないですか」新田は深く考えることもなくいった。

「そうだと私も思います。だからふつうの恋人じゃない。道ならぬ仲、つまり不倫だと私は睨みました」

「人妻ね」新田は肩をすくめた。「そうかもしれない」

「調べてみてわかったんですがね、被害者はかなりのプレイボーイだったようです。ただし、結婚を迫られそうな相手には手を出さなかったそうです。そういう意味では、人妻というのは都合がいいかもしれません」能勢は話した後、自分で納得したように頷いた。

「それ、全部能勢さんが調べたんですか」

能勢は髪が薄くなりかけた頭を撫でた。

「歩いて聞き回るしか能がありませんのでねえ。まあ、居酒屋を見つけられたのは、多少土地鑑があったからですが。それが何か？」

「いや、何でもありません」

このホテルでの潜入捜査が始まって以来、所轄の刑事が何をしているかなど、新田は考えたこともなかった。

「さてと、では行きますか」能勢は上着を手にした。

「どちらへ？」新田は訊いた。

「署に戻るんです。引き続き、聞き込みをしなきゃいけませんからね。その人妻の正体を、何とかして突き止めないと」

新田は首を振った。「そんなことしたって無駄ですよ」

能勢は意外そうに口をすぼめた。「無駄？　どうしてですか」

「第一の事件では、犯人は被害者を鈍器で殴った後、首を紐で絞めている。しかしその鈍器も紐も現場にはなかった。つまりどちらも犯人が用意したものということになります。女が男を殺すために、鈍器と紐を用意するなんて不自然です。女が凶器を用意するとしたら、まず間違いなく刃物です」

ははあ、と能勢は感心したような声を発した。「いわれてみれば、そうかもしれません」

「だから女なんか探したって無駄だというんです」

うーん、と能勢は短く唸った。「でも、一応探します。これが私の仕事ですから」

新田はため息をついた。勝手にしろ、と心の中で毒づいた。

「この部屋はどうするんですか。もう使わないんですか」

「とんでもない。そんな勿体ないことはしません。深夜、こっそりと戻ってくるつもりです。せっかくですから、その気持ちよさそうなベッドで寝させてもらいます」能勢はテーブルに置いてあったカードキーを手にした。「新田さんはゆっくりしていってください。この部屋、オートロックってやつでしょう？　ドアを閉めるだけで鍵がかかるんですよね。ではまた後ほど」

「ああ、能勢さん、ちょっと」新田が呼び止めた。

能勢がドアを開けたままで振り返った。その丸い顔を見て新田は訊いた。「手嶋のことは誰かが調べてるんですか」

「手嶋……手嶋正樹ですな」

「そう」決まってるだろ、という言葉を呑み込んだ。「誰かが担当しているんですか」

「いやあ、それはちょっと……。確認しておきましょうか」

「いえ、結構です。どうぞ、行ってください」

はあ、と頷き、能勢は部屋を出ていった。新田はドアを見つめた。だが頭に浮かんでいるのは、頬のこけた青白い顔だ。唇は薄く、目に感情の色は乏しい。

新田が手嶋正樹に目を付けたきっかけは、被害者岡部哲晴の暮らしぶりに不審を感じたことだった。リビングに置かれた六〇インチの液晶テレビ、棚に並んだバカラのグラス、フランク・ミュラーの腕時計、クロゼットに吊されていた何十着ものアルマーニ。いずれもふつうの会社員には似つかわしくないものだ。

調べたところ、それらの贅沢品は、すべてこの一年の間に購入されていた。いずれも現金で支払われているが、岡部の預金口座を見るかぎり、そんな大金が入った形跡はない。

岡部は一体どこからそんな大金を得ていたのか。そこで新田が着目したのは、岡部の会社での所属部署だ。彼は経理部に属していた。

新田の読みは当たっていた。社内調査を依頼してみたところ、この一年間で二十数回に及ぶ不審な出金が見つかったのだ。総額にして、一億円はくだらないらしい。伝票を確認してみると、管理者たちの印鑑が勝手に使われたり、偽造されたりしていることがわかった。非常に巧妙な隠蔽工作が施されているので、一度チェックをくぐりぬけてしまうと、担当者レベルでないと不正には気づきにくいということだった。

岡部哲晴が横領を行っていたと考えれば辻褄は合う――経理課長は、こめかみを汗で濡らしたまま答えた。

だが、と新田は考えた。経理を操作できる人間はほかにいないのか。もし岡部に共犯者がいたなら、今回の事件による岡部の死は、その者にとって非常に都合がいいことになる。

この推理から浮かんできたのが、岡部と同じ職場にいる手嶋正樹だった。手嶋は岡部よりも三歳先輩で、岡部以上に不正をやりやすい立場にいた。現在はおとなしくしているようだが、二年ほど前まではかなりのギャンブル好きで、多額の借金を抱えていたという噂もあった。

早速、手嶋に会うことにした。住まいは練馬区の住宅街の中にあった。古いマンションで、部屋の壁紙は変色していた。岡部の部屋と違い、贅沢品は一つも見当たらなかった。

当然のことながら、手嶋は事件を知っていた。岡部が業務上横領を行っていたかもしれないことも、経理課長から聞いたという。

「何もかも信じられないという感じです。岡部が殺されたっていうだけでも驚きなのに」手嶋は表情の乏しい顔で首を振った。

新田は、事件について何か心当たりはないかとか、最近の岡部の様子はどうだったかといった質問を続けながら、手嶋と岡部の関係を探りだそうとした。

だが手嶋の受け答えは一貫していた。岡部とは会社以外での付き合いはないし、仕事も完全に分業していたから、不正についても全く気づかなかった、プライベートなことも殆ど知らない、というのだった。

「僕も社交的なほうじゃないが、彼も人付き合いはよくなかったですね。仲のよかった人間なんていないんじゃないかな」手嶋はぼそぼそとした口調でいった。

新田はアリバイを確かめることにした。十月四日の夜はどこにいたのかと訊いた。

自宅にいた、というのが手嶋の答えだった。それを証明できるかと訊いたところ、最初は、独り暮らしだから無理だといった。だが少ししてから急に思い出したように、電話がかかってきたといいだした。しかも携帯電話ではなく、固定電話にだ。

「かけてきたのは、昔付き合ってた女性です。大した用じゃなかったんですけどね。ついでに少し話しました。五分ほどだったかな」

それが八時頃のことだという。

電話はファクスとの兼用機だった。

「元カノと付き合ってた頃は、このあたり電波の状態が悪くて、なかなかケータイが繋がらなかったんです。それで、この電話を連絡用に使ってました。だからあの時もこっちにかけてきたんだと思います」そう答えた手嶋の唇の端には、勝ち誇ったような薄い笑みが貼り付いていた。

手嶋の元恋人は本多千鶴という女性だった。確認してみると、たしかに十月四日の夜八時頃に自分の携帯電話からかけたという。その時、そばに友人がいたということなので、新田はその女性からも話を聞くことにした。間違いない、とその女性は断言した。また、通話記録も彼等の供述が正しいことを物語っていた。

手嶋の部屋から犯行現場までは、どのような交通手段を使っても一時間以上はかかる。アリバイを信じるかぎり、手嶋に犯行は不可能だ。

しかし新田は納得できなかった。気に掛かっていることが二つある。一つは、110番通報があったことだ。それによって犯行時刻が正確に特定できたわけだが、手嶋のアリバイを成立させる要因にもなっている。通報者が名乗らなかったのも怪しい。手嶋自身が通報したのではないのか。

それともう一つは、別れ際の手嶋の顔だ。

この謎を解けるもんなら解いてみろよ——そんなふうにいっているように感じたのだ。

だがそれは大きな勘違いかもしれなかった。第一の事件はともかく、第二、第三の事件と手嶋とは何の関係もないのだ。例の数字についても説明がつかない。

新田は両手で頭を掻きむしった。自分が袋小路に迷い込んだ小さい虫のように思えた。

6

会社員と思われる中年男性のチェックイン作業を済ませたところで、尚美は正面玄関に目を向けた。ドアマンが一人の女性を館内に案内しているところだった。その女性はサングラスをかけ、右手で杖をついていた。その慎重な動きは視覚障害者特有のものだった。

尚美は思わず眉をひそめた。一番近くにいたベルボーイが、よりによって刑事の関根が扮装しているだけの偽者だったからだ。案の定、女性の手から旅行バッグを奪い取ると、背中を押して歩かせようとしている。目の見えない人間が背中を押されたらどれほど不安か、まるでわかっていないのだ。

事態に気づいたらしく、ベルキャプテンの杉下が駆けつけた。偽ベルボーイに声をかけてバッグを受け取ると、女性から離れさせた。代わりに彼女の手を取り、自分の二の腕を摑ませた後、ゆっくりと歩きだした。女性の唇に安心したような笑みが浮かぶのを見て、尚美もほっとした。

杉下は彼女をフロントまで導いてきた。濃いサングラスのせいで顔はよくわからないが、肌の感じなどから六十歳前後に見えた。ほっそりとしていて姿勢がよく、ダークグレーのスーツがよく似合う。首にはスカーフが巻かれ、無造作に後ろで束ねた髪には白いものが半分ほど混じっていた。

「カタギリ様です。御予約されているそうです」杉下が若手フロントクラークの川本にいった。

「カタギリ様ですね。少々お待ちください」

川本がチェックインの作業を始めようとした時だった。

「ちょっといいですか」目の不自由な女性が小さく左手を上げた。ややハスキーだが、柔らかく聞こえる声だった。

「何でしょうか」川本が訊いた。

老婦人はゆっくりと左右を見回した後、左手を、尚美のほうに向けた。その手には白い手袋が嵌められている。

「申し訳ないんですけど、こちらの方にお願いできないでしょうか」

えっ、と尚美は声を漏らした。すると老婦人はにっこりと微笑んだ。

「女性の方だったの。それなら尚のこと、あなたにお願いしたいわ」

川本が当惑した表情で動作を止めている。尚美もわけがわからなかった。

「ごめんなさいね。あなたのことが気に入らないわけではないの」老婦人は穏やかな口調で川本に詫びた。「相性とか直感を大事にしているんです。どうか、年寄りの我が儘を聞いていただけないかしら」

　川本が瞬きして尚美を見た。彼女は頷き、老婦人のほうを向いた。

「かしこまりました。私がお手続きをさせていただきます」

「すまないわね」老婦人はカウンターの縁に触れ、尚美の前まで移動した。「あなた、お名前は？」

「山岸と申します」

「ヤマギシさんね。覚えておくわ」

「宿泊票はどうなさいますか。よろしければ、私が代筆させていただきますが」

「大丈夫。記入するところを教えてもらえれば名前と住所ぐらいは書けます」

「では宿泊票の裏面に御記入いただけますか」

「わかりました」老婦人は杖の把手《とって》をカウンターに引っかけた。

「こちらが宿泊票です」尚美は老婦人の右手を取り、裏返しにした宿泊票を持たせた。その大きさを確かめるように彼女が両手で触り、自分の前に置くのを見届けてから、「こちらはボールペンでございます。キャップなどはついておりませんので御注意ください」といって、右手にボールペンを渡した。

「名前と住所だけでいいのね。電話番号は？」

「よろしければお願いいたします」

　老婦人は頷き、左手で宿泊票の位置を確認しながら、右手で記入を始めた。背筋をぴんと伸ばしたままで、俯くこともない。サングラスをかけた顔は尚美に向けられている。それでも用紙からはみ出すことなく、氏名と住所、そして電話番号が丁寧に横書きされていった。名前は片桐瑶子となっていた。住所が神戸と知り、尚美は少し意外な気がした。老婦人の言葉からは関西の気配が感じ取れなかったからだ。

「はい、どうぞ。これでいいかしら」

「結構です。少々お待ちくださいませ」

尚美は端末機を操作した。片桐瑶子は三日前に予約を入れていた。喫煙可のシングルルームを希望となっている。これまた意外だった。この年代の女性客は、大抵禁煙ルームを望むからだ。

「お待たせいたしました。片桐様、シングルルームで本日から御一泊ということでよろしいでしょうか」

「その通りです。よろしくお願いします」

「では1215号室を御用意いたしました。カードキーはベルボーイに渡しておきます」

尚美は杉下に目配せし、キーを手渡した。杉下は先程と同じように老婦人に自分の二の腕を摑ませ、ゆっくりと歩きだした。彼に任せておけば後は大丈夫だ。カードキーの使用方法も教えてくれるだろう。

ほっとして吐息をついた時、背後に人の気配を感じた。振り返ると新田が立っていた。視線を遠くに向けている。その先には片桐瑶子の後ろ姿があった。

「お仲間の刑事さんとの打ち合わせは終わったんですか」

だが尚美の質問に新田は答えない。まだ片桐瑶子を見ている。

「あのお客様が気になるんですか。目の不自由な方がホテルを利用されることだってあるんですよ」

するとようやく新田が尚美に視線を移してきた。その目には警戒心がこもっていた。

「そりゃそうでしょう。我々警察だって、視覚障害者を相手にすることはあります」

「だったら、そんなにじろじろ見なくてもいいじゃないですか」

「一応、観察しただけです。少し気になったものですから」

「だから何がですか」

「手袋です」

「手袋？」

「あの婦人は白い手袋をしてましたよね。両方の手に」

「知っています。それがどうかしたんですか」

「俺の経験では」新田は続けた。「視覚障害者はあまり手袋を使いません。彼等にとっては、聴覚と同様に触覚も貴重な情報だからです。手触りをわからなくさせてしまう手袋は邪魔でしかない。また彼等は、自分が誤って濡れたものに触れてしまうことを常に考えています。手袋が濡れたら、なかなか乾かなくて不快です」

刑事の説明に、尚美は瞬きを繰り返した。いわれてみればたしかにその通りだ。

でも、と彼女はいった。「あのお客様には何か事情があるのかもしれません。手に傷や痣があって、それを隠すためとか」

「もちろんそういう可能性だってあります。変だと決めつけているわけじゃありません。少し気になるといっているだけです。刑事は疑うのが仕事ですから」

「では新田さんは、あのお客様の何を疑っておられるのですか」

「そうですね。あの人については殆ど何も知らないんですが、視覚障害者らしくないことをしているので気になったわけですから、やはりそれが事実なのかどうかを疑っているってことになりますかね」

回りくどい言い方をした新田の顔を、尚美は正面から眺めた。

「あのお客様は、目が不自由な芝居をしているとでも？　何のために？」

さあ、と新田は首を捻った。「そいつはわかりません。だから注意はしておいたほうがいいと思います。何の目的もなく、身障者のふりをする人間はいませんからね」

「考えすぎだと思いますけど」

新田は唇の端を少し曲げた。「考えが足りないよりはいいでしょう」

むっとして尚美が彼を睨みつけた時、そばで電話が鳴った。川本が素早く受話器を取ったが、二言三言話した後、「山岸さん」と呼びかけてきた。

「ベルの杉下さんです。先程のお客様が、山岸さんに来てほしいと」

「ちょっと貸して」尚美は興味深そうに見つめる新田と目を合わせた後、彼に背を向け、受け取った受話器を耳に当てた。「山岸です。どうかしましたか」

「すみません。じつは先程のお客様が、部屋を替えてほしいとおっしゃってるんです」

「何か問題があったの？」

「それがよくわからないんです。御本人も、うまく説明できないとおっしゃってまして」杉下は歯切れが悪い。

「わかりました。すぐに行くから、お客様と一緒に待ってて」

「了解です」

尚美は受話器を置き、川本にいった。

「十二階のフロアで、すぐに提供できる部屋を探しておいて。見つかったら、部屋番号をすべて私の携帯にメールで送って」

わかりました、と川本が返事するのを背中で聞き、尚美はマスターキーを手にした。

フロントを出てエレベータホールに向かっていると、後ろから足音が追ってきた。

「俺も行きます」新田が横に並んだ。「さっきの婦人でしょ。怪しい客をチェックするために、俺は潜入しているんですからね」

尚美はため息をついた。「どうぞお好きに」

エレベータの扉が開いたので、二人で乗り込んだ。新田が十二階のボタンを押した。

「こういうことはよくあるんですか。客が部屋を替えてくれといってごねることが」

「しょっちゅうです。昨日も、禁煙室なのに煙草の臭いがするといわれ、スイートを提供することになりました」

「へえ、安い料金で高級な部屋に泊まりたければ、そうすればいいわけだ。あの老婦人も、それが狙いかな」

新田が本気の口調だったので、尚美はつい目を見張っていた。身障者を前にした時、大抵の人間はその内面を疑ったりはしない。身体が不自由な分、精神は奇麗だと決めてかかりがちだ。だがこの刑事は違う。身障者だからといって狡猾でないとはかぎらない、と考えるのだ。いや、そもそも身障者であること自体を疑っている。

心が拗《ねじ》くれている、という見方はできる。だが逆に、人を外見で判断しない公正な目を持っているともいえる。それはもしかしたら警察官として必要な資質であり、この人物の美点なのかもしれないと尚美は思った。

「俺の顔に何かついていますか」

「いえ……新田さんたちが追っている事件ですけど、犯人が女性の可能性もあるんですか」

「ゼロじゃありません」そう答えた後、新田は後悔したように眉をひそめた。女性の可能性は低いと認めたようなものだからだろう。

エレベータが十二階で止まった。扉が開くと、尚美は先に出て歩きだした。

1215号室のドアが開いていて、杉下が入り口のそばに立っていた。尚美のほうを見て少し驚いた表情をしたのは、後ろから新田も来ているからに違いない。

片桐瑶子はシングルベッドに腰を下ろしていた。サングラスはかけたままだし、手袋も外してはいなかった。

「山岸が参りました」杉下が片桐瑶子にいった。

やや俯き加減だった老婦人が、微笑んだ顔を上げた。その表情を見て、どうやら機嫌を悪くしているわけではなさそうだ、と尚美は安堵した。

「お待たせいたしました。こちらの部屋に何か問題がございましたか」

片桐瑶子はばつが悪そうな顔を作り、小さく首を傾げた。

「ごめんなさい。この部屋はちょっと私には合わないの。ほかの部屋を見せていただけないかしら」

「どういったところがお気に召しませんか」

「それがねえ、大変いいにくいのだけれど、賑やかすぎるの。少しぐらいなら我慢できるんですけど、この部屋はちょっと……」

「賑やか……音が騒がしいということでしょうか」尚美は耳をすませた。防音対策は十分に施されている。すぐ前に道路があるが、車の騒音などは殆ど聞こえない。

「音じゃないの。そういう意味ではないの」片桐瑶子は小さく手を振った。何かを隠しているように見えた。

「どういうことでしょうか。遠慮なくおっしゃってください。こちらでできるだけ対処したいと思いますので」

老婦人は困ったように項垂《うなだ》れた。

「ごめんなさいね。変なことをいわなきゃよかったわね。一晩ぐらいなら我慢すればいいことだったのに」

「とんでもない。お客様に我慢していただく必要はございません。では、どういった部屋をお望みなのかを教えていただけますでしょうか。至急、御用意させていただきます」

片桐瑶子は再び顔を上げ、迷うように首を捻ってから口を開いた。

「じゃあ、正直にいいます。でもね、どうか気を悪くしないでくださいね。営業妨害をする気なんかは全然ないし、あなた方を困らせたいわけでもないの。この部屋だって、ほかの人ならきっと何の問題もないと思います。私のような者には合わないっていうだけのことだから」

尚美は杉下と顔を見合わせた後、「どういうことでしょうか」と老婦人に尋ねた。

「あのね、この部屋にはね、たくさんの人がいるの。悪い人たちじゃないのよ。だから宿泊客に迷惑をかけたりしない。でもその人たちの思いが、私のようなものには重たく感じられるの。それが少し辛いのよ」

片桐瑶子が何のことをいっているのか、ようやく尚美にもわかった。すると同様に察知したらしく、「それって幽霊のことですか」と新田が尚美のすぐ後ろから訊いた。それほど近くにいるとは思っていなかったので、少し驚いた。

「幽霊……じゃないのよ。でも、そういったほうがわかりやすいのかしら。霊っていう言い方は、あまり好きではないんですけど」片桐瑶子は気まずそうにいった。「本当にごめんなさい。こんなのって、あなた方にとってはいいがかり以外の何物でもないわよねえ」

「いえ、決してそういうことは――」尚美がそこまでいった時、彼女の上着の下で携帯電話が震えた。「すみません。メールが届きました。おそらくこの件だと思いますので、チェックしても構いませんか」

「ええどうぞ。面倒かけてすまないわね」

尚美は電話を取り出した。やはり川本からのメールだった。清掃が済んでいて、今すぐに案内できる部屋は、このフロアには四つある。

片桐様、と呼びかけた。

「このフロアに御用意できる部屋がいくつかございます。お手数ですが、それらを御覧になってみて、お好みの部屋を選んでいただけないでしょうか」

「選ぶ？　私が選ぶの？」老婦人は自分の胸を右手で押さえた。

「そうです。どうぞ、お選びになってください。こちらで勝手に御用意して、また御希望に沿えないとなると、余計に御迷惑をおかけすることになりますので」

「そう？　でも、我が儘をいっているようでなんだか申し訳ないわね」

「お客様の御要望にお応えするのがこちらの務めです。御足労願えますでしょうか」

「ありがとう。じゃあ、見せていただくわ」

「かしこまりました」

尚美は杉下に目で頷きかけた。杉下は片桐瑶子に声をかけ、彼女の手に触れた。杖で身体を支えながら立ち上がった彼女は、先程と同じように杉下の腕を摑んだ。

彼女が廊下に出たところで尚美はいった。

「片桐様、部屋のタイプはいかがいたしましょうか。今の部屋はシングルルームでしたけど、もし別のタイプのほうがいいということでしたら、そちらを先に御案内させていただきます」

片桐瑶子は大きく首を横に動かした。

「どのタイプでも構いません。でもできればシングルがいいわね」

「わかりました。では近くの1219号室をまず御覧になってください」

尚美は二つ隣のドアの前まで行き、マスターキーで解錠した。ドアを開け、杉下に導かれて片桐瑶子がやってくるのを待った。彼等二人の後ろから、新田もついてくる。

杉下が彼女を室内まで誘導した。

「いかがでしょうか」尚美は訊いた。「部屋のタイプは、先程の1215号室と全く同じでございます」

片桐瑶子は立ったまま、まるで室内の様子を目で観察するように、ゆっくりと顔を巡らせた。だがその目は閉じられている。

やがて彼女は唇を緩め、頷いた。

「ここは静かですね。誰もいないみたい。では、この部屋にしていただけますか」

「こちらでよろしいでしょうか」

「結構です。面倒なことをいって、本当にごめんなさいね」

「とんでもない。では、キーはすぐに届けさせます。後のことはベルボーイに任せますが、また何かございましたら、遠慮なくお申し付けくださいませ」

杉下に、よろしく、と小声で囁いた後、失礼しますといって尚美は部屋を出た。

エレベータホールに向かって歩く途中、新田が横に並んできた。

「幽霊とは驚きましたね。ホテルにはそういう噂が絶えないといいますが、あんな難癖の付け方があるとは知らなかった」

「難癖という言い方は失礼でしょう。御本人にとっては深刻な問題です」

「信じるんですか。あんな話を」

尚美はエレベータの乗場ボタンに触れてから、新田のほうを向いた。

「感覚というのは、人それぞれ違うものです。霊感かどうかはともかく、お客様の感覚に部屋が合わないということであれば、別の部屋を用意するのは当然のことです」

「なるほど。まあ、あの御婦人が部屋のグレードアップを狙ったわけではないってことはわかりましたけどね」

「刑事の勘が外れて残念そうですね」

エレベータの扉が開いた。中は無人だった。

「勘が外れたかどうかはまだわかりませんよ」乗り込んでから新田がいった。

「どういう意味ですか」

「あなた方がやりとりしている途中で、俺が話しかけたでしょ。幽霊のことですかって。するとあの女性は、幽霊ではないって答えましたよね。その瞬間、また一つ引っかかるものが生まれました」

「その答えの何が気に入らないんですか」

「俺が問題にしているのは答えの内容じゃありません。突然問いかけたのに、あの女性が全く驚いた素振りを見せなかったことが不思議なんです。それまで俺は一言も口をきいていません。彼女はベルボーイに、あなたを呼んでくれと頼んでいる。だから、あなたのほかに誰かがいるとは思わないはずだ。そんな状況で、それまで聞いたことのない声が急に耳に飛び込んできたら、質問に答える前にまずこう尋ねるんじゃないですか。あなたは誰ですかって。でも彼女は訊かなかった。なぜか。俺がいることを知っていたからです。つまり俺の姿が見えていた、ということになる。彼女は目を閉じているように見えますが、じつは薄く開けてるんじゃないかな」

新田の指摘に、一瞬尚美は黙り込んだ。たしかに鋭い意見だと思った。

しかし反論はすぐに思いついた。彼女は刑事を見返していた。

「たしかに片桐様は新田さんの存在に気づいておられたのかもしれません。でもそれは、目が見えているからではないと思います。ああしたハンディを背負っている方々は、その分、別の感覚がとても鋭くなっています。私のほかにもう一人いることなど、足音などで容易に察しておられたのではないでしょうか」

新田はにやりと笑った。

「だったらその時点で、山岸さんのほかにもう一人いるようだが誰ですか、と訊くんじゃないですか。足音だけじゃ、フロントクラークなのかベルボーイなのかはわからない。たまたま同じ方向から歩いてきた別の客という可能性だってあります」

エレベータが一階に到着し、扉が開いた。二人組の若い男女が待っていた。新田が素早く『開』のボタンを押し、どうぞお先に、と尚美にいった。

尚美はカップルに頭を下げてエレベータから出た。新田は彼等が乗り込むのを見届けた後、素早く降り、扉が閉まるまで二人に頭を下げていた。その角度は、尚美が指導した通りのものだった。

「やればできるじゃないですか」尚美はいった。

「フロントクラークらしくなってきましたか」

「今の動きはよかったです。雰囲気が出てきました」

「ありがとうございます。でもどれほど雰囲気が身に付いても、ただ黙っていたのでは、目の見えない人にそれは伝わらない」

新田は片桐瑶子の話を続けたいようだ。

「あの方が目の不自由な演技をして、どういう得があるというんですか」

「それはわからない。だからこそ気になるんです。目的もなく、そんなことをする人間はいない。その目的が知りたいんです」

「事件と関係があると？」

「さあ」新田は首を捻った。「とにかく怪しい人間がいたらチェックする。そのために俺はここにいるんです」

尚美は一旦視線を落とした後、改めて彼を見つめた。

「わかりました。誰を疑おうと新田さんの自由です。ただ、これだけは約束してください。犯罪に関与しているという根拠がないかぎり、決して片桐様が不快になるようなことはしないこと。もし仮に……仮にですけど、片桐様が視覚障害者の演技をしているのだとしても、そのこと自体は犯罪ではありません。当ホテルにとって大切なお客様であることには、何ら変わりがないんです」

「でもあなたやベルボーイは迷惑を被っている」

「あの程度は迷惑などではありません。もっと手の掛かるお客様がいくらでもいます。どうか、そのことだけは約束してください。お願いいたします」尚美は頭を下げた。

「顔を上げてください。いいでしょう、約束します。いわれるまでもなく、現時点であの人をどうこうしようという考えはありません。ただ気をつけて観察するだけです」

「お願いしますね。観察という行為も、人を不快にさせるものですから」

「わかってますよ。信用ないんだな」新田は少し不機嫌な表情になり、鼻の横を掻きながら大股で歩きだした。


片桐瑶子からフロントに電話がかかってきたのは、午後六時を少し過ぎた頃だった。尚美の正規の勤務時間は終了していたが、例によって新田がフロントを離れないため、彼女も付き添っていた。電話を受けた若手フロントクラークが、「１２１９号室の片桐様が山岸さんにお願いがあるそうです」といって受話器を寄越した。

「お電話代わりました。山岸です。どうかなさいましたか」尚美は訊いた。

「ごめんなさい。じつは夕食について相談したいの。このホテルにはとてもおいしいフレンチレストランがあると聞いているんですけど、私のような者が一人で行っても平気かしら。以前別の店で、付き添いが必要だといわれたことがあるのよ」

尚美は受話器を耳に当てたままで頷いた。

「もちろん大丈夫です。たしか点字メニューも置いているはずです」

「それは助かるわね」

「店にはもう予約を入れておられるのでしょうか」

「いいえ、それはまだなんだけど」

「では、私のほうから電話をしておきます。夕食のお時間はもうお決まりでしょうか」

「そうねえ、七時ぐらいかしら」

「片桐様お一人ということでよろしいでしょうか」

「ええ、一人です」

「では店の者に事情を説明しておきます。それから、七時より少し前に私が部屋までお迎えにあがります。店の場所が少々わかりにくくなっておりますので」

「もしそうしていただけるととても助かります。お願いしていいかしら」

「お任せください。では七時前に」

電話を切ると同時に、すぐそばにいた新田と目が合った。

「今度は何をいってきたんですか。あの婦人は」

「大したことではありません。食事についての相談です」

かいつまんで話すと、案の定新田は訝《いぶか》しむ表情を浮かべた。

「目の不自由な老婦人がたった一人でフレンチですか。ますます気になる」

「そんなに気になるなら、お客様のふりをして店に潜入したらどうですか」

「そういうわけにはいきません。フロントクラークとして顔をさらしてますからね。それに飲食店の客に扮する捜査員は別にいます。彼等に任せましょう」

「どうかくれぐれもお客様を――」

「不快にさせないように、でしょ。わかってますよ。しつこいな」新田は携帯電話を取り出した。片桐瑶子のことを上司に報告するつもりのようだ。

七時十五分前になると、尚美はフロントを離れ、1219号室に向かった。ドアの前で時計を確認し、七時十分前になるのを待ってノックした。はい、と返事があり、しばらくしてからドアが開いた。サングラスをかけ、スーツに身を包んだ片桐瑶子が立っていた。

「少し早かったでしょうか」

「いいえ。そろそろだと思っていたところよ」

彼女はゆっくりと部屋から出てきた。杖を持った左手には銀色の腕時計が巻かれていた。一見したところではふつうの時計にしか見えないが、盲人用の時計だということはすぐにわかった。ガラス蓋が開けられるようになっていて、剝きだしになった文字盤に触れて時刻を確認する仕組みだ。

だが問題は、彼女が依然として両手に手袋を嵌めていることだった。手袋をしたままで時刻を確かめられるのだろうか。それとも、その際には手袋を外すのか。

「どうしたの？　エレベータはこっちでしょ」片桐瑶子が訊いてきた。

「あ……失礼いたしました。どうぞ、私の腕にお摑まりになってください」尚美は彼女の右手を取り、自分の二の腕に摑まらせた。

フレンチレストランは最上階にある。片桐瑶子のことは、予約を入れた際、店側に伝えてある。尚美たちが行くと、顔見知りのレストラン・マネージャーがにこやかに迎えてくれた。彼に導かれるまま、彼女は片桐瑶子を窓際の席まで連れていった。無論、自慢の夜景を楽しんでもらうためではなく、隅のほうが落ち着くだろうという店側の配慮だろう。ほかのテーブルにはナプキンを置いた皿やフォーク、ナイフ、グラス、さらには生け花などが配置されているが、そのテーブルの上には何も置かれていなかった。

マネージャーによれば、視覚に障害のある客が来店した場合を想定した従業員教育なども、十分に行っているということだった。そういう客には、料理の内容と同時に、皿の上にどうレイアウトされているかを細かく説明することが肝心らしい。

「では、私はこれで失礼させていただきます。もし何かあれば、店の者に遠慮なくおっしゃってください」尚美は片桐瑶子にいった。

「本当にありがとう。助かったわ」

「どういたしまして」

尚美はマネージャーに目礼し、テーブルを離れた。だが一旦エントランスに出た後、ふと気になり、陰から片桐瑶子の様子を窺った。

気になったのは手袋のことだ。彼女は食事中も外さないつもりなのか。

若いウェイターが彼女の傍らに立ち、メニューを渡しているところだった。彼女はまだ手袋を嵌めている。メニューを開いてはいるが、それに触れようとはしない。

ウェイターが何かの説明をすると、彼女は頷いて応じている。どうやら注文が決まったらしく、ウェイターはメニューを彼女から受け取ると、一礼してその場を去った。

尚美は急ぎ足でウェイターを追った。彼が厨房に入る前に声をかけた。「ちょっとごめんなさい。いいかしら」

若いウェイターは驚いた顔で振り返った。「何ですか」

「メニューを見せてもらってもいい？」

「これですか」

尚美は差し出されたメニューを開いた。細かい粒子が規則的に並んでいるが、文字の表記はなく、先頭に番号が付けられているだけだ。つまり、健常者には読めないということになる。

「片桐様は、この中から注文を？」

「いいえ。このメニューにあるのは定番のアラカルトとコースだけですから、特別料理についてはロ頭で説明させていただきました。すると、シェフのお薦めコースというのがいいとおっしゃいました」

「ふうん」

「それが何か？」

「いえ、何でもないの。仕事の邪魔をしてごめんなさい」

尚美はメニューをウェイターに渡し、くるりと踵を返した。

その瞬間、片桐瑤子と目が合った。いや、目が合ったように感じた。サングラスをかけた片桐瑤子が、急いで顔をそむけたように見えたからだ。

彼女は今まで、ウェイターと話していた尚美を見つめていたということか。

まさか——尚美は老婦人から目をそらし、俯いて出口に向かった。暗い気持ちが胸に広がり始めていた。

7

新田の腕時計の針は午後十一時過ぎを示していた。事務棟の会議室に近づいただけで、煙草の臭いが漂ってくる。ドアはしっかりと閉じられているにもかかわらず、だ。深呼吸をし、息を止めてからドアを開けた。

濁った空気の中に、数名の捜査員たちの姿があった。そのうちの一人は本宮で、椅子に座って腕組みをし、目を閉じていた。

新田が隣のパイプ椅子に腰掛けると、本宮は目を開けた。「よう」

「お疲れ様です。係長は？」

本宮は、ふんと鼻を鳴らし、苦笑を浮かべた。

「二時間ぐらい前に本庁に戻った。管理官と二人で課長に状況報告だそうだ。捜査がちっとも進展しないものだから、上も苛々しているらしい」

「そんなことといっても、まだ潜入捜査を始めたばかりなのに」

「そこだよ。刑事をホテルに潜り込ませるなんていう荒技まで使ってるんだから、もう少し成果を上げてくれなきゃ困るってことらしい。こっちとしちゃあ、犯人が動いてくれなきゃどうしようもないんだけどな。少しでも怪しい客がいたら、片っ端からマークしてはいるけど、ことごとく空振りだ」

「そのことですが、例の女性客はどうでしたか」新田は訊いた。

本宮は細い眉毛の上を小指で掻いた。

「片桐っていう宿泊客だな。目が不自由な」

「そうです。レストランで食事をしたはずです。誰かに見張ってもらえるよう、係長に進言したんですけど」

「わかってる。俺が客のふりをして店に行った」

「本宮さんが？　フレンチレストランに？　一人で？」新田は思わず目を見開いていた。

「一人だ。何だよ、俺じゃいけないか」

「いや、そういうわけでは」新田は笑いを噛み殺すのに苦労した。強面の本宮が、一人でかしこまって食事をしている姿を想像するとおかしくなった。「で、どう思いましたか」

本宮は口元を歪め、首の後ろを揉んだ。

「見たところ、特に不自然なところはなかったけどな。視覚障害者のふりをしてるっていわれりゃ、そんなふうに見えないこともない。だけど、決め手はなかった。俺の注意力が不足してるのかもしれないけどさ」

「手袋は？」

「してた。食事中も、ずっと外さなかった。それはたしかに変だと思うけど、絶対におかしいってほどでもない。何か事情があるのかもしれない」

「それはそうですが……」

本宮は会議机に頬杖をついた。

「あのおばちゃんが仮に芝居をしていたとしても、俺たちの事件には関係ねえよ。これまでの犯行手口から考えて、犯人はまず間違いなく男だ。一人目は絞殺、二人目は扼殺、三人目は鈍器で殴り殺されている。女には無理だ。特に、あんなひ弱な感じのおばちゃんにはな」

この意見には新田も反論ができない。彼自身、犯人は女性ではないと能勢に向かって断言している。

「さてと、俺はそろそろ引き上げるとするか」本宮は立ち上がった。「じゃあ、また明日な」

お疲れ様でした、と新田はいった。本宮たちは、このホテルから徒歩で十分ほどのところにある久松警察署内に仮眠所を用意してもらっている。

新田は何枚もの顔写真が貼られたホワイトボードに近づいた。全体を、ざっと見渡してみる。品川で起きた会社員殺害事件、千住新橋で起きた主婦殺害事件、そして葛西で起きた高校教師殺害事件――奇妙な数字が残されていたということ以外、殆ど繋がりらしきものが見つかっていない。だからこそこうして新田たちがこのホテルで潜入捜査を行っているわけだが、果たしてこんな方法で犯人を見つけられるのだろうかという不安が、依然として胸の中で漂っている。こんなことをするより、これまでに起きた事件を徹底的に調べたほうが、事件解決への早道なのではないか。自分がホテルマンの真似事をしている間に、ほかの捜査員たちが着々と成果を上げているのではないかと思うと気が気でなかった。

気が滅入ったせいか、ひどく頭が重かった。睡眠不足のせいもある。このところ、一日に二、三時間しか眠っていない。

新田は会議室を出た。一つ上の階が宿泊部のオフィスになっていて、更衣室や従業員用の仮眠室がある。少し眠っておくかと思い、階段を上がった。

オフィスに行くと共用の机に誰かがいた。後ろ姿なので顔はわからないが、フロントクラークの制服を着ている。しかも、どうやら机に突っ伏して眠っているようだ。

新田は足音を殺して近づいた。すぐに、それが山岸尚美であることに気づいた。彼女の前にはノートパソコンがあり、電源が入ったままになっている。さらに机の上には、プリントアウトしたと思われるA４サイズの紙が何枚か広げられていた。

新田はパソコンの画面を覗き込んだ。表示されているのは、どうやら新聞記事のようだ。殺人事件を報じたものだが、新田たちとは関係がない。

プリントアウトされた紙を手に取った。そこに印字されている文章も、殺人事件に関する記事だった。しかもそれは新田のよく知る、品川で岡部哲晴が殺された事件を報じたものだった。

ほかの紙にも目を通した。いずれも最近起きた殺人事件の新聞記事だ。そのうちのいくつかは、新田たちが捜査をしている連続殺人事件に関するものだった。

新田は事情を察した。山岸尚美には、これまでに三件の連続殺人事件が起きていることは話してあるが、どういった事件だったのかは教えていない。また、なぜ次に事件の起きる場所がこのホテルだと判明したのか、ということも説明していない。しかし彼女は、それでは納得できなかったのだ。そこで、自分なりに事件の中身を解明しようと考えたらしい。とりあえず、最近都内で起きた殺人事件を片っ端から調べ、新聞記事をプリントアウトしたということだろう。

新田は山岸尚美の傍らに立ち、肩を軽く叩いた。

間もなく彼女はゆっくりと身体を起こした。だが瞼は閉じられたままだ。前後に小さく身体を揺らした後、睫《まつげ》がぴくぴくと動き、ようやく薄く目を開いた。

山岸さん、と新田は声をかけた。その途端、電気ショックを受けたように、彼女の背筋がぴんと伸びた。目も大きく見開かれている。そのまま彼女は彼を見上げた。

「あっ、新田さん……。いつからここに？」

「今、来たところです。こんなところで寝たら風邪をひきますよ」

山岸尚美は頬に手を当て、しばらくじっとしていた。まだ頭がぼんやりしているのかもしれない。だが机の上に広げられた書類に気づいたらしく、あわてた様子で片づけ始めた。

「急ぐ必要はありませんよ。もう、見せてもらいましたから」

彼女は一旦手を止めたが、すぐにまた動かした。

「余計なことをするな、とおっしゃりたいんでしょうね」

「余計というより、不必要です。何度もいったように、捜査のことは我々に任せてください。あなたは首を突っ込むべきじゃない」

「私が勝手にやっていることです。新田さんには迷惑をかけていないと思いますけど」

「迷惑だとはいってません。あなたのためを思っていってるんです。俺のせいで、こんなに遅い時間までホテルに残ってもらっていること自体、申し訳ないと思っています。だからせめて、休める時には休んでください」

「そう思われるなら――」そこまでいったところで山岸尚美は言葉を切り、小さく肩をすくめた。

「何でもありません」

「すべてを教えてほしいってわけですか」

「一般人には教えられないんでしょ。もういいです」彼女はパソコンを終了させ、立ち上がった。

「お疲れ様でした。おやすみなさい」

「あの御婦人は、その後、何かいってきましたか。自称、視覚障害者の御婦人です」

更衣室に向かいかけていた山岸尚美が、足を止めて振り返った。

「いいえ、何も。あの方がどうかしましたか」

「いやあ、どうにも怪しいと思って」新田は鼻の下を擦った。「気をつけたほうがいい」

「昼間にもいったはずです。仮にあのお客様が演技をしていたとしても、それが何らかの犯罪行為に結びつかないかぎり、こちらの対応を変えるべきではありません」

「そんなことをいうところを見ると、あなたにしても、あれは演技じゃないかと疑ってはいるんですね」

「もしかしたら、そうかもしれないとは思います。でも確認しようとは思いません」

「確認するまでもない。演技ですよ。何を企んでいるのかは不明ですが」

山岸尚美は肩で大きく息をした後、彼のほうに身体を向けた。

「ホテルには様々なお客様がお見えになられます。中には、とても個性的な方もいらっしゃいます。でも個性的だからといって、何かを企んでいると疑うのは失礼ではないでしょうか。バスローブの一件で、新田さんが鋭い洞察力をお持ちだということはわかりました。私も見習わなくてはと思います。でも、何度もいいますけど、犯罪に結びつかないかぎりは、そっとしておくべきです。それとも、新田さんたちが捜査中の事件に、あの方が関与しているという根拠でもあるんですか」

新田は頬を緩め、かぶりを振った。

「それはありません。たぶん無関係でしょう。そうではなくて、俺はホテルやあなたのためを思っていってるんです。視覚障害者のふりをするということは、その時点ですでに多くの人間を騙していることになる。無目的で嘘をつく人間はいない。用心したほうがいい」

するると山岸尚美は、挑むような目で新田を睨んできた。今にも反論の弁が唇から発せられそうな気配があった。

ところが次の瞬間、その唇がふっと緩んだ。

「御忠告、ありがとうございます。人を疑うことにかけてはプロの方の御意見ですから、心には留めておきます。でも、私にもプロとしてのプライドがあります。自分の目を信じたいと思います。あのお客様が、新田さんたちが取り組んでいる事件と無関係なのであれば、どうか私に任せてください」

「口出しするなってことですか」

彼女はやや皮肉を滲ませた微笑みを浮かべた。

「新田さんだって、そうでしょ。捜査に関して、素人には口出しされたくないんでしょ」

新田は顔をしかめ、頷いた。「まあ、お好きなように」

おやすみなさい、と改めていい、山岸尚美は更衣室に向かった。

仮眠室は更衣室とは反対方向にある。新田が踵を返した時、上着の中で携帯電話が震えた。取り出して着信表示を確認すると、能勢からだった。彼が、今夜遅くにこっそりと例の部屋に戻るつもりだといっていたのを思い出した。

「はい、新田です」

「能勢です。お疲れ様です」

「もうホテルに戻ってこられたんですか。ベッドの寝心地はどうですか」

「いやあそれが、いろいろと雑用が残ってまして、どうやら今夜はそっちに行けそうにないんです。残念なんですが」落胆ぶりが声に籠もっていた。

ざまあみろ、と新田は腹の中で毒づいた。

「それは大変ですね。せっかくあんなにいい部屋をおさえたのに」

「そうなんですよ。それで、無駄にするのも惜しいので、こうして新田さんにお電話したというわけです」

「というと?」

「新田さん、どうせどこかでお休みになられるわけでしょう? だったら、あの部屋を使っちゃってください」

「えっ? いや、それはまずいですよ」

「どうしてですか。シングルルームに二人で泊まったらルール違反かもしれませんが、新田さん一人が使うのなら、問題はないでしょう」

「そういうことではなくて、あの部屋は能勢さんのものなんだから、俺が使うわけにはいかないといってるんです」

「その私が使えないんだから仕方がないじゃないですか。新田さんに使ってもらえたら、私としても多少納得できます。だってこのままだと、奮発した甲斐がない」

新田は黙った。能勢は宿泊費の支払いを免れようとは思っていないようだ。

能勢の部屋は1015号室だった。シックな色調で統一されたシングルルームの様子を新田は思い浮かべた。あの部屋を誰も使わないというのは、たしかに勿体ない話だ。

「能勢さん、本当に今夜は戻ってこれそうにないんですか」念のために訊いた。

「どうやらそのようです。全くついてません。事件が一段落したら、いずれゆっくりと泊まることにします。だから新田さん、今夜はあの部屋で休んでください」

新田は携帯電話を右手から左手に持ち替え、出口に向かって歩きだした。

「わかりました。そういうことなら、使わせていただきます。ただし、宿泊料は折半にしましょう」

「いや、それはいけません。それでは新田さんに迷惑をかけることになる。私が勝手に部屋を予約し、チェックインしたんです。無駄になろうが何だろうが、私の責任です。新田さんにお金を使わせるわけにはいきません」

「しかし――」

「その点は心配しないでください。明日のチェックアウト時刻までにはそっちに行って、きちんと支払いを済ませるつもりです。ええと、部屋の鍵は何とかなりますよね」

「それはまあ何とでも」

「それならよかった。では、どうかゆっくりと休んでください。おやすみなさい」一方的にいうと、能勢は電話を切った。

新田は事務棟を出ると、フロントオフィスでマスターキーを確保してから1015号室に向かった。

当然のことながら、部屋は昼間のままで、ベッドカバーには新田が座った跡が残っていた。そのベッドカバーをはがし、制服を着たままで身体を投げ出した。仮眠室にあるベッドとは、寝心地が格段に違った。

東京のシティホテルに泊まったのはいつ以来だろうと考えた。あれこれと記憶を辿り、五年ほど前に付き合っていた女性と泊まったのが最後だと思い出した。たしか、ホワイトデーだ。菓子メーカーに踊らされているだけだと思ったが、何らかのイベントをしてほしいと相手の女性に要求され、海の見えるホテルに泊まることにした。翌朝、急遽呼び出しを受け、予定よりも早くチェックアウトすることになったが、彼女がなかなかバスルームから出てこず、苛々した覚えがある。化粧に手間取っていたらしい。

結局その女性とは、それから間もなく別れた。新田は彼女のルーズさに辟易したのだが、向こうは向こうで、彼の無神経さが我慢ならなかったそうだ。

当時のことを思い出しているうちに、頬が緩んでいた。ほろ苦い思い出ではあるが、悪い経験ではなかったと思う。ああいうことでもなければ、シティホテルに泊まることもなかっただろう。そう、東京在住の人間が東京のシティホテルに泊まることなど、ふつうはない――。

今回の事件の犯人は、どこの人間か。これまでの殺人事件は、すべて都内で起きている。となれば、東京在住か、もしそうでないにしても容易に上京できる地域に住んでいると考えて、まず間違いないのではないか。

計画的に犯罪を実行しようとする人間は、通常、自分のよく知っている場所を使おうとする。所謂、土地鑑のある場所だ。ホテルというのは一つの建物に過ぎないが、その内部は複雑で、小さな街と表現することも可能だ。つまり今回の犯人は、東京もしくは近郊に住んでいながら、日頃からホテルを利用することが多い人種だと考えられる。

たとえばそれはどういう人間か。

新田は身体を起こし、室内を見回した。その目がドアに向いたところで動きを止めた。

前に稲垣たちとも話し合ったことだが、いくらホテルが不特定多数の人間が頻繁に行き交う空間だからといって、誰にも気づかれずに殺人を実行できる場所など殆どないに等しい。それが可能だとすれば、やはり客室だ。では客室にいる人間を殺そうとする場合、どういう手段を選ぶか。

被害者と同じ部屋に泊まることになっていれば、犯行はじつに簡単だ。チェックインは被害者に任せ、自分は後から部屋に入り、殺害を実行すればいい。気をつけるのは防犯カメラぐらいだ。一緒に泊まる予定ではなくても、被害者と顔見知りであれば、部屋で二人きりになるのは難しくないだろう。

だがそれなら、わざわざホテルを犯行場所に選ばなくてもいい。顔見知りなら、もっと人目につきにくいところへ相手を誘いだすのは難しくないだろう。

逆に顔見知りでないなら、客室での犯行は格段に難しくなる。見ず知らずの人間をあっさりと室内に招き入れる人間など、あまりいないからだ。ノックをされても、相手の素性がわからないとなれば、ドアガードは外さないだろう。

ドアに釘付けになっていた新田の視線が、ほんの少し移動した。ドアガードの少し上に、プラスチック製のカードキーホルダーが付いている。そこにカードキーを入れられるようになっているのだ。今は新田が持ってきたマスターキーが入っている。

不意に一つの考えが浮かんだ。その瞬間、胸が軽く痛むほどに心臓が大きく跳ねた。

彼はドアに近づき、マスターキーを手にした。それをじっと見つめ、たった今閃いた考えを整理した。

可能性は、ある。

顔見知りでない場合、客室にいる人間に近づくのは難しい。しかし一部の人間にとっては、それはじつに容易だ。これを——マスターキーを使えばいい。無論、ドアガードや内錠がされていたら入れないだろう。しかし、宿泊者全員が戸締まりに気を配っているわけではない。いくつか当たれば、中にはあっさりと開くドアもあるはずだ。

犯人は、なぜ次の犯行場所にこのホテルを選んだのか。その疑問に対して、最も合理的な答えが存在する。

犯人は、このホテルの中にいるから——というものだ。

8

例によって引き継ぎ時刻よりも少し早めに出勤した尚美は、手の空いている若手フロントクラークを捕まえ、真っ先に片桐瑶子のことを訊いた。すると、どうやら何も変わったことはなかったとのことだった。尚美はひとまず安堵した。

間もなく久我や川本たちも出勤してきた。挨拶を交わし、夜勤からの引き継ぎ作業に取りかかった。各部屋に付けられたチャージや、宴会や料飲関連の精算、重要事項の伝達など、引き継ぐべき内容は多い。

「君の生徒さんの姿がないな」引き継ぎを終え、フロント業務に取りかかったところで久我が尚美にいった。

「私も気になっていたところなんです。まだ事務棟にいるんじゃないでしょうか」

「ふうん。刑事でも寝坊することがあるのかな」

久我がそういって白い歯を見せた直後、「あっ、来た」と川本が呟いた。

尚美は後ろを振り向いた。フロントクラークの制服に身を包んだ新田が、エレベータホールから駆けてくるところだった。

「遅れてすみません」新田は、ぺこりと頭を下げた。

「事務棟にいたんじゃなかったんですか」尚美は訊いた。

「いえ、ちょっと客室の見回りに……」

「見回り？」

「だからほら、非常階段とか廊下に不審なものが置かれてないかとか。念のために見て回ってたんです。特に異状はありませんでした」

「それならそれで結構ですけど、誰かにいっておいてください。こちらが戸惑います」

「わかりました。どうもすみません」新田にしては珍しく素直に謝った。

彼の後頭部の髪が少しはねていた。尚美はそれを指差した。「寝癖、ついてますよ」

あっ、といって彼は頭を押さえ、そのまま後ろのドアを開けて事務所に消えた。

やがてチェックアウトをする客が増えてきた。尚美もフロントに立ち、業務に追われるようになった。

ずんぐりとした体形の男が正面玄関から入ってきた。尚美は見覚えがあった。新田が、所轄の刑事だといっていた男だ。ヤマモトと名乗っていたが、本名かどうかはわからない。

男は尚美の前に来て、カードキーを出しながらチェックアウトを申し出た。

「ヤマモト様、冷蔵庫の御利用はございましたでしょうか」

途端に男はどぎまぎした様子を見せた。「えっ、冷蔵庫ですか……」

すると後ろから、「ありません」と声がした。新田だった。

「えっ？」尚美は振り向いた。

「ないんです。冷蔵庫の利用はなしってことで計算してください」新田は無表情にいう。

尚美は二人の男を交互に見た。ヤマモトと名乗る男はばつが悪そうにしており、新田は横を向いている。

何か事情がありそうだと思いながらも、少々お待ちくださいといって尚美は精算の手続きを始めた。

あと五分ほどでチェックアウト時刻の午前十一時になるという頃、フロントの電話が鳴った。久我が応対に出たが、すぐに尚美を呼んだ。

「1219号室の片桐様からだ。君に話があるらしい」

どきりとした。今度は何の用だろうか。受話器を耳に当て、「お電話代わりました。山岸です」といってみた。

「お忙しいところ、ごめんなさい。そろそろチェックアウトしなきゃいけない時間よねえ」

「いいえ、多少の遅れは構いませんから、どうぞゆっくりお支度をなさってください」

「それがね、ちょっと困ったことになっちゃったの。それであなたにお願いしたいことがあって電話をしたのよ」

受話器を持つ尚美の手に力が入った。「どういったことでしょうか」

「ふつうの人にとっては大したことではないのよ。じつはね、見つからないものがあるの。この部屋のどこかにあるはずなんだけど、どうしても見つからないのよ」

どうやら片桐瑶子は探し物をしているらしい。

「わかりました。これからすぐに伺います」

「そう？　悪いわねえ」

「とんでもない。では、後ほど」

尚美は電話を切り、久我に事情を説明してからフロントを出た。

「山岸さん」またしても新田が追ってきた。「俺も行っていいですよね」

尚美は眉をひそめた。「二人で押しかけたら、変に思われます」

「どうして二人だとわかるんです」

「昨日もいったでしょ。ああいう方は、足音だけで人数だってわかるんです」

「だったら、ベルボーイを連れてきたとでもいえばいい。それとも、衣擦れの音だけで服装までわかるのかな」

エレベータの扉が開いた。

「どうぞ、御自由に。ただし、勝手に部屋には入らないでください」

尚美が乗り込むと、新田もついてきた。

1219号室のドアをノックすると、はい、と返事があった。それから十秒ほど間があり、ドアが開いた。片桐瑶子はすでに身支度を終えていて、サングラスもかけていた。さらに手袋も装着済みだった。

お待たせいたしました、と尚美はいった。

「わざわざごめんなさいね」片桐瑶子は申し訳なさそうにいった。新田が尚美のすぐ後ろにいるが、彼に気づいている様子は感じられない。

「いいえ。お探し物は何でしょうか」

「大したものではないの。まあ、入ってちょうだい」

お邪魔いたしますといって尚美は足を踏み入れた。新田を廊下に残し、ドアを閉じた。

「じつはね、これなの」片桐瑶子は上着の合わせ目を摘《つま》んだ。「ボタンが一つ、なくなっちゃってるのよ」

「あっ……」

たしかにその通りだった。上から二番目のボタンがない。

「昨日、この部屋で脱いだ時にはたしかにあったの。でも、さっき着てみたら、取れちゃってて」

「わかりました。どうぞ、おかけになっていてください。私が探してみます」

「すまないわねえ」片桐瑶子は手探りでベッドの位置を確認し、腰掛けた。

尚美は床の上を見渡した。見える範囲には落ちてはいないようだ。四つん這いになり、デスクの下、テーブルの下、さらにはベッドの下を覗き込んだ。そうしながら、疑念と戦っていた。この人は本当に視覚障害者なのだろうか。もし演技なら、なぜそんなことをするのか。なぜ自分にこんなことをさせるのか。

もしかすると嫌がらせではないか、という考えが浮かんだ。かつてこのホテルに泊まった時、何かとても不愉快な思いをしたことがあり、その仕返しをしているのではないか。

「見つからないみたいねえ」片桐瑶子がいった。

「申し訳ございません」

「あなたが謝らないでよ。悪いのは私なんだから」

でも、と尚美がいった時、ドアをノックする音が聞こえた。新田だろう。

「ベルボーイを外に待たせてあるんです。ちょっと出てもよろしいでしょうか」

「ええ、どうぞ」

尚美はドアに近づき、少しだけ開けた。新田が無表情で立っている。

「どんな具合ですか」

「ボタンを探しているんです」

「ボタン？」新田は怪訝そうに眉根を寄せた。

「ここは私一人で大丈夫ですから、新田さんは戻っていてください」早口でそういうと、まだ何か訊きたそうにしている新田を無視し、ドアを閉めた。

「御迷惑をおかけするわねえ」片桐瑶子が声をかけてきた。

尚美は彼女のほうを向き、笑みを作った。

「お気遣いは無用です。それより片桐様、このようにさせていただけませんでしょうか。フロントでチェックアウトの手続きをしていただく間に、ハウスキーパーに部屋の掃除をさせようと思います。彼等に任せれば、必ず見つかると――」

そこまでしゃべったところで尚美は言葉を切った。片桐瑶子の足元、ベッドのすぐそばに黒いボタンが落ちているのが目に留まったからだ。

尚美は近寄り、拾い上げた。

「片桐様、これではありませんか」彼女の左手を取り、その上にボタンを載せた。

片桐瑶子は右手でそれを摘んだ。途端に頬を緩ませ、大きく頷いた。

「これよ。間違いないわ。どうもありがとう。どこにあったの？」

「片桐様の足元でした。それでさっきは気づかなかったようです」

嘘だった。そのあたりは何度も見たはずなのだ。尚美が新田と話している間に片桐瑶子が置いたとしか思えない。

何のためにこんなことを――灰色の靄《もや》が尚美の胸の中で広がった。

「よかった。これで出発できるわ」片桐瑶子は笑顔で立ち上がった。

尚美は彼女をフロントまで案内し、そのままチェックアウトの手続きに入った。新田が疑わしそうな顔を向けてくるが、なるべくそちらは見ないようにした。

なぜこの老婦人が視覚障害者のふりをするのかは不明だったが、とにかく一刻も早く帰してしまおうというのが尚美の考えだった。嫌がらせをするのが目的で、それを果たしたと本人が満足しているのなら、それでいいと思った。

片桐瑶子は支払いを現金で済ませた。ただし財布の中を覗くことなく、手探りだけで紙幣も硬貨も正確に取り出した。単に嫌がらせが目的だけで、これだけの演技ができるだろうか、という別の疑問も湧いた。

「山岸さん」すべての手続きを終えた後で片桐瑶子が呼びかけてきた。「正面玄関まで送ってくださる？」

「それではベルボーイを――」

片桐瑶子はゆっくりとかぶりを振った。「あなたにお願いしたいの」

尚美はちらりと新田のほうを見た後、深呼吸をした。

「かしこまりました。御案内いたします」

フロントを出ると、片桐瑶子を連れて正面玄関に向かった。後ろから新田がついてくる。

正面玄関の自動ドアの少し手前まで来た時だった。不意に片桐瑶子が尚美の腕から手を離した。

えっ、と尚美は振り向いた。

片桐瑶子は立ち止まり、真っ直ぐに尚美のほうに顔を向けてきた。サングラスの向こうの目は、しっかりと見開かれている。

「どうかなさいましたか」尚美は戸惑いつつ尋ねた。

「山岸さん」そう呼びかけた後、片桐瑶子はにっこりと笑った。「いろいろとどうもありがとう。そして、ごめんなさい。心の底からお詫びします」

「えっ？」

片桐瑶子は杖を使うことなく、しっかりとした足取りで尚美に近づいた。

「あなたは気づいてたでしょう？　本当は私の目が見えてるってことに。昨夜、レストランでウェイターと何か話してたわね。あの時にわかったの。ああ、この人にはばれちゃったみたいだなあって。いつから気づいてたの？」

「いつからって……」尚美は少し離れたところにいる新田と目を合わせた後、片桐瑶子に視線を戻した。「チェックインの時からでしょうか。いえ、特に確信があったわけではないのですけど」

「そう。最初からばれてたの。やっぱりだめねえ。うまく演じてるつもりだったんだけど」

「あの、どうしてこんなことを？」

片桐瑶子は俯いてサングラスの位置を直し、唇の端を少し動かした。まるで少女がはにかんだような表情だった。

「今度、私の主人が上京するんです。昔の仲間たちと会うんですって。それはそれでいいことなんだけど、一つだけ心配なことがあるの。じつはね、主人が視覚障害者なのよ」

あっ、と尚美は声を漏らした。

「彼は一人で泊まりの旅行をしたことがないの。いつも私が一緒で、ずっと世話をしてきた。でも今回は、彼は一人で行くといいだしたの。どうしてかっていうと、その日は私にも大事な用があるから。その日、親友のお嬢さんが結婚式を挙げることになっているの。その式に出られることを私が楽しみにしていたことを知っているから、主人も今度ばかりは迷惑をかけたくないと思ったみたい。私が、式には出なくてもかまわないといっても、頑として受け入れてくれないの」

事情が尚美にも呑み込めてきた。

「もしかすると、今回、片桐様は御主人のために下見を？」

片桐瑶子は満足そうに大きく頷いた。

「その通りよ。日帰りなら主人一人で出かけることもあるから、交通機関などは心配してないの。一番不安なのは、宿泊先で困らないかということ。そこで、どのホテルなら安心かを調べてみることにしたわけ。こちらのホテルが身障者からも評判がいいことはネットなどで知りました。でもやっぱり、実際に確かめておきたかった。視覚障害者に対して、どの程度に手厚いサービスをしてくれるのかをね」

「当ホテルのサービスはいかがでしたか」

尚美からの問いかけに、片桐瑶子は少し胸を張り、背筋を伸ばした。

「期待以上でした。とても満足しています。私が霊感めいたことをいった時も、あなたは快く部屋を替えてくださった。じつをいうとね、主人も私と同じように、いえ私以上に霊感が強いの。だから霊感を理由に部屋を替えてくれるかどうかは、どうしても確認しておく必要があった。白状するとね、最初に提供してもらえた部屋、たしか1215号室だったと思うけど、あの部屋でも問題なかったのよ」

「そういうことだったんですか」

「あなたにとっては、とんだ災難だったわね。改めて謝ります。ごめんなさい」片桐瑶子は頭を下げた。

「あのう、チェックインの時、どうして私を選ばれたのですか」

「それについては嘘はないわ。あの時にいった理由がすべて。相性とか直感を大切にしているの。自分の感覚に基づいて、この人に任せたいと思った。本当よ」

「そうでしたか。サービスに満足していただけたのなら何よりです」

「さっき、ボタンを探してもらった時、本当はすごく心苦しかった。私が視覚障害者のふりをしているとわかっていながら、床に這い蹲《つくば》って探してくれているあなたを見て、辛かった。でも同時に確信したの。この人なら大丈夫、このホテルならすべてを任せられるって」片桐瑶子は手袋をはめた右手を差し出した。「主人が来る前には連絡します。あなたにお任せしていいわよね」

尚美は彼女の手を握った。「ええ、もちろん」

「この手袋のこと、変だと思った？」片桐瑶子が訊いてきた。

「少し……」

「そう、やっぱりね。以前、主人を庇って、熱湯を浴びちゃったことがあるの。その時にできた痕を隠してるんだけど、不自然よね」

何と答えていいかわからず、尚美は微笑みを返した。

「じゃあ、主人のこと、よろしくね」

「お待ちしております、とお伝えくださいませ」

片桐瑶子は頷き、正面玄関から颯爽と出ていった。さらに、駆け寄ってきたベルボーイを制し、自分でタクシーに乗り込んだ。

タクシーが走り去るのを見送った後、尚美はすぐにはフロントに戻らず、そばの柱に寄りかかった。身体中の力が抜けてしまったような感覚がある。

新田が隣にきた。驚きましたね、と呟いた。

「あなたのいう通りだ。ホテルにはいろいろな客が来る。まさか、旦那のための下見だったとはね。参りました」ため息まじりの台詞だった。

尚美は小さく首を振った。

「私だって、偉そうなことはいえません。正直なところ、あの人を疑ってました。何か悪いことを企んでいるんじゃないかって警戒していました。それなのにあんなに喜んでもらえて……。ホテルマンとして、恥ずかしいです」

両手で頬を包んだ。妙に顔が火照っている。

新田が上着のポケットから一枚の紙を出してきた。やや躊躇いがちに、「これを見てください」といって尚美のほうに向けた。

そこには次のような数字が書き記されていた。

45.761871
143.803944
45.648055
149.850829
45.678738
157.788585

「何ですか、これ」尚美は訊いた。

「あなたが知りたがっていたものです」新田は答えた。「このホテルが次の犯行現場になることを予言する暗号です」

9

コルテシア東京のブライダルコーナーは二階にある。覗いてみたところ、二組のカップルが相談に来ていた。それぞれスタッフが相手をしている。衝立で仕切られているので、お互いの様子はわからないはずだ。

ほかのテーブルは空いていた。尚美は一番奥まで進んだ。

「いいですね。ここなら密談に最適だ」腰を下ろしてから、新田は満足そうにいった。

尚美はオフィスから持ってきたノートパソコンを開き、インターネットにアクセスした。新田が、事情を説明するにはインターネットを使ったほうが簡単だというからだ。

「準備はできました」尚美はいった。

「では始めましょう」新田は先程の紙をテーブルに置いた。複雑な数字が六つ、並んでいる。「事件現場に残されていた犯人のメッセージとは、じつは数字なんです。一つの事件現場に二つずつ、奇妙な数字が残されていました。これまでに起きた事件は三つ。だから合計六つというわけです」

尚美は改めて数字を眺めた。途中に小数点がついていて、とてつもなく細かい数字だ。当然のことながら、何を意味しているのかは全くわからない。

「最初の事件は十月四日に起きました。場所は品川です。現場は、りんかい線品川シーサイド駅から徒歩五分ほどのところにある駐車場でした。数字を書いた紙が、被害者の車のシートに置いてありました。一番上と二番目の数字です」新田は六つ並んだ数字のうち、上の二つを指差した。
45.761871
143.803944

「次の事件が起きたのは十月十日です。場所は千住新橋付近にあるビルの建設現場。殺されたのは中年の女性で、衣服の下から数字を書いた紙が発見されました。正確にいうと、書かれていたのではなく、雑誌や新聞から切り取ったと思われる活字が貼り付けられていました。その数字が、三番目と四番目です」新田の指が、少し下に移動した。

45.648055

149.850829

ここで新田は顔を上げ、にやりと口元を緩めた。

「どうですか。この数字が何を意味するか、わかりましたか」

尚美はぐいと顎を引き、新田を睨みつけた。

「わかるわけないじゃないですか。たったそれだけのヒントで」

「でしょうね」新田は、あっさりといった。「我々も、何のことかは全くわかりませんでした。二つの事件に共通点らしきものもない。それで、たまたま同じような数字が現場に残されていただけではないか、という意見もあったのです。しかし偶然にしては、数字が似通い過ぎている。そうこうしているうちに第三の事件が起きました。十月十八日のことです。場所は葛西ジャンクションの下にある道路上でした。被害者はジョギング中の高校教師で、羽織っていたウインドブレーカーのポケットに、数字を記した紙が入っていました」最後の二つの数字を新田は指した。

45.678738

157.788585

「さて、これならどうですか。数字の秘密に気づきませんか」

「さっぱりわかりません」尚美はいい放った。「だって新田さんは、事件の起きた日にちと場所について話しているだけじゃないですか。それだけで、どうやって謎を解けっていうんですか。無理に決まってるでしょう」

新田は我が意を得たりとでもいうように目を見開いて頷き、身を乗り出してきた。

「そうなんです。日にちと場所です。この数字は、それを示しているんです」

「えっ？」尚美は再び数字を記した紙に目を落とす。

「数字がペアになっている点に注目してください。常にペアで使用する数字といえば、いろいろとありますよね。たとえば人間の左右の視力、体重と身長、長方形の縦と横の長さ、ええとほかに何がありましたっけ」

「お部屋代とサービス料」

「なるほど、さすがはホテルマンだ」

「基本給と手当、支給額と天引き額、普通預金と定期預金」尚美は思いつくままに述べた。

「素晴らしい。お金の話が好きなんですね」

尚美は、むっとした。

「今はたまたまそういうものを先に挙げただけで、ほかに思いついてることもあります。御到着日と御出発日とか、ＩＤ番号とパスワードとか」

「ＩＤやパスワードの場合は、すべて数字というのは珍しいんじゃないですかね。セキュリティ上の問題がある。それはともかく、ホテル用語でいえば、じつは部屋番号なんかも二つで一組になっているんですよね」

新田のいっている意味がわからず、尚美は首を傾げた。

たとえば、と彼は人差し指を立てた。

「３８１０号室という部屋番号です。これは一見したところ一つの数字ですが、二つの意味を含んでいます。頭二桁の38はフロアの階数を、後ろ二桁の10は、そのフロアにおける位置を示しています。山岸さんに説明するまでもないことですが」

「そういえばそう……当然のことすぎて、特に意識したことはありませんけど」

「このように、ある場所を示すために二つの数字を使うということはよくあります。多くの場合、片方は数字ではなくアルファベットなんかが用いられますがね。たとえばこのホテルの駐車場も、Bの15といった表記になっている。しかし、両方とも数字で、しかもこの地球上のすべての地点を特定できるものが存在しますよね。ここまでいえばおわかりでしょう」

地球という言葉を聞き、尚美は地球儀を思い浮かべた。おかげで即座に答えられた。

「緯度と経度」

「その通り」新田は紙を指先で突いた。「これは緯度と経度を示しているんです」

ああ、と尚美は並んだ数字を眺めた。

「案外、簡単なことだったんですね」

「ところが、そう単純でもない。緯度と経度じゃないかという説は、ずいぶん早くから出ていたんです。しかし実際に当てはめてみても、うまくいきませんでした。さてここでインターネットの出番です。緯度と経度を入力すれば、その地点の地図を探してくれるサービスがありますから、まずはそこにアクセスしてください。いや、俺がやりましょう。そのほうが早い」新田はパソコンを自分のほうに向け、慣れた手つきでキーボードを叩いた。

やがて、サイトのタイトルが現れた。その横には、検索内容を書き込む細長い欄がある。

「最初の事件現場に残されていた二つの数字を入れてみます。さてどうなるか」

新田は二つの数字を書き込んだ後、検索ボタンをクリックした。すぐにグーグルのマップが現れた。ところが青一色で、地図らしきものはどこにもない。

「何ですか、これ」

「何でしょうね。ということで、地図の縮尺を変えてみます」

新田は地図の縮尺をどんどん上げていった。やがて端のほうから陸地が出現した。どうやら海上だったようだ。さらに縮尺を上げると、その陸地の正体が尚美にもわかった。

「北海道……」

「そう。オホーツク海のはるか北、樺太のそばです」

「そんな場所にどういう意味が？」

「その質問に答える前に、二つめの事件現場に残っていた数字についても調べてみましょう。同じように、緯度と経度として入力してみます」

新田は先程と同じように検索を行った。またしても現れたのは青い海だ。縮尺を上げると、今度は陸地の現れるのが少し早かった。しかしとんでもない場所だということは変わらない。

「ここは……」

「先程の地点より、東に移動しました。北方四島の一番端、択捉島《えとろふ》よりもさらに東です」新田は
パソコンから顔を上げた。「ここまで判明したところで、捜査員の間から面白い説が出ました。

犯人は日本の領土問題について何らかのメッセージを発しているのではないか、というもので
す」

「領土問題？」思いがけない言葉が出てきたので、尚美は面食らった。

「かつて樺太は北方領土と同様に日本の領有地でした。犯人は日本の領有権を主張したいのでは
ないか、という考えは決して突飛なものではありません」

「それはわかりますけど、どうして人を殺すんですか」

「政府に対する威嚇行為と考えたらどうでしょうか。速やかに領有権を主張しないならば、もっ
と犠牲者が出ることになる、というわけです」

尚美は刑事の顔をしげしげと眺めた。「それ、本気でおっしゃってるんですか」

新田は顔を崩した。

「俺の考えじゃありません。そういう説が出たというだけです。犯人の残した数字が樺太や北方
領土を示しているとすれば、そんなふうに考えるしかないのも事実です」

「それにしても……」

「しかし間もなく、その説も全くの的外れだと判明しましたけどね。第三の事件が起きたからで

す」

新田は三番目の事件現場に残されていた二つの数字を打ち込み、検索を開始した。画面に現れたのは、またしても海上の地点だった。縮尺を上げていく。するとそこは千島列島のさらに北東、カムチャツカ半島のすぐ南だった。

「どこですか、ここは」尚美は思わずいった。

「御存じカムチャツカ半島です。これではさすがに領土問題と関係があるとは思えない。ここで完全に行き詰まってしまいました。緯度と経度ではなさそうだ、という意見が支配的になりました。では何なのか。我々はもう一度最初から考え直す必要がありました」

尚美は腕時計を見て、ため息をついた。

「新田さん、おわかりだと思いますけど、今は勤務時間内なんです。結果的に的外れだった説じゃなくて、正解のほうを早く教えてもらえませんか」

「物事には順序というものがあるんです。いかにして暗号が解かれたかということも、あなたには知っておいてもらいたい。それに、ここから先はそんなに長くありません。退屈かもしれませんが、どうか我慢して聞いてください」まるで教え諭すような口調だった。

「別に退屈しているわけじゃありませんけど……」尚美は語尾を濁した。

「数字の意味は何か。やがてある人物が、興味深いことに気づきました。二つの数字の小数点以下を無視した場合、一方はすべて45なのに、もう一方は143、149、157と変化していることです。この変化は何か。なぜ増えていくのか。ここで事件の起きた日付を振り返ってください。最初は十月四日、次が十月十日、そして三番目が十月十八日です。日にちの間隔が、六日と八日――六と八です。数字の増え方と一致するでしょう？」

あっ、と尚美は小さく声を漏らした。

新田はポケットからボールペンを出してきた。

「この二組の数字には、日付が組み込まれている可能性が高いわけです。そういえば日付というものも、月と日のペアになっている数字です。そこで事件が起きた日付の月と日を、二つの数字からそれぞれ引き算してみます」

新田は六つの数字の横に簡単な式を書き込んでいった。

45.761871 − 10 = 35.761871
143.803944 − 4 = 139.803944
45.648055 − 10 = 35.648055
149.850829 − 10 = 139.850829
45.6787738 − 10 = 35.6787738
157.788585 − 18 = 139.788585

「さてこのように変換したところで、もう一度緯度と経度での検索を試みてみましょう」

新田は最初の二つの数字を検索欄に書き込み、リターンキーを叩いた。やがて画面に地図が表示された。

東京だった。今度は海上ではない。千住新橋北詰という文字が確認できた。

「ついさっきいいましたよね。第二の事件が起きた場所が千住新橋でした。まさに、この緯度と経度で示される地点です」

新田の言葉に尚美は息を呑んだ。声を出せなかった。

「ではその千住新橋の現場から見つかった数字について確かめてみます」

彼は軽快にキーボードを叩いた。次に画面に現れたのは、首都高速中央環状線の葛西ジャンクションだった。

「三人目の被害者は、ジョギング中に襲われたってことでしたよね」尚美はいった。

「そうです。場所は葛西ジャンクションの下の路上です」新田は続けた。「もうおわかりでしょう。犯人は現場に、次の犯行場所を予告した数字を残しているんです。その目的は、全く不明ですが」

「三番目の数字で検索していただけますか」尚美の声は震えた。

「もちろんです。そのために長々と説明をしてきたのですから」

新田は数字を打ち込んだ。画面に現れたのは、尚美が予想したものだった。だがそれでも背筋がぞくりとするのを止められなかった。

地図の真ん中には、ホテル・コルテシア東京の文字があった。

「これでおわかりになったと思います。次の犯行現場がこちらのホテルだということは明白でしょう？」

尚美は深呼吸をし、画面から目をそらした。

「警察には頭の良い人がいるんですね。こんな暗号、ふつうはなかなか解読できないと思うんですけど。この謎を解いた人、してやったりって感じでしょうね」

「解読した時はね」新田は耳の穴を掻いた。「その時は、まさか自分がホテルマンをやらされるとは思ってなかったし」

尚美は瞬きし、彼の顔を見つめた。「新田さんが解読を？」

彼は下唇を突き出し、小さく肩をすくめた。

「でも、自惚れてはいませんよ。もしかしたら犯人は、解読されることを想定しているのかもしれない。だとしたら、何かの目くらましという可能性もある」

「目くらましって？」

「警察の注意をこのホテルに引きつけることで、何か犯人にメリットがあるのかもしれない。具体的にはわかりませんが。まあいずれにせよ、我々にできることは、このホテルを見張ることだけです」

尚美は、ふうーっと長い息を吐いた。「なぜ、このホテルが選ばれたのでしょうか」

新田は真剣な眼差しに戻り、かぶりを振った。

「わかりません。これまでの犯行現場が、どのように選ばれたのかも不明なんです。しかし犯人が常に次の場所を決めているのは確かです」

「犯人はまず場所を決めてから、殺す相手を探しているんでしょうか。それとも、殺す相手が決まっているから、必然的に場所も決まるということでしょうか」

「何ともいえません。どちらの可能性もあります」

尚美は額に手を当て、瞬きした。気持ちを落ち着かせる必要があった。このホテルが置かれている状況については理解していたつもりだが、このように根拠を見せつけられると、やはり動揺してしまう。現実なのだと思い知らされる。

藤木たちが部下にはこの件を隠している意味が改めてわかった。こんなことは知らないほうが冷静に対処できたかもしれない。

尚美は新田の浅黒い顔を見つめた。

「どうして、私に教えてくださる気になったのですか。捜査上の秘密だから教えられないって、ずっとおっしゃってたのに」

「聞かないほうがよかったですか」

尚美は一旦俯いた後、彼の目を見返して首を横に振った。

「いえ、聞いてよかったです。覚悟が決まりました」正直な気持ちだった。

新田は頷いた。

「それを期待して、お話ししたんです。あなたには、これまで以上に捜査に協力していただく必要があると思ったものですから」

尚美は眉根を寄せた。「どういうことですか」

新田は改まった顔つきになり、椅子の背もたれに身体を委ねた。慎重に言葉を選ぼうとする気配があった。

「犯行現場にこのホテルが選ばれた理由について考えてみたのです。おそらく犯人にとって、何か都合のいいことがあるのでしょう。それは一体何か。考えられることは二つです」新田は指を二本立てた。「一つは、ターゲットにする人物が決まっていて、その人物がこのホテルにいる、あるいは今後やってくるということ。もう一つは、犯人にはこのホテルで犯行に及ぶための方法があるということ」

尚美は首を傾げた。

「一つめはわかりますけど、二つめはよくわかりません。何ですか、犯行に及ぶための方法って」

「それは要するに」ここで新田は言葉を切り、尚美の表情を窺うような目で続けた。「宿泊客の部屋を突然ノックしても怪しまれず、それどころか、客が寝静まった後、勝手に部屋に入ることも可能だという意味です」

「はあ?」大きく語尾を上げた後、尚美は刑事のいっている意味を理解した。途端に顔が強張るのを感じた。「あなたは従業員の中に犯人がいるというんですか」

「可能性のことをいってるんです。ゼロではないでしょう」

「ゼロです。何をいいだすのかと思ったら……信じられない」

「冷静に考えてください。犯人がこのホテルを選ぶには、それなりの理由があるはずなんです」

「新田さんこそ冷静になるべきです。そんなやり方で犯行に及べば、関係者の仕業だとすぐにばれてしまいます。犯人は、そんなに馬鹿なんですか」

「馬鹿ではないと思うから、その場合は何かうまい手を使うつもりでしょう。関係者の仕業だと思わせない、うまい方法をね」

「もういいです。聞きたくありません」尚美は勢いよく立ち上がった。ノートパソコンを閉じ、脇に抱えた。

だが彼女が出口に向かう前に、後ろから新田の声が飛んできた。

「あなたの不愉快な気持ちはよくわかります。でも、あらゆる可能性を疑う必要があるんです。何しろ、人命がかかっているんですから」

尚美は振り返った。

「それなら、どうして私に協力を求めるんですか。私が犯人だという可能性だって、ゼロではないでしょ」

新田が立ち上がり、彼女に近づいてきた。

「あなただけは犯人ではないと確信しているから、お願いしているんです。もしあなたが犯人なら、刑事の教育係など引き受けるはずがない」

「わかりませんよ。警察の動きを摑むには都合がいいと考えるかも」

「そうですか。では訊きますが、あなたは警察の動きを摑んでいますか。捜査の内容を話したのは、今回が初めてのはずですが」

新田の反論に、尚美はいい返す言葉が見つからなかった。つい視線を下げていた。

「それにあなたのプロ意識も評価しているんです」新田はいった。「あなたは相手に対して疑念を持ちつつも、それを完璧に隠し、常に最適な対応ができる人です。片桐瑶子さんに対する行動を見て、そう確信しました」

「だから」彼女は新田を睨んだ。「同僚を疑う気持ちがあったとしても、それを相手には悟られないだろう――そうおっしゃりたいんですか」

新田は少し苛立ったように頭を振った。

「難しいことを要求するつもりはありません。あなたの周囲にいる人たちのことだけで結構です。何か不自然なことがあったり、いつもと様子が違うような場合には、すぐに教えていただけませんか」

「私に同僚たちを監視しろと？」

「少し気をつけていてくださいとお願いしているのです。何度もいうようですが、人命がかかっています」

「お断りします。私は同僚たちを信用しています。彼等をそんな目で見たくないし、もしそんなふうに私が見ていたことを後で彼等が知ったなら、金輪際私のことを仲間だとは認めてくれないでしょうから」

失礼しますといって頭を下げ、尚美は踵を返した。今度は声をかけられても足を止めないつもりだった。だが新田は、呼び止めてはこなかった。

10

山岸尚美から二、三分遅れて、新田は一階のフロアに下りた。一緒に下りなかったのは、深刻な密談をしていたことを、ほかの従業員たちに気取られたくないからだ。数字の謎を山岸尚美に教えたことを、潜入中の捜査員に気づかれてもまずい。すべて彼が勝手にやったことなのだ。

だが彼は後悔していなかった。山岸尚美を不快にさせてしまったが、事件解決のためには必要な手順だと思っている。ああはいっても、彼女はきっと意識せずにはいられないはずだ。そして何か気づくことがあったなら、何らかのアクションを起こすに違いない。

フロントに戻る途中、ロビーの片隅から小さく手を振る男が目に入った。能勢だった。彼はチェックアウトをするためだけにやってきたはずだが、まだ帰らなかったらしい。

周囲の目を気にしながら、新田は能勢に近づいていった。傍からは、客に歩み寄るホテルマンに見えなければならない。

「残っておられたんですか」能勢のそばに立ち、小声で尋ねた。

「新田さんを待ってたんです。どうぞ、座ってください」

能勢の隣のソファが空いていた。新田は腰を下ろしたが、肘掛けは使わず、両手を膝の上に置いた。

「何か収穫でも？」

いやそれが、と能勢は眉の付近を掻いた。

「例の人妻については進展なしです。まあ、新田さんにお話ししたのが昨日ですから、そう簡単に成果が出るわけもないのですが」

「じゃあ、どうして俺を待ってたんですか」

「ええまあ、それは——」能勢の目が素早く動いた。声を低くして続けた。「今朝、本部に顔を出してきたんですがね、課長から妙なことをいわれました。どうも、風向きが変わった印象があります」

「どんなふうに変わったんですか」

「ええとですね」能勢は身を縮めるようにして、新田のほうに顔を近づけてきた。「一言でいうと、ほかの事件との繋がりを無視するような捜査方針に変わっています。あっちはあっち、こっちはこっちという具合にです」

「まさか」

「本当です。たとえば、手嶋正樹についても、アリバイを含めて改めて洗い直すことになりました。共犯者がいる可能性について調べるよう指示された刑事もいます」

それはたしかに奇妙な話だった。ほかの事件との関連が見つからないということで、新田自身、手嶋を追い詰めきれずにいたのだ。

「例の数字はどうなるんですか。明らかに三つの事件には繋がりがある。これから起きるかもしれない四番目の事件も」

能勢は短い腕を組み、大きく首を捻った。

「そうなんです。それで私もうちの課長に訊いたんです。数字のことはどうなるんですかってね。そうしたら、当面考えなくていいとのことでして」

「そんな馬鹿な」新田は思わず声を尖らせていた。「数字のことを考えないなら、俺がこんなところにいる意味もなくなってしまう」

「いやいや、だから当面ってことですよ。まるっきり関係ないってことはないはずです。とにかく課長からは、ほかの事件とは切り離して、こっちはこっちで捜査を進めるんだといわれました」

「どういうことかな。そんなやり方じゃ、事件の全体像が見えなくなるじゃないか。一体、何をそんなに焦ってるんだ」

「いや、焦ってるというより、むしろじっくり腰を据えたやり方に転換した感じです。容疑者を片っ端から引っ張ってくるようなことはしないで、とにかく証拠となりそうなものを集めろと指示されています」

「どうしてそういうことになるのかな」新田は肘掛けを使って頬杖をつきかけたが、すぐに元の姿勢に戻した。「ほかの二つの特捜本部では、どうなっているんだろう」

「すみません。ほかのところのことは私には……」能勢は髪の薄い頭を掻いた。

「いや、いいです。俺のほうで調べてみます。話というのは、以上ですか」

「そうです。大したことではないのかもしれませんが、一応お耳に入れておこうと思いまして」

「それはどうも」

新田が腰を浮かせると、「ああそうだ」と能勢がいった。

「昨夜、あの部屋でお休みになったんでしょう？　どうでしたか」

ああ、と新田は頷いた。

「いい部屋でしたよ。寝心地もよかった。宿泊料、本当にいいんですか」

「気にしないでください。それより、何か収穫はありましたか」

「収穫？」

「新田さんは、ずっとフロントにおられるでしょう。だから出入りする客のことはよく観察できるかもしれませんが、実際に宿泊している人間の気持ちを知るには、やっぱり自分で泊まってみるのが一番だと思いますからね」

「あ……そういうことですか」

「いかがでしたか。犯人がどんな手を使ってくるか、少しはイメージできたんじゃないですか」

新田は小さくかぶりを振った。

「そんなに簡単にはいかないですよ。残念ながら、疲れてたものですから、すぐに眠ってしまいました」犯人がホテルマンである可能性についてはいわなかった。

拍子抜けした顔を見せるかと思ったが、能勢は楽しそうに破顔した。

「そうですか。まあ、そうかもしれませんな」

「すみません。宿泊料を有効に生かせなくて」

「いやいやいや、それはもういわんでください」

では私はこれで、といって能勢は足早に立ち去った。その後ろ姿が見えなくなってから、新田は周囲に視線を走らせた。奥のソファで本宮が新聞を読んでいる。正確にいうと、読むふりをしている。

新田は空いているソファの位置を直す仕草をしながら、本宮の近くまでいった。

「所轄の刑事と何の密談だ」本宮のほうから声をかけてきた。

「おかしな話を聞きましたよ」新田は立ったままで、能勢の話を本宮に聞かせた。

「何だ、そりゃあ。そんな話、こっちには全然入ってきてないぜ」

「昨夜、係長と管理官が本庁へ報告に行ったという話でしたよね。その時、何か進展があったんじゃないですか」

「かもしれないな。わかった。後で係長が来るから、その時に訊いておこう」

「よろしくお願いします。単なる勘違いかもしれませんけどね。何しろ、所轄の刑事のいうことですから」

「いや、あの能勢っていう刑事、かなりの切れ者だっていう話だぜ」

「えっ？」それまでずっと互いの顔を見ないで話していたが、新田は思わず本宮を見つめた。

「まさか」

「本当だ。あの刑事と組んだ連中は、みんなそういってるらしい。以前、本庁に引っ張ろうっていう話もあったそうだが、本人が断ったんだってさ。裏方に徹するのが好きで、手柄を立てることには興味がないそうだ。変わり者だよ」

新田は、能勢のいかにも愚鈍そうな仕草を思い起こした。あの男が切れ者だというのか。

先程のやりとりが蘇った。実際に宿泊している人間の気持ちを知るには自分で泊まってみるのが一番だ、といっていた。もしかすると彼は最初から新田に譲るつもりで、部屋を予約したのか。

「どうしたんだ」

「いえ、何でもありません。さっきのこと、お願いします」

その場を離れ、フロントに戻った。いつものように新田は山岸尚美の後ろに立った。彼女はちらりと振り返っただけで、何もいわなかった。

様々な考えが新田の頭の中で渦を巻いており、なかなか集中できなかった。本当に捜査方針が変わったのだろうか。変わったのだとしたら、その理由は何だろうか。能勢は何を考えているのか。無能なふりをして新田を操っている気だとしたら心外だ――。

そんなふうに考えているうちに時間が経ち、やがてアーリー・チェックインの客が訪れるようになった。

二十代半ばと思われる女性が近づいてきて、山岸尚美の前に立った。派手な顔立ちで、女性にしては長身だ。後ろでベルボーイが彼女の大きな旅行バッグを提げていた。

彼女はアンノと名乗り、予約を入れてあるといった。実際、その通りだった。山岸尚美は通常通りに手続きを行った。新田は、記された宿泊票を後ろから覗いた。安野絵里子となっていた。

山岸尚美がカードキーをベルボーイに渡した。ベルボーイは先に歩き始めようとした。だが安野絵里子はついていかず、真剣な眼差しを山岸尚美に向けてきた。

お願いがあるんですけど、と彼女はいった。ハスキーな声だった。

「何でございましょうか」山岸尚美は訊いた。

安野絵里子はバッグから一枚の写真を出し、カウンターに置いた。男の顔写真だった。

「この男を、決してあたしには近づけないで。もしここに来たら、必ず追い返して。あたしがここにいることは、絶対にいわないで。わかった？　絶対によ」

11

一瞬、尚美は面食らったが、すぐに気持ちを立て直した。頻繁というほどではないが、同じようなことはこれまでにも何度かあった。

改めて写真の男性を見つめた後、尚美は安野絵里子に目を戻した。険しい顔つきの彼女に、柔らかく微笑みかけた。

「失礼ですが、この方は？」

しかし安野絵里子のほうは表情を和ませる気はないようだ。

「それをあなた方が知る必要はないでしょ。とにかくあたしのいう通りにしてくれればいいの。この男が来たら用心して。あたしには近づけないこと。いいわね」尖った声で一方的にいい、写真をバッグにしまおうとした。

「お待ちください。それだけでは、御要望にお応えできかねます」尚美はいった。

安野絵里子はバッグに手を入れたまま、何か文句があるのか、と尋ねる目を向けてきた。

尚美は背筋を伸ばし、顎を引いた。

「フロント業務に就いている者は、私以外にも大勢おります。写真がないのでは、そうした者たちに安野様からの御指示を十分に伝えることもできません。私にしましても、一度お写真を見せていただいただけでは、もしその方がいらっしゃった場合でも、当人かどうか判断するのは難しいと思います」

「あなた、プロでしょ。人の顔ぐらい、写真で一度見たら覚えられるはずよ」

「申し訳ございません」尚美は頭を下げた。

「フロント業務は交代制なんです」背後から声がした。新田だ。「それとも、この人に二十四時間ここにいろとでも？」

尚美は首を後方に回した。黙ってて、と小声で窘めた。

はあっ、と安野絵里子が息を吐いた。バッグから写真を出し、叩きつけるようにカウンターに置いた。

「これ、一枚しかないから大切に扱ってよ」

だが尚美は一瞥しただけで手を出さなかった。

「御事情をお聞かせいただくわけにはいきませんでしょうか。それがわかれば、こちらとしてもいろいろと対処できることもあると思うのですけど」

安野絵里子は右側の眉だけを吊り上がらせた。

「どうしてあたしのプライバシーに関することを、赤の他人に話さなきゃいけないわけ？　貴重品を預かる時、中身は何かって訊く？　訊かないでしょ。それと同じこと。あたしがこの写真の男を近づけるなといってるんだから、いわれた通りにしてくれればいいの。理由なんて知らなくていいから。わかった？」

どうやらこの女性から事情を聞き出すのは無理らしい、と尚美は判断した。しかし、だからといって安請け合いをするわけにはいかない。

「わかりました。ではせめて、この方のお名前を教えていただけないでしょうか」

「どうしてそんなものを知る必要があるの？　写真があれば十分でしょ」

「電話で問い合わせがあるかもしれません。前もって伺っておけば、その場ですぐに対応できます」

安野絵里子は苛立ったようにかぶりを振った。

「あたしのことで問い合わせがあったら、相手が誰であろうと、そんな者は泊まってないといってちょうだい。それに、この男の名前をあなた方に教えたって意味がない。だって、偽名を使うかもしれないんだから。そう思わない？」

尚美は俯き、小さくため息をついた。これ以上は何をいっても無駄だと諦めた。だがそうなると、こちら側の姿勢をはっきりさせておく必要がある。

彼女は写真を手にし、安野絵里子に差し出した。

「わかりました。そういうことでしたら、このお写真はお返しいたします」

「どういうこと？　客のいうことが聞けないっていうの？」安野絵里子が睨んできた。そのきつい眼差しには、気の弱い男なら身をすくめるのではないかと思うほどの迫力があるが、美しさを一層際立たせているのも事実だった。

「そうではなく、この男性に限らず、どなたに対しても、安野様に関する問い合わせには一切答えないよう係の者全員に伝えておきます。それならば写真は不要ですし、この方のお名前を伺っておく必要もございませんから」

「問い合わせに答えないだけでなく、この男があたしに近づかないように気をつけていてほしいんだけど。ＶＩＰが泊まった時なんか、変な人間が近づかないように配慮するでしょ。そういうサービスをあたしは望んでるの」

「安野様、そういうことならやはり、詳しい事情を私どもにお話しくださいませんと。たしかに当ホテルのお客様の中には、特別な警備を必要とされる方もいらっしゃいます。でもその場合には、事前にしっかりと打ち合わせをさせていただいております」

安野絵里子のふて腐れた顔つきを見るかぎりでは、納得しているわけではなさそうだ。だがさすがに反論の言葉が思いつかないのか、「わかった。もういい」といって尚美の手から写真を奪った。

ごゆっくりどうぞ、と尚美は頭を下げた。顔を上げた時には、安野絵里子は踵を返し、エレベーターホールに向かって歩きだしていた。小柄なベルボーイがあわてた様子で追いかけていく。

尚美は小さくかぶりを振った。隣では、新田が訝しげな目を、エレベーターホールのほうに向けていた。

何か、と彼女は訊いた。

「いや、ちょっと気になる話だと思いましてね。あの女性客の態度はふつうじゃない」

「そうでしょうか。さほど珍しい話ではないと思いますけど」

新田は意外そうに身体を少し後ろへ反らせた。

「客が写真まで用意して、この男を自分に近づけるなって命令してくるのが、珍しいことじゃないというんですか」

「たしかに写真まで用意するお客様は少ないです。でも、訪ねてきた方を追い返してくれと頼まれることはしょっちゅうあります。そうしたことも、私どもの仕事の一つです」

「へええ、そいつは大変だ」

「何度もいうようですが、ホテルにはいろいろなお客様がお見えになるのです」

尚美は若手の川本を呼び、安野絵里子からいわれた内容を伝えた。

「久我さんたちにも話しておいて。引き継ぎの時も忘れないようにね」

「わかりました」川本は後ろのドアから消えた。

再び新田が近寄ってきた。

「写真に写っていた男性、あの女性客とはどういう関係なんでしょうね」

「さあ」尚美は肩をすくめた。「そんなに気になりますか。たしかに、安野様は大変美しい方だとは思いますけど」

「美人だけに、つきまとわれることも多いんでしょうね。写真の男性も、ちらりと見たかぎりでは、なかなかの二枚目だった。元恋人、あるいは元亭主がストーカーに成り下がったってところかな」

尚美は一呼吸置いてから新田の顔をしげしげと眺めた。

「この件が、新田さんたちの事件に関係しているとでも?」

「いやあ、それはないでしょう」新田は首を振った。「俺たちが追っているのは動機不明の連続殺人事件です。単なるストーカーなんてお呼びじゃない」

「だったら、この話はここまでにしましょう。そろそろ正規のチェックインタイムですから」尚美はいった。実際、ビジネスマンと思われる外国人が近づいてくるところだった。

12

遅番への引継業務を終えた後、新田は事務棟に向かった。無論彼はこの後もフロントにいるつもりだったが、報告すべきことがいくつかあった。確認したいこともある。

会議室に行くと、すでに稲垣の姿があり、本宮らと何やら打ち合わせをしているところだった。傍らに置かれた灰皿の中は、相変わらず吸い殻でいっぱいだ。

「御苦労」稲垣が新田に向かって手を上げた。「例の御婦人、何もなかったみたいだな。目の不自由な芝居をしているんじゃないかと君がいってた女性だ」

「ええ、まあ……」

芝居をしていたのは睨んだ通りだったが、その理由は思いもよらないものだった。だがこの場で話すような内容ではない。

「すみませんでした。お騒がせして」

「気にするな。警戒し過ぎて悪いことは何もない。笑い話で終わったのなら何よりだ」

はい、と頷いた後、「あの、一つお訊きしたいことが」といって新田は本宮を見た。能勢から聞いた話について、真偽を知りたかった。

「あの件なら、確認した。——さっきの話です」本宮は稲垣にいった。

稲垣は、ああ、と頷いた。

「品川署の刑事課長が、ほかの二つの事件との繋がりは考えなくていいと部下にいったそうだな」

「そう聞きました。それで、おかしいなと思って」

「うん、たしかにおかしな話だ」

そういった係長の顔を新田は見つめた。「係長も御存じないことですか」

「もちろんそうだ。管理官に電話をかけて確認したが、品川署にそんな指示を出した覚えはないということだった。そこで今度は、直接その刑事課長に確かめてみた。そうしたら何のことはない。単なる勘違いだった」

「勘違い？」

「刑事課長は、連続殺人事件全体のことは警視庁で分析しているから、所轄としては、自分たちの担当している事件について、単独の事件と同様に捜査を行うつもりだ、と部下たちにいいたかったんだそうだ。それを能勢という刑事が早とちりしたらしい」

「そういうことですか……」

「過去に例のない連続殺人事件で、特捜本部が三つもできてる。その上、四つ目の事件を防ぐために、この対策本部が作られている。少々行き違いがあっても無理はないだろう」取り纏《まと》めるようにいった後、稲垣は新田に顎きかけてきた。「そういうことだから、余計なことは考えず、これまで通りにやってくれ」

「わかりました」

新田は頷いたが、合点したとはいいがたかった。本当に能勢の早とちりだろうか。あの刑事はじつはかなりの切れ者だ、という話を本宮から聞いたばかりだ。

「ほかに何かあるか？　ホテルのほうで変わったことは？」稲垣が訊いてきた。

「これまでのところ、特に何もありません。ちょっと変わった女性客が来たぐらいで」

稲垣が眉間に皺を寄せた。「どんな客だ」

「たぶんストーカーにつきまとわれてるってところだと思うんですけど」

新田は安野絵里子について手短に話した。どうせ稲垣たちはすぐに関心をなくすだろうと思ったからだ。だが予想に反して、係長は身を乗り出してきた。

「それ、気になるな」稲垣は低くいった。

「そうでしょうか」

「今の話を聞いたかぎりでは、その女性客は身の危険を感じているように思われる。だとすれば、ほうっておくわけにはいかんぞ」

「たしかにそうですが、これまでに起きた三つの事件とは明らかに無関係です」

「なぜそういいきれる？」

「なぜって……」新田は戸惑いつつも続けた。「自分は単なるストーカーの類だろうと思ったんですが」

稲垣は首を振った。

「思い込みは禁物だ。さっきもいっただろう、警戒し過ぎて悪いことは何もないんだ。犯人像を特定する手がかりを、俺たちは何ひとつ摑んでないんだからな」

「それはそうですが……」

「それに、たとえこれまでの事件とは無関係だとしても、そいつに変な騒ぎを起こされたら面倒だ。それがきっかけで、このホテルが警察の監視下にあるってことを肝心の犯人に気づかれるかもしれないからな」

係長の言い分には一理あった。

「ではどうすれば」

「まずはその女性客の身元をはっきりさせよう。宿泊票に書かれた内容を教えてくれ。それから、その女性は写真を持っているといったな。それを借りて、カラーコピーを何枚かとろう。張り込み中の捜査員たちに配るんだ」

「女性客に、ある程度の事情を話しますか。そうすれば、なぜ男から逃げているのかを聞き出せるかも――」

「いや、それはだめだ」稲垣は言下に却下した。「事件のことを外部に漏らすわけにはいかない。何か別の理由をつけて、事情を聞き出すんだ。それができない場合でも、写真だけは確保するように」

「コピーをとることについて、本人の承諾を得なくてもかまいませんか」

「構わん。断られたら厄介だ。その写真の男がいつ現れるかはわからないんだろう？　急いでくれ」

了解、といって新田は出口に向かった。だが階段を下りながら、釈然としない思いが胸に広がるのを感じていた。稲垣がいったように、犯人像を全く摑めていないのは事実だ。しかし、だからこそ、真犯人がこういう形であっさりと尻尾を出すとは思えなかった。とはいえ、指示に従わないわけにはいかない。

フロントに戻ってみたが、山岸尚美の姿はなかった。新田は安野絵里子の宿泊票を見つけ、そこに書かれた内容を電話で本宮に伝えた。その後、裏の事務所に回った。山岸尚美はフロントオフィス・マネージャーの久我と話しているところだった。

ちょっと失礼、と新田は二人に歩み寄った。

「状況が変わりました。これから俺と一緒に、安野という女性客の部屋に行ってもらえませんか」山岸尚美にいった。

「どういうふうに変わったんですか。事件とは関係ないんでしょう？」

「そういう決めつけは禁物ってことになったんです。とにかく、もう一度彼女に会って、例の写真を借りる必要があります」

山岸尚美は当惑した様子で、横にいる久我を見た。

「上の者と相談させてください」久我がいった。

「報告はお任せします。しかしこれは決定事項です。不満がある場合は、事務棟の現地対策本部に電話をかけてください。俺の上司がいますから」

久我は表情を曇らせた後、山岸尚美に目を戻した。「宿泊部長と総支配人に話してくる」

「よろしくお願いします」そういって久我を見送った後、山岸尚美は、やや冷淡といえる目を新田に向けてきた。「安野様には、どのように話をすればいいんでしょうか」

「いえ、俺が話をします。あなたは一緒に行って、そばにいてくれればいいです」

「わかりました。でもこれだけは約束してください。お客様と接する以上、自分がホテルマンだということを決して忘れないこと。言葉遣いにも気をつけてください。俺、ではなく、わたくし、です」

「わかってますよ。大丈夫」

山岸尚美は疑わしそうな目で新田を見た後、そばの端末を手早く操作した。

「安野絵里子の部屋なら２５１０です」

新田がいうと、彼女はじろりと睨んできた。彼は咳払いした。

「失礼。安野様のお部屋は２５１０号室のシングルです」

山岸尚美は吐息をつき、内線電話をかけ始めた。相手はすぐに出たようだ。

「安野様でございますね。こちらフロントでございます。お休みのところ、誠に申し訳ございません。……いえ、安野様について問い合わせてきた方は、まだいらっしゃいません。ただそのことで、こちらから御提案させていただきたいことがございまして、これからお部屋のほうに伺ってもよろしいでしょうか」

さらに二言三言やりとりを交わした後、山岸尚美は電話を切った。

「夕食の予定があるので、あまり時間がないそうです。今すぐに来て、五分以内に用件を終えてほしいとか」

新田は舌打ちした。

「ストーカーから守ってやろうっていうのに、どこまで高飛車なんだ」

「その言葉遣い、これから十分間は封印してもらいますから」

二人は半ば駆け足で、安野絵里子の部屋に向かった。山岸尚美がノックをすると、返事もなくドアが開いた。安野絵里子は黒いワンピースに着替えていた。

「何の用？」腕組みをし、彼女は二人を見比べてきた。

新田が口を開いた。

「昼間の件です。警備担当の者と相談しまして、やはり例のお写真をお預かりしておいたほうがいいのではないか、ということになったんです」

安野絵里子の大きな黒目が、ぐるりと動いて新田を捉えた。

「写真を渡したら、きちんと対応してくれる？」

「その男性が現れて、安野様のことを尋ねたとしても、決して何も教えなければいいわけですよね」

「それだけじゃなく、あたしに近づけないでほしいの」

「写真があれば、できると思います」

「さっき、その人はできないといったけど」安野絵里子は腕組みしたままで、山岸尚美のほうに顎をしゃくった。

「あの時点では、そうお答えするしかなかったんです。警備担当者と話し合いましたから、御安心ください」新田は笑みを作った。

安野絵里子は警戒するような顔で黙っていたが、「ちょっと待ってて」といって部屋の奥に消えた。

戻ってきた彼女は写真を手にしていた。はい、とぶっきらぼうにいいながら差し出した。

「警備担当者は」写真を受け取ってから新田はいった。「元警察官で、警視庁にも顔がききます。もし何か相談したいことがおありでしたら、遠慮なくいってください。どんな問題であれ、プロに解決を任せたほうが話が早い場合もございます」

安野絵里子は一瞬迷いの色を滲ませたが、小さく首を振った。

「警察には……用はない」

「左様ですか」

よろしく、と乾いた声でいって彼女はドアを閉めた。その音も乾いて聞こえた。

新田は山岸尚美と顔を見合わせた後、エレベータに向かって歩きだした。

「写真の男性が、連続殺人事件に関係している可能性があるんですか」エレベータに乗り込んでから、山岸尚美が尋ねてきた。

「それはわかりません。念のためです」

「昼間の時点では、関係ないって断言されましたけど」

「個人的な感想と捜査方針は一致しません。よくあることです」

口に出してから、余計なことをいってしまったな、と新田は後悔した。

一階に下りると、ロビーに本宮の姿があった。ソファに座り、小さく手招きしている。

新田は近づいていき、そばに立った。周囲に人目がないことを確認してから、安野絵里子から受け取った写真を素早く手渡した。

「安野絵里子の宿泊票に書かれた住所を調べた」本宮がいった。「存在しない番地だった。電話番号もでたらめだ。名前も、おそらく偽名じゃないか」

新田は深呼吸をした。

「そういえば、デポジットをカードではなく現金で支払っています。偽名かもしれませんね。係長は何と？」

「とりあえず様子を見ろってことだ。今の段階では本人を問い詰めるわけにもいかない。偽名を使うこと自体は罪とはいえないからな。留守を狙ってハウスキーパー組に荷物を調べさせる手はあるが、それは最後の手段だ。本気で身元を隠す気なら、手がかりになるものを部屋に置いて出たりはしないだろうしな」

本宮のいっているハウスキーパー組とは、潜入している捜査員のことだろう。

「安野絵里子は、これから食事に出るそうです。行き先はわかりません」

「了解。見張りをつけるかどうかは係長と相談して決める」

「よろしくお願いします」小声でいい、新田はその場を離れた。

フロントに山岸尚美がいないことを確認してから、事務所に回った。彼女は宿泊部長の田倉と話しているところだった。田倉は新田に気づくと、「ではそういうことで」と彼女にいい、出ていった。

何か、と新田は訊いた。

「お客様に真相を話さず、大切なお写真を捜査に使用することにはやはり問題がある――それが総支配人たちの意見だそうです」山岸尚美は冷めた口調でいった。

新田は両手を腰に当て、顔をしかめて見せた。

「やむをえない状況だということはおわかりでしょう。それともあの女性客に、連続殺人の次の舞台はここだ、とでもいうんですか。文句があるなら事務棟の――」

彼の言葉を押し返すように、山岸尚美は胸の前に両手を出した。

「わかっています。最終的には総支配人たちも、問題はあるけれど今回は仕方がない、という結論に落ち着かれたようです」

「それを先にいってほしかったな」

「でも条件があります。たぶん写真のコピーをとるんでしょうけど、事件とは関係がないと判明したら、即座にすべて破棄してください。さらにはこういう捜査が行われたことを、絶対に公表しないこと。総支配人から稲垣係長にお願いすることになっていますが、現場の担当である新田さんにも約束していただきたいんです」

その言葉には切実な思いが籠もっているようだった。心底、客の信頼を裏切りたくないのだろう。彼女にしてみれば、フロントに変装した刑事を置いていること自体、客に対する重大な裏切り行為なのだ。

「わかりました。約束しましょう」真正面から山岸尚美の目を見て、新田は答えた。

彼女は大きな仕事を終えたように溜めていた息を吐き出し、そばの椅子を引いて腰を下ろした。

新田も彼女と向き合うように座った。

「珍しいことじゃない、とおっしゃいましたよね」

何のことだと問う顔に向かって、新田は続けた。

「宿泊客から、訪ねてきた者を追い返すようにいわれることです」

ああ、と山岸尚美は頷いた。

「お客様にとって都合のいい人たちだけが訪ねてくるわけではありませんからね」

「借金取りとか？」

「そういうケースもあります」

「参考までに伺いたいんですがね、相手はすんなりと納得してくれますか。おまえは関係ない、引っ込んでろ、とかいわれそうな気がしますが」

「そこはテクニックです。お客様はあなたには会いたくないそうだから帰ってくれ、とストレートにいっても相手を怒らせるだけでしょう。一番手っ取り早いのは、そういうお客様は当ホテルにはお泊まりではない、と答えることでしょうね」

「嘘をつくわけだ」

「お客様を守るためです。時にはそうした手段もとります」

「相手は目的の人間がこのホテルに泊まっていることを知っていて、部屋番号だけを訊いてきた場合は？」

「お客様から、自分が泊まっていることは誰にも明かさないでくれといわれていたのなら、何があっても教えません。仮にそうではなくても、一応お客様に、教えてもいいかどうかを電話で確認します。今は大抵の方が携帯電話をお持ちです。親しい方なら、その番号を知っているはずですから、御本人に尋ねればいいのです。それをしない、あるいはできないということは、何か事情があると考えるべきです。もちろん、問い合わせていることを相手の人物には気づかれないように用心します」

「相手が、部屋番号を教えてくれるまでここを動かない、とでもいいだしたら？」

「頭を下げ続けるしかありません。もしその方が暴力的な言動に出た場合には、それなりの担当者を呼ぶことになりますが」

山岸尚美の回答には淀みがない。単に教育されたことではなく、実際の経験から学んだことを話しているからだろう。

「でもホテル側の対応がそういうものだとわかっている人間なら、もっと別の手段を選ぶかもしれませんね。怪しまれないための、何かうまい手を」

新田が訊くと、山岸尚美は少し視線を遠くに向け、首をゆっくりと縦に動かした。

「そうですね。いろいろと知恵を絞る方はいます」

「何か印象的な経験でも？」

「いくつかありますけど……」少し間を置いてから彼女は再び口を開いた。「一年ほど前、一人の女性がやってきて、あるお客様の部屋番号をお尋ねになりました。その女性によると、彼女はニューヨーク在住で、宿泊している男性とは遠距離恋愛をしているということでした。ところが急遽帰国することになり、ついさっき成田に着いたというのです」

面白そうな話だった。新田は思わず身を乗り出していた。「それで？」

「彼女は私にこういいました。でも今回の帰国について、彼にはまだ話していない。急に部屋を訪ねていって、驚かせてやりたいんだと」

「なるほど」新田は唸った。「考えましたね。それではホテル側としても宿泊客に連絡するわけにはいかない。で、どうしたんですか」

「少しお待ちくださいといって、この事務所に下がり、宿泊中のお客様に電話をかけました」山岸尚美はさらりといった。

「えっ」新田は目を見張った。「それじゃあ、女性のサプライズ・プランは台無しじゃないですか」

「そうなります。私としても心苦しかったのは事実です。でもその女性には、そうせざるをえない気配がありました」

「というと？」

「長い間この仕事をしていると、不意に閃くことがあるんです。その女性と接した瞬間、何かただならぬものを感じました。危険なオーラとでもいったらいいでしょうか。その直感に従って、私はお客様に電話をかけたのです。もし私の思い過ごしだった場合には、お二人に謝るつもりでした」

「でも、思い過ごしではなかった？」

山岸尚美は頷いた。

「お客様に女性の人相風体を伝えたところ、そんな話はでたらめだから、絶対に部屋番号を教えないでくれといわれました。できれば追い返してほしいとも」

わくわくする展開だ。その男性客の狼狽ぶりがわかるようだった。

「どうやって追い返したんですか。宿泊客の言葉をそのまま伝えるわけにはいかないでしょう？」

「もちろんです。その女性には、そういうお客様はお泊まりではないと答えました。でも女性は引き下がりません。そんなはずはない、宿泊予約を入れたことは本人から聞いたというのです。おそらく何らかの方法で事前に確認していたのでしょうね。そうなると、とぼけ続けるのも問題があります。そこで私はこう答えました。たしかに、一旦宿泊予約は受け付けている。でも、直前になってキャンセルされた、と」

「うまい」新田はいった。「それはうまい答えだ。それなら相手も諦めざるをえない」

「でもその女性は、新田さんほど諦めがよくはありませんでした。というより、私の言葉を信用しなかったのです。彼は必ずこのホテルに来るはずだから、自分に部屋を用意してほしいといわれました。宿泊して、ホテル中を探そうと考えたみたいです」

新田は一瞬背中に寒気を覚えた。

「すごい執念だな。男性客は、その女性に一体何をしたんだろう」

「それなりのこと、でしょうね」

「それで、あなたはどうしたんですか。泊まってくれるとなれば、その女性も大切なお客様ってことになりますが」

山岸尚美は首を振った。

「優先順位というものがあります。現に御宿泊されているお客様のことを第一に考えねばなりません。その女性には、生憎《あいにく》今夜は御用意できる部屋がございません、とお答えしました。もちろん実際には、空いている部屋が何室かはあったのですけどね。女性はなかなか引き下がってはくれませんでしたが、私が頭を下げ続けていましたら、やがてカウンターを叩いて立ち去られました。最後のほうでは、こちらがお客様に確認の電話を入れたことに気づいていたようです」

新田は、ふうっと息を吐いた。

「ようやく一件落着というわけですか。しかしそれほどの女性なら、宿泊できなくても、どこかで張り込むんじゃないかな。いずれ男はチェックアウトする。ホテルの外で待ち伏せすれば、捕まえられる可能性は高い」

「あり得ますね」

「その男性客は、無事に女性の追跡をかわせたのかな」

「わかりません。ホテルの敷地外に出てしまわれたら、もう私たちにはどうすることもできませんから」

「逆にいうと、ホテルの外でなら何が起きても構わない、というわけですか」

新田の台詞に、山岸尚美は目元を曇らせた。だがすぐに表情を押し殺したホテルマン特有の顔を作り、毅然とした口調でいった。

「私たちはお客様の幸福を祈っています。でも自分たちが無力であることもわかっています。だからこそ、御出発のお客様には、こう声をおかけするのです。お気をつけて行ってらっしゃいませ、と」

客がホテルの中にいるかぎりは、全力をかけて守ってみせる——新田にはそう聞こえた。

午前零時を過ぎても、写真の人物は現れなかった。新田は事務棟に移動し、会議室を覗いた。本宮たちが帰り支度をしているところだった。稲垣の姿はすでにない。

「結局、今日も一日、何も起こらなかったな」新田を見て、本宮がいった。

「全く人騒がせな女です。写真の男が自分につきまとっていると思い込んでいるようですが、案外本人の勘違いかもしれない」

「自意識過剰からくる被害妄想か」本宮は口元を曲げた。「それ、あるかもな」

「まあいいです。今夜一泊するだけらしいですから、明日の朝にチェックアウトするまでは、被害妄想に付き合ってやります」

「徹夜するのか？」

「まさか。これから仮眠をとらせてもらいます」新田は天井を指差した。仮眠室は上の階にあるからだ。

久しぶりに自宅に帰るという本宮と一緒に部屋を出た後、新田は階段を上がっていった。

驚いたことに、宿泊部のオフィスに山岸尚美の姿があった。パソコンを前にして、何やら考え込んでいる。

「とうの昔に帰ったと思ってましたよ」

新田が声をかけると、彼女の背中がぴくりと動いた。彼のほうを振り返り、お疲れ様です、といった。

「また、事件についての独自調査ですか」

山岸尚美は苦笑した。

「調査というほどのことじゃありません。新田さんから数字の秘密について教えていただきましたので、それぞれの事件がどんなものだったのか、新聞記事を検索して確認していただけです」

新田は近づいていき、彼女の隣に座った。パソコンの画面には、最初に起きた品川での事件に関する記事が表示されていた。

「この事件で駆り出された時には、まさかこんなことになるとは思いませんでしたよ。自分がホテルマンに扮するとはね」

「この時点では連続殺人事件だとは思わなかったんですね」

「思うわけがありません。現場に残されていた例の数字にしても、事件とは無関係だと思われていましたしね。しかも、極めて怪しい容疑者がいました。いや、じつをいうと、俺はまだその人物を疑っています。ただ、アリバイがあるし、ほかの事件との繋がりがわからない」

「アリバイがあるのなら、その人は違うんじゃないですか」

「たしかにそうなんですが、そのアリバイというのも怪しげでね」

「怪しげ？」

「つまり、偽装されたものではないかと――」そういった後、少ししゃべりすぎたかなと新田は思った。だが一方で、この女性にはある程度のことは明かしても大丈夫だ、という気もしている。

彼は山岸尚美のほうに向き直り、「これは捜査上の秘密ですが」と前置きし、アリバイについての概略を話した。犯行推定時刻、容疑者は自宅にいて、元恋人からの電話を受けていた、しかもその自宅と犯行現場とは遠く離れている――そういう内容だ。

「元恋人からの電話に出たのは、容疑者に声のよく似た別人とか」山岸尚美がいった。

新田は首を振った。

「元恋人が電話をしたのはたまたまです。容疑者には、電話がかかってくることを予測できません」

「じゃあ、元恋人が共犯ということは？」

「それも考えましたが、可能性は低い。元恋人が容疑者と別れたのは二年も前で、今はほかに恋人がいます。それにその女性が電話をかけた時、部屋に友人がいたそうです。その友人も、たしかに電話をかけていたと証言しています」

「友人が？」

「ええ。それでまあ、行き詰まってしまったんですが、俺としてはまだ納得できない。何かトリックがあるんじゃないかと疑っていたわけです。ところがそうこうするうちに第二、第三の事件が起きて、一つめの事件だけにこだわってはいられなくなって――」そこまでしゃべったところで新田は言葉を切った。山岸尚美が上の空のように見えたからだ。彼女の視線は、どこか遠くに向けられている。山岸さん、と呼びかけた。

彼女は瞬きした。目の焦点が新田の顔に合わせられた。「あ、すみません」

「どうかしましたか」

「いいえ、大したことじゃないんです。お話を伺っているうちに、ぼんやりと考え事を」

「珍しいですね。あなたが話の途中でぼんやりするなんて」言葉の端に皮肉を滲ませた。

「ごめんなさい。ちょっと気になったものですから」

「何がですか」

新田が訊くと、山岸尚美はやや躊躇いがちに口を動かした。

「その元恋人は、どういう用件で容疑者に電話をかけたんですか。よりを戻したい、とかではありませんよね」

新田は笑い、かぶりを振った。

「違います。それほど大した用件ではなかったそうです」

「大した用件でないのなら」山岸尚美は首を傾げた。「どうして友達と一緒にいる時に電話をしたんでしょうか」

「えっ？」意表をつかれた思いで、新田は瞬きした。

「友達と一緒にいる時に、わざわざそんな微妙な相手に電話をかけなくてもいいと思うんです。かけるとしたら、何か特別な理由がある時です」

「いや、そんなふうには聞いてないいんだけどな」

「嘘をついたのかも。その元恋人が」

「どうして?」

「刑事さんにはいいにくいことだったから。たとえば、その容疑者のことが今でも好きで、近況を知りたくて電話をしたってことなら、正直には話しにくいですよね」

ああ、と新田は頷いた。

「なるほどね。でもそういうことなら、友達と一緒にいる時にはますますかけにくいんじゃないですか」

すると山岸尚美は、企みを秘めたような笑みをふっと浮かべた。彼女がこんな表情を見せるのは珍しいことなので、新田は少し意外な気がした。

「そうではなくて逆だと思うんです」

「というと?」

「その友達がそそのかしたんじゃないでしょうか。電話をかけてみたらって。部屋に友人がいたと聞いて、私はまずそんなふうに想像したんですけど」

新田は思わず唸っていた。その可能性については、これまでに考えたこともなかった。

「ごめんなさい。素人の考えです。無視してくださって結構です」

「いや、案外当たっているのかもしれない。やっぱり女性のことは女性じゃないとわからないってことかなあ」新田は腕組みした。心の底から感服していた。

もし山岸尚美の推理が当たっているのだとしたら――。

新田の脳裏で、何かが蠢き始めていた。今まで閉じていた扉が開きそうな予感がある。

だがその時、彼の思考を分断するように懐で電話が鳴った。舌打ちし、取り出した。かけてきているのは関根だ。彼は今もベルボーイの格好をして、ホテルの正面玄関付近に立っているはずだ。

「俺だ。どうかしたのか」

「関根です。至急、フロントに戻ってください。写真の男が現れました」

「何っ、間違いないのか」

「たしかです。たった今タクシーから降りて、外の喫煙所で煙草を吸っています」

「わかった、すぐに行く」

新田は電話を切り、早口で山岸尚美に事情を伝えた。すでに厳しい顔つきになっていた彼女は、椅子の背もたれにかけてあった上着を手にして立ち上がった。

13

ひと目見て、たしかに写真の人物だ、と尚美は思った。髪は写真よりも少し長めで、眼鏡をかけていたが、間違いなかった。長身で肩幅が広い。黒っぽいスーツの下のシャツは、第二ボタンまでが外されていた。

男性は真っ直ぐにフロントを目指して歩いてくる。フロントには小野という若いフロントクラークがいたが、尚美は自分が応対することにした。新田は後ろに控えている。

心臓の鼓動が速まるのを感じた。しかし動揺を表に出すわけにはいかない。頰の強張りを自覚しつつ、いつもの笑顔を、と自分にいい聞かせた。

男性が険しい顔つきのままで足を止めるのを見て、彼女は頭を下げた。

「ようこそ、いらっしゃいませ。お泊まりのお客様でしょうか」

そうではなくて訊きたいことがあるのだ、という返答を予想した。こういう女性が泊まっていないか、と写真を出してくるのではないかとも思った。いうまでもなく安野絵里子の写真だ。

だが予想に反して、男性は首を縦に動かした。

「タテバヤシです」

はっ、と思わず聞き返してしまった。男性の表情が曇る。

「タテバヤシ。予約を入れてあるはずなんだけど」

「あ……失礼いたしました。少々お待ちくださいませ」

急いで手元の端末を操作する。たしかに館林光弘という名前がすぐに見つかった。到着予定時刻は午前零時、スイートルームで一泊となっている。

尚美は困惑した。宿泊の予約が入っている以上、追い返すことはできない。ダブル・ブッキングがあったといって詫び、別のホテルを紹介する手があるが、そこまでする必要が果たしてあるだろうか。この人物が必ず安野絵里子に危害を及ぼすと判明しているわけではない。

「どうしたんだ？　名前がないのか」館林が声をかけてきた。

「あ……いえ。館林光弘様でございますね。本日よりスイートルームで御一泊ということでよろしいでしょうか」

「いいよ」

尚美は宿泊票を彼の前に出した。

「では、こちらにお名前と御連絡先を御記入いただけますでしょうか」

館林光弘は無言で書き込む。その手元を尚美は見つめた。ペンの動きに不自然なところは見受けられないが、偽名を書き慣れている可能性もある。

素早く端末を操作し、空いている部屋を探した。今の段階でできることは、なるべく安野絵里子の部屋から遠い部屋を選ぶことだ。彼女の部屋は２５１０号室、つまり二十五階にある。

１５３０号室が空いていた。ここなら問題ないだろう。すぐにカードキーを準備した。

「これでいいかな」館林が宿泊票を指差した。そこには彼の名前と、高崎市で始まる住所、そして携帯電話の番号が記されていた。

「結構です。お客様、お支払いは現金でしょうか」

「そうだ。わかってるよ、デポジットだろ」

館林は上着の内ポケットから財布を出し、そこから無造作に一万円札を何枚か抜いた。慣れた手つきで十枚を数え、カウンターに置いた。

「これで足りるかい？」

「恐れ入ります」

預かり証を作り、館林に渡した。さらに１５３０号室のカードキーを出しながら、傍らに控えているベルボーイに目配せした。そのベルボーイは、刑事の関根だった。今や、このホテルに潜入している捜査員全員が、この館林という客に注目しているだろう。

関根が素早くやってきて、カードキーに手を伸ばした。だがそれを館林が制した。

「いや、結構。一人で行けるよ」そういってカードキーを手に取った。

「しかしお客様、非常口の確認などもございますから」

尚美がいったが、館林はうるさそうに首を横に振った。

「フロアの図面を見ればわかる。ついてこられるのは好きじゃないんだ」

ここまでいわれれば、無理強いはできない。

「わかりました。では、どうぞごゆっくり」

尚美の言葉を最後まで聞かず、館林光弘は歩きだしていた。エレベータホールまで御案内いたしますと関根が食い下がるが、結構だ、と断られている。

「宿泊票を見せてください」後ろから新田がいった。「住所を調べてみます。おそらく偽名だ」

「どうしてわかります？」

「高崎市は群馬県。そして群馬県には館林市という土地もある」

「あっ……」

「宿泊票を」

ここは警察に任せたほうがよさそうだ。よろしくお願いします、といって尚美は宿泊票を彼に手渡した。

新田がどこかに電話をかける隣で、彼女も受話器を取り上げていた。２５１０号室にかけると、すぐに安野絵里子が出た。

「お休みのところ、申し訳ございません。どうしてもお伝えしておきたいことがございまして」

そう前置きし、写真の人物が現れたこと、しかも宿泊の予約をしていたので、通常通りの手続きでチェックインを済ませたことを説明した。

驚いたのか、安野絵里子は数秒間沈黙した。その後、吐息が受話器にぶつかる音が聞こえた。

「あたしには近づけないで、とお願いしたわよね」

「申し訳ございません。ただ、安野様とはなるべく離れた部屋を選びましたので、廊下で鉢合わせするようなことはないと思います」

「本当に大丈夫でしょうね。何階の何号室なの？」

「十五階の１５３０号室です」

安野絵里子は、再び強く息を吐いた。

「わかった。もういい」

ぷつん、と電話は切れた。尚美は受話器を見つめてから、元に戻した。

ちょうど隣で新田も電話を終えたところだった。

「この住所は存在しますが、そこにあるのは染め物工場だそうです。人は住んでいません」

「じゃあ、やっぱり偽名……」

「そう考えるのが妥当でしょうね。安野も偽名、館林も偽名、一体どうなってるんだ」

「今の方は、安野様のことを何も尋ねてこられませんでした。どういうことでしょう」

「尋ねたところで何も教えてもらえないってことを知っているのかもしれない。だから自分も泊まって、自力で見つけようとしているのかも」

新田がそういった後、今まで傍らで黙っていた小野が、「あのう」と口を挟んできた。

「今のお客様、以前にもお泊まりになられたことがあったように思うんです」

えっ、と尚美は後輩の顔を見つめた。「本当？」

小野は首を傾げながらも頷いた。

「写真を見た時には気づかなかったんですけど、本人を見て思い出しました。間違いないと思います。やっぱりこれぐらいの時間帯で、その時も私がフロントにいました。スイートというのも同じです」

「その時の名前を覚えていますか」新田が訊いた。

「いやあ、それはちょっと……。でも館林という名字ではなかったように思います」

「同じ名前のはずはありません」尚美がいった。「一度利用されたお客様の名前はホテルの記録に残っています。予約を受け付けた時点で、それは判明します」

「なるほど」新田は顎を撫でた。「彼がチェックインしたことを安野さんに伝えていたようですね。彼女の反応はどうでしたか。怯えている様子でしたか」

「さすがに驚かれたようです。怯えているようには感じられませんでしたけど、気丈に振る舞われているだけかもしれません」

「かなり気は強そうだからな。弱みは見せたくないってことか。だけど、そんなに館林のことを警戒しているのなら、今すぐ自分がチェックアウトすればいいのにな」

「こんな時間にですか？　チェックアウトして、どこに泊まるんです？」

「それもそうか」新田は顔をしかめた。「とにかく警戒は必要です。俺は警備員室に行ってきます。館林の部屋は十五階でしたね。防犯カメラを見張っている刑事に、注意するようにいっておきます」

新田は後ろのドアから出ていった。それを見送った後、尚美は、自分はどうしようかと思った。あの様子では、新田はまだまだ引き上げないだろう。それどころか、徹夜で見張るといいだすかもしれない。

「山岸さん、大丈夫ですよ。お帰りになってください。ここは僕たちだけで大丈夫です。何かあったとしても、警察の人に任せるしかないわけですし」彼女の迷いを察知したらしく、小野がそういってくれた。

「でも新田さんは、まだここにいるみたいよ」

「この時間ですから、あの方がお客様と接することはないでしょう。それより山岸さんが無理をして、身体を壊すことのほうが心配です」

後輩のいうことには一理あった。

「そう？　じゃあ、そうさせてもらおうかな。新田さんに一言いってくる」

尚美は裏に回り、従業員用のエレベータに乗った。警備員室は地下一階にある。

警備員室のドアは開け放たれていた。立っている新田の背中が見える。中にいる人間と何か話しているようだ。

尚美は近づき、中の様子を覗いた。防犯カメラのモニターがずらりと並んでいて、その前に警備員とワイシャツ姿の男がいた。こちらは刑事だろう。

その刑事が尚美のほうを見た。すると、つられるように新田が振り返った。

「山岸さん……どうかされましたか」

「いえ、私はそろそろ失礼させていただこうかと思いまして」

ああ、と新田は大きく頷いた。

「それがいいです。あなたまで夜更かしする必要はない。我々に付き合っていたら、身体が保ちませんよ。俺にしても、後は彼等に任せて、少し仮眠を取ろうと思っていたところなんです」

「すみません。それではこれで――」

失礼します、と尚美がいいかけた時だ。新田さんっ、とワイシャツ姿の男が声を上げた。

「1530号室に誰かが入りましたっ」

「何?」新田はモニターに近づく。「たしかか?」

「間違いありません。十五階の廊下に人影が現れたので、ずっと見ていたんです」

「よし、再生してみろ」

尚美も後ろから覗き込んだ。モニターには廊下と、それを挟んでずらりと並んだドアが映っている。廊下の先には曲がり角がある。

刑事が手元の機器を操作した。すると曲がり角から一人の若い女性が現れた。白っぽいコートのようなものを羽織っている。新田が小さく、女か、と呟いた。

女性はドアの表示を見ながら進んでいく。やがて足を止めた。ノックをする。間もなくドアが開き、彼女の姿は室内に消えた。

「あのドアは1530号室のはずです」ワイシャツの刑事がいった。

「どういうことかな。館林が安野絵里子のストーカーなら、部屋に女を連れ込んだりはしないはずだ」新田は独り言のように呟いた。「とりあえず、もう少し様子を見てみるか」そういってから彼は尚美のほうに顔を向けた。「ここは我々に任せて、あなたはお帰りになってください」

尚美は頷いた。気にはなるが、自分が残っていても仕方がないとも思った。今起きていることは、ホテルのサービスではなく、警察の捜査に関わることなのだ。

「ではお先に失礼します」

「お疲れ様でした」

新田の声を受け、尚美は警備員室を後にした。従業員用のエレベータまで進み、ボタンを押した。

安野絵里子と館林光弘のことは気になるが、何かが起きると決まったわけではない。二人の部屋は離れている。館林が来たことは伝えてあるのだから、安野絵里子は部屋を出ないだろうし、館林のほうは彼女の部屋を知らない。

エレベータの扉が開いた。尚美は足を踏み入れた。

ゆっくりと扉が閉じていく。その瞬間、彼女の脳裏に一筋の光が走った。咄嗟に、『開』のボタンを押していた。

尚美はエレベータを降りた。小走りに警備員室に向かった。

舞い戻ってきた彼女を見て、新田は目を丸くした。「どうしたんですか」

「二十五階は？」尚美は訊いた。「2510号室の映像はどれですか」

「ええと、これかな」ワイシャツの刑事が手元の機器を操作すると、一台のモニターの映像が切り替わった。

尚美は歩み寄り、画面を見つめた。1530号室を見た時の映像とは角度が違う。部屋の位置がエレベータホールを挟んで反対側にあるからだ。

新田が隣に来た。「山岸さん、あなたは一体何を――」

「新田さん、私、しばらくここにいてもいいですか」

「えっ？」

「私、とんでもないミスをしてしまったのかもしれません」

尚美の言葉に新田が眉根を寄せた時だ。あっ、とワイシャツの刑事が小さく声を漏らした。彼女は反射的に画面を見た。ある部屋のドアから、一人の女が出てくるところだった。部屋番号を確認するまでもない。女は安野絵里子だった。

「あの女、こんな時間にどこへ行く気だ」

新田の乱暴な言葉遣いを注意している暇などなかった。エレベータホールを、と尚美は叫んでいた。「二十五階のエレベータホールを映してください」

モニターの映像が切り替わった。エレベータホールだ。やがて右側からゆっくりと安野絵里子が現れた。ボタンを押し、エレベータを待っている。その顔つきは険しく、ハンドバッグをきつく抱きしめている。

エレベータが着き、彼女は乗り込んだ。六基あるうちの一つ、三号エレベータだ。

すでに隣のモニターには、エレベータに取り付けられた防犯カメラの映像が映し出されていた。硬い表情の安野絵里子が、こちらを向いて立っている。彼女が何階のボタンを押したのかはわからない。

「十五階のフロアを映してください」尚美はいった。

映像が切り替わった。十五階のエレベータホールだ。その直後、三号エレベータから安野絵里子が降りてきた。

決定的だ——尚美は警備員室を飛び出していた。山岸さんっ、と後ろから新田の声が追ってきたが、エレベータの前まで足は止めなかった。

幸い、エレベータは地下一階で止まったままだった。すぐに扉が開いたので乗り込んだ。扉が閉まる前に新田が駆け込んできた。

「一体どうしたっていうんですか。説明してください」

「私がミスをしたんです。ホテルマンにあるまじきミスを」何のことかさっぱりわからないという表情の新田に、尚美は続けていった。「お客様の部屋番号は、何があってもほかの人に教えてはなりません。でも私は教えてしまいました。安野様に館林様の部屋を」

新田は目を見開いた。「安野が館林に狙われていたのではなく、その逆だと？」

「今となってはそれしか考えられません」

エレベータが一階に着いた。二人は競い合うように降りた。廊下を走り、事務所を駆け抜け、フロントから飛び出した。小野たちが呆然としているが、説明している余裕はない。

駆けっこになれば男のほうが速い。一足先にエレベータホールに達した新田が、扉を開けて尚美を待ってくれていた。彼女も乗り込み、息を整えた。鼓動が速いのは走ったせいだけではない。

「安野絵里子は何をする気かな」右の足首を細かく動かしながら新田がいった。「あのハンドバッグが気になる。何か大切なものを抱えているという感じだった」

「バッグに凶器が入っている……とか？」

新田は答える代わりに、じっと尚美の目を見つめてきた。

エレベータが止まった。扉が半分ほど開いたところで新田は身体をすり抜けさせた。尚美も彼の後を追った。

スイートルームは廊下の奥にある。安野絵里子の姿はどこにもない。つまり彼女は１５３０号室に入ったということになる。

ドアの前で二人は立ち止まり、顔を見合わせた。新田がノックの仕草をした。尚美は黙って顎を引いた。

新田がドアに近づき、拳を小さく上げた。

次の瞬間、突然ドアが勢いよく開いた。あわや新田の顔面に直撃するところだった。部屋から飛び出してきたのは、安野絵里子ではなかった。最初にこの部屋に入った女だ。薄いワンピース姿で、手にバッグとコートを抱えている。よく見ると、ストッキングも摑んでいた。女は尚美たちを見てぎょっとしたようだが、何もいわず、急ぎ足でばたばたと去っていった。

閉まろうとするドアを新田が手で押さえた。尚美は彼の後ろから室内を覗いた。

部屋の中央で安野絵里子が立っている。彼女が見つめる先には、バスローブを羽織った館林がいた。項垂れてソファに座っている。

「何をしてるんですか」

新田の問いかけに、ぎくりとしたように安野絵里子がこちらを向いた。館林も、ちらりと視線を上げた。二人とも、尚美たちがいることに気づいていなかったようだ。

「何なの？　どうしてそんなところにいるわけ？」安野絵里子が甲高い声を出した。

新田を押しのけ、尚美は彼の前に出た。

「安野様がこちらのお部屋に来られるのが見えましたので、何かトラブルが起きたのではないかと思いまして」

安野絵里子はうるさそうに首を振った。「もういいの。あたしのことはほっといて」

「でも――」

するとと安野絵里子は、つかつかとやってきた。やや俯き気味だったが、尚美たちの前まで来ると顔を上げた。尚美は、はっとした。彼女の目が真っ赤だった。

「あたしたち、夫婦なの」

「えっ、まさか……」

安野絵里子は持っていたバッグを開け、中から書類を出してきた。それを広げ、尚美のほうに向けた。離婚届だった。夫は村上光弘、妻は村上絵里子となっている。

「これを彼に渡しに来ただけ。だから、もう、心配しないで」

彼女の声は低く抑えられていた。自分の気持ちを抑制しているからだ、と尚美は察した。

「あの……先程出ていった女性は？」

尚美が訊くと、安野絵里子、いや村上絵里子の口元が歪んだ。

「たぶん六本木のホステス。うちの人、六本木が好きだから」

返すべき言葉が見つからなかった。尚美は唇を舐めた。

大丈夫よ、と村上絵里子はいった。その声は、これまでに彼女が発したどの言葉よりも弱々しかった。

「お願いだから、ほうっておいて。心配しないで。無理心中なんてしないから」

尚美は息を呑み、彼女の沈んだ顔を見つめた。その唇は微笑んでいたが、目は悲しみの色に溢れている。

新田が尚美の肩に手をかけてきた。「行きましょう」

尚美は頷き、後ろに下がった。どうぞごゆっくり、の一言が思わず口から出そうになるのを寸前で堪えた。廊下に出た後、新田がゆっくりとドアを閉めた。

溜めていた息をふうーっと吐き出した。横では新田が防犯カメラに向かって、お手上げのポーズをとっていた。

エレベータに乗ってから、二人で顔を見合わせた。どちらからともなく苦笑が漏れた。

参りましたね、と新田がいう。全く、と尚美は応じた。

一階に下り、フロントカウンターに戻った。新田は警備員室に行くという。尚美は、不安そうにしている小野に事情を説明した。小野は終始驚きの表情を浮かべていた。

「そういうことだったんですか。でも、大変なことにならなくてよかったですね」

「ホテルとしてはね……」

尚美はフロントから離れ、ロビーのソファに腰を下ろした。身体が重かった。緊張の糸が切れたからか、疲れが一気に押し寄せてくるようだ。

いけない、このままじゃ眠りこんじゃいそう——そう思って身体を起こし、首を左右に曲げた。その時、エレベータホールから村上絵里子がやってくるのが見えた。荷物を手にしている。尚美は立ち上がった。

村上絵里子はフロントに行くと、カードキーを差し出した。御出発でございますか、と小野が訊いている。そうよ、と彼女は答えた。

手続きを済ませると、領収書をカウンターに残したまま、村上絵里子は歩きだした。ちらりと尚美に目を向けつつ、黙って通りすぎた。しかしすぐに立ち止まり、振り返った。

「ごめんなさい。いろいろと面倒をかけたわね」

尚美はポケットから写真を出しながら、彼女に近づいた。

「これはいかがいたしましょうか」

村上絵里子は写真に視線を落とし、迷うように瞬きした。

「それはそちらで適当に処分を——」そこまでいってから首を振り、手を出した。「いえ、やっぱりあたしが処分しなきゃね」

尚美から写真を受け取ると、しげしげと眺めた後、バッグにしまった。

「あの人が、仕事で東京に来るたびに浮気をしていることはわかってたの。でも証拠がなかった。現場を押さえるのが一番いいんだけど、ホテルの人は、本人に無断では宿泊客の部屋番号を教えてくれないでしょ」

「お客様のプライバシーをお守りするのが私共の務めですから」

「そうよね。だからあたしとしては、こんな手を使うしかなかった」

「すっかり騙されました」

「本当にごめんなさい。でもおかげでうまくいった。吹っ切れたし」

「御主人と相手の女性とが別々に部屋に入るということは御存じだったんですね」

「もちろんよ。だって——」村上絵里子は大きく息を吸い、胸を隆起させた。「彼、あたしにも同じことをさせてたもの。前の奥さんと別れる前のことだけど」

「あ……」なるほど、という台詞は呑み込んだ。

村上絵里子は微笑み、肩をすくめた。

「昔からよくいうわよね。人の男を獲ったら、いつか誰かに同じことをされるって。自分だけはそうじゃないと思ってたんだけど、人生ってやっぱり甘くない」

軽率には切り返せない言葉だった。尚美は黙って頷いた。

「じゃあ、行くわね。早く帰って、家を出る準備をしたいから」

「タクシー乗り場まで御案内いたします」

無人のロビーを二人で歩いた。正面玄関から外に出てすぐ横にタクシー乗り場がある。黒塗りのタクシーが止まっていた。村上絵里子が近づくと、後部ドアが静かに開いた。彼女は身体を滑り込ませた。

「またのお越しをお待ちしております」尚美は頭を下げた。

ドアが閉じ、車が動きだした。尚美は顔を上げた。タクシーがぐるりと旋回した時、村上絵里子がハンカチで目頭を押さえるのが見えた。

14

能勢の丸い身体がフロント前のロビーに現れたのは、正面玄関の外が少し暗くなりかけてきた頃だった。いつもと同じ、くたびれたスーツを着ていた。フロントにいる新田に気づくと、嬉しそうな顔で小さく会釈し、空いているソファに腰を下ろした。

「ちょっと外します」新田は、そばにいる山岸尚美にいい、能勢のほうを指差した。

彼女は所轄の野暮ったい刑事のことを覚えていたようだ。意味深な笑みを浮かべると、わかりました、と小声で答えた。

新田は周辺に視線を走らせながら能勢に近づいた。ロビーには相変わらず数名の捜査員が見張り係として配備されているが、新田の動きを目で追っている者はいないようだ。彼がホテルマンとして動き回ることは、彼等にとってはもはや珍しいことではないのだろう。

新田は能勢の隣に腰を落ち着けた。

「急に呼び出したりして、申し訳なかったですね」彼はいった。「聞き込みの最中だったんでしょう?」

「いやいや、あんな話を聞かされたら、じっとしているわけにはいきません」能勢は舌なめずりしそうな表情を作った。

「単なる思いつきですけどね」

「いや、素晴らしい着眼といっていいんじゃないですか。なるほどなあと感心しました。たしかにふつうなら、友達のいる前で昔の男に電話をかけるというのは抵抗があるはずです。だけど、その友達にそそのかされてってことなら、十分に頷けます。さすがは新田さんだ。よく思いつきましたね。女性の心理がわかっておられる」

能勢の賛辞に新田は苦笑したくなるのを堪えた。実際には彼が思いついたことではなく、山岸尚美の意見だった。しかしそんな裏話をわざわざ打ち明ける必要はない。

「それで能勢さんに調べてほしいのは——」

新田がそういったところで、皆までいうな、とばかりに能勢が顔の前で右手を広げた。

「わかっています。井上浩代のことでしょう」彼は内ポケットから出した小さなノートを広げた。「手嶋正樹に電話をした元恋人が本多千鶴さん。その場に居合わせた本多さんの友人が井上浩代です。ああいや、まだ呼び捨てはまずいか。井上浩代さん、ですね」

どうやら能勢のほうは新田の狙いを理解しているようだった。

新田は能勢のほうに身体を少し近づけた。

「我々の間では呼び捨てでいいんじゃないですか。井上浩代が手嶋と共犯なら、電話のアリバイも何とかなるような気がします。これまでは、本多さんから電話がかかってくることを手嶋には予想できなかった、というのも大きな壁になっていましたから」周りに用心しながら、声を落としていった。周囲の客は無論のこと、ほかの捜査員にも聞かれたくない内容だった。

能勢は大きく頷いた。

「同感です。新田さんの報告書によれば、井上浩代は本多千鶴さんの大学時代の友人となっていますね。年齢は二十八歳。結婚して、大森に在住……と」ノートを見ながらいった。

新田は唇を結んだ。井上浩代のもとへ聞き込みに行った時のことを思い出した。地味な顔立ちを化粧の力で派手に仕上げたような女性だった。身に着けているものは高級品ばかりで、夫が成功者であることを窺わせた。口数は少なく、尋ねられたこと以外、何ひとつ余分には答えなかった。殺人事件に関わることだから慎重になっているのだろう、とその時の新田は考えたのだが、当人には別の思惑があったのかもしれない。

「あの時は、井上浩代は本多さんの供述を裏づける単なる証人だという認識しかありませんでしたからね。それだけ調べれば、報告書としては十分だと思いました」

「いやあ、そりゃそうでしょう。どこからどう見ても、あの時点では関係ない人間だったんですから」

慰める口調でいう能勢に、新田は肩をすくめて見せた。「まだ、関係があると決まったわけではありませんがね」

するとが能勢は、いや、と身構えるしぐさをした。その目がいつになく鋭くなっていたので、新田は少し驚いた。

「これ、当たりじゃないでしょうか。先程新田さんから電話をもらった時、そう直感したんです。理由を訊かれると困りますが、胸騒ぎのようなものがします。もちろん、いい意味での胸騒ぎです。新田さん、これはいけますよ」

「だといいんですがね」

「早速、井上浩代について詳しいことを調べてみます。どこかで手嶋と繋がってると面白いことになります。あとそれから、本多さんにも、もう一度当たってみる必要がありますね。手嶋に電話をかけたのは、井上浩代から促されたからじゃないのかってことをはっきりさせたほうがいいでしょう。電話をかけた理由についても、改めて訊いてみます」能勢はノートに何やら書き込み始めた。

「本多さんが手嶋に電話をかけた理由ですが、これまでの供述が嘘だとしたら、他人には話しにくい内容だということです。うまく聞き出せますか？」

新田が訊くと、能勢はノートをしまう手を止め、少し考え込む表情を見せた。だがすぐに太い首で頷いた。

「まあ、何とかなるでしょう。何かわかったら、すぐに連絡します」そういって勢いよく立ち上がった。

「ああ、能勢さん」新田も腰を上げた。「このことは、まだほかの人間には話さないでもらいたいんですが」

能勢は、目を見開いた。黒目だけが新田のほうに動いた。

「上司にも、いわないほうがいいですか」

「できれば」

丸顔の刑事は、下唇を突き出し、二重顎を上下させた。

「わかりました。幸い、今のところ私は自由に動ける状況です。上司には内緒にしておきましょう」

「ありがとうございます。助かります」

「礼なんかは結構です。ではこれで」

現れた時よりもさらに軽い足取りで去っていく能勢を見送った後、新田はフロントに戻った。山岸尚美が、お帰りなさい、といった。

「ずいぶんと熱心に話し合っておられましたね。何か進展でも？」声を落とし、彼女は訊いてきた。

「捜査のことは話せませんが」新田は続けた。「あなたの助言が役に立ったかもしれません。もしいい結果が出たら、改めてお礼をさせていただきます」

彼女は意外そうに見上げてきた。「いつ私がそんな助言を?」

新田は人差し指を唇に当てた。今はいえない、という意味だ。山岸尚美はため息をつき、微苦笑した。不快に思っているわけではなさそうだった。

夕方になり、チェックインする客が増えてきた。例によって新田はフロントクラークの業務に就いているように見せかけながら、能勢とのやりとりを反芻した。

あの鈍重そうな男が、じつは優秀な刑事なのだという話を、彼は完全には信用していない。だが現時点では、あの所轄の刑事に頼るしかなかった。もちろん、本来ならば稲垣や本宮に相談するのが筋だ。井上浩代は手嶋正樹の共犯者ではないかという説は、一定の理解を得られそうに思える。しかしだからといって、それに関する捜査を新田がやらせてもらえるわけではない。稲垣のことだ。別の捜査員に命じるだろう。それでももし何らかの成果が上がったとしたら、評価されるのはその捜査員であって新田ではない。

稲垣たちに話すのは、もっと確信を得られてからだ、と彼は決めていた。そのためには、能勢にがんばってもらわねばならない。

もっとも――。

仮に井上浩代と手嶋正樹の間に何らかの繋がりがあったとしても、共犯関係を証明できなければ意味がない。具体的には、どのようなトリックが使われたのかを明らかにする必要がある。井上浩代の誘導があったにせよ、実際に本多千鶴は手嶋に電話をかけている。かけた先は固定電話で、たしかに手嶋の声だったと彼女は断言している。

さらにこの謎が解けたとしても、まだ考えるべきことはあった。いうまでもなく、ほかの事件との関連だ。現時点では、まだ何も繋がりは見つかっていない。

そんなふうに考えを巡らせている時だった。「おい、君」と誰かの声が聞こえた。だが新田は、それが自分にかけられたものだとは思わなかった。フロントクラークはほかにもいるし、彼はみんなから一歩下がった位置に立っているからだ。

「君だよ。聞こえないのか」

この声でようやく気づいた。小太りの男がフロントの横から新田に呼びかけているのだった。体格のわりに顔が大きく、黒々とした髪を短く切りそろえている。はれぼったい一重瞼のせいで表情が読みにくく年齢も不詳だが、肌つやがやけにいいので童顔に見えた。

山岸尚美が即座にやってきた。「お泊まりでしょうか」

だが男は彼女のほうを見ようとはせず、新田を指差してきた。

「どうして君が返事をしないんだ」

山岸尚美が困惑した表情で振り返った。彼女と目を合わせてから、新田は歩み出た。

「私に何か？」

「何かってことはないだろ。客が声をかけてるのに、なぜ無視するんだ」

「そういうわけでは……。申し訳ございません」新田は頭を下げた。

小太りの男は眉間に皺を寄せ、じっと新田を睨みつけてきた。その顔を見て、新田は胸騒ぎを覚えた。どこかで会ったことがある――そう思ったからだ。

「クリハラ」男はぶっきらぼうにいった。

「はっ？」

「クリハラだ。予約を入れてある」

「あっ、はい。少々お待ちください」

チェックインの手続きについては大体教わっているが、新田自身が実際にやったことはなかった。まごつきながら、とりあえず宿泊票を男の前に出した。

「これに御記入いただけますか」

男は不機嫌そうな顔で記入を始めた。新田の横で素早く端末を操作していた山岸尚美が、画面を指差した。栗原健治という名前で予約が入っていることが確認できた。今日からシングルルームで一泊だ。禁煙室希望、とある。

栗原、クリハラ、栗原健治、クリハラケンジ――新田は頭の中で何度も男の名前を復唱した。どこかで耳にしたような気はする。だが明瞭な記憶はない。

「書けたよ」栗原がいった。

新田は宿泊票を手に取った。住所は山形県になっている。

「お客様、お支払いはクレジットカードでしょうか。それとも現金で」

「カードだ」

「ではデポジットもそちらでよろしいでしょうか」

栗原は仏頂面をしたまま、財布からカードを出してきた。新田はそのカードのプリントを取った。そこにはたしかに、KENJI KURIHARA と刻印されている。

山岸尚美が横からカードキーを差し出してきた。部屋番号は2210号室だ。

新田はクレジットカードを栗原の前に置いた。

「お待たせいたしました。二十二階のお部屋を御用意させていただきました」そういいながら新田は、すでに横で控えていたベルボーイにカードキーを手渡した。

栗原は意味ありげに新田を一瞥すると、くるりと背中を向け、ゆっくりと歩きだした。

「あのお客様が何か？」彼がいつまでも見ているからか、山岸尚美が尋ねてきた。

「いや……どうしてわざわざ俺に声をかけてきたのかと思って」

「たまたま目についたんじゃないでしょうか」

「そうかな」

「ほかに何か理由が考えられるんですか」

「理由っていうか、どこかで見たことがあるような気がするんです」

山岸尚美は目を見張った。頬が引き締まったように見えた。

「知っている人だと？」

「わかりません」新田は首を振った。「そんな気がしただけです。気のせいかもしれない」

「でももし気のせいでないとしたら」山岸尚美は唇を舌の先で舐めた。「それはかなり問題です。まずいことになるかもしれません」

「あなたのいう通りだ」

新田は周囲に視線を巡らせた。ベルボーイ姿の関根が目についたので、手招きして呼び寄せた。

「どうしたんですか」関根はやや緊張の面持ちで駆け寄ってきた。

新田は手短に事情を話した後、栗原の宿泊票を見せた。

「もしかしたら、あの客は俺のことを知っているのかもしれない」

関根は息を呑む顔になった。

「そういえばさっきの客、フロントから少し離れたところにいて、じっと中の様子を窺っているみたいでした。新田さんのことを見ていたってことですかね」

「その可能性はある」

「新田さんと何かの事件で関わったんでしょうか」

「そうかもしれない。前科があるようには思えないが、一応警視庁のデータベースで調べてもらいたい」

「わかりました。係長か本宮さんに相談してみます」

「よろしく頼む」

関根は宿泊票を手に小走りで立ち去った。その後ろ姿を見送りながら、新田は両手を軽く握った。どちらの掌にも汗が滲んでいる。

その時、内線電話が鳴った。山岸尚美が受話器を取った。短く言葉を交わす彼女の顔つきが険しいものになった。彼女の視線は新田のほうに向けられている。

「どうかしたんですか」彼は訊いた。

彼女は受話器に向かって、「わかりました。すぐに行ってもらいます」といって電話を切った。

「何ですか」彼は重ねて訊いた。

「ベルボーイからです。栗原様が部屋にクレームを」

新田の胸に嫌な予感が広がった。「何が気にくわないといってるんですか」

山岸尚美は首を振った。

「わかりません。とにかくこの部屋ではだめだから、さっきのフロントクラークを呼べとおっしゃってるそうです」

「さっきのフロントクラークってのは、俺のことですかね」

「そのようです」

新田は唇を嚙み、首を傾げた。「何者なんだ、あいつ」

「とにかく行きましょう。遅れると、ますますお客様の機嫌が悪くなります」

「いや、俺一人で行きます。部屋を変更する手順については、以前見せてもらったので、大体わかっています。事情を把握したら、こちらに電話をかけるので、代わりの部屋を用意しておいてもらえますか」

「それは任せてください。でも、本当に大丈夫ですか」

「大丈夫です。それに、もしかしたら相手は俺の正体を知っていて、二人だけになりたいからクレームをつけてきたのかもしれない」

「たしかに……それも考えられますね」

「行ってきます。2210号室でしたよね」部屋番号を確認し、新田はフロントを出た。

エレベータホールで待つ間、もう一度栗原の顔を思い浮かべた。どこかで会ったように思えてならない。だが思い出せない。特徴的な容貌だから、取調室で対峙したことがあるのなら記憶に残っているはずだ。

新田がホテルマンに化けると決まった時から、彼が警察官であることを知る人物と遭遇してしまう危険性について、稲垣たちとも話し合った。その時に出た結論は、そういう確率は低いのではないか、というものだった。聞き込みで一度や二度会っただけの刑事の顔を明瞭に覚えている者など、それほどたくさんいるとは思えない。一般人は、警察官と聞いただけで相手を正視できなくなるのがふつうだからだ。仮に覚えていたとしても、ホテルマンの格好をしていれば、まさか同一人物とは思わないだろう。もし新田のことをよく覚えているとすれば、被疑者として彼に取り調べられた人間ということになるが、それならば当然新田のほうにも記憶がある。彼は来訪者の顔を常に注視しているのだから、そういう人間がやってきた場合でも相手よりも先に気づくはず――稲垣をはじめ、殆どの者たちがこの意見に同意した。新田も同様だった。

しかし、と焦燥感の中で彼は考えた。人間の記憶とは絶対的なものではない。これまでに取り調べたすべての人間のことが頭に入っているか、と問われれば自信がない。

エレベータで二十二階に上がり、廊下を進んだ。２２１０号室のドアは閉まっている。拳を固め、ノックした。

返事が聞こえることなく、ドアが開いた。開けたのは若いベルボーイだった。その表情には、困惑の色が浮かんでいた。

失礼いたします、といって新田は足を踏み入れた。栗原はスーツ姿のままで、背中を向けて窓際に立っている。

新田はベルボーイに囁いた。「ここはいいから、持ち場に戻っていてください」

ベルボーイは、いいんですか、と問うように瞬きした。新田が小さく頷きかけると、幼い顔立ちのベルボーイは栗原のほうを気にする素振りを見せつつ、ぺこりと頭を下げて部屋を出ていった。

新田は改めて栗原のほうを向いた。

「こちらの部屋に何か問題がございましたでしょうか」

栗原は無言だった。頭の大きさのわりには狭い肩が、小さく上下している。

あのう、と新田がもう一度声をかけようとした時、ようやく童顔が振り返った。しかしその目に浮かんでいるのは、中年男特有の狡猾さを含んだ光だった。

「君、このホテルで働いて何年になる？」

唐突な質問に新田は面食らった。二人きりになったので、彼の正体について何かいわれるのではないかと身構えていたからだ。

「五年……でしょうか」とりあえず適当に答えた。

「五年ね。その前は？　やっぱりホテル勤めかい」

「いえ、その前はいろいろと」質問の意図が読めぬまま、新田は答えた。

栗原は、ふん、と鼻を鳴らした。

「仕事が長続きしないタイプか。それじゃあ、五年ぐらいでまともなホテルマンになるのは無理かもな」

事実本物のホテルマンではないのだが、新田はかちんときた。同時に、どうやらこの男は自分のことを刑事だと知っているわけではなさそうだ、と判断した。

「何か落ち度がございましたか」

栗原は口元を歪め、新田を見上げてきた。

「ございましたか？　こんな部屋をあてがっておいて、その言いぐさはないだろう」

「ですからこのお部屋に何か問題が――」新田が言葉を切ったのは、栗原が急に窓の外を指差したからだ。「外がどうかしましたか」

「予約時に、部屋について何か希望はあるかと訊かれたから、夜景が奇麗な部屋がいいと答えた。夜景が自慢らしいから、それを眺められる部屋がいいとね」

「それなら何も問題はございません。当ホテルは、全室から夜景が御覧いただけます」

「ふざけるなよっ」栗原はレースのカーテンを乱暴に開けた。「これのどこが奇麗な夜景なんだ。馬鹿にしてるのか」

新田は窓に歩み寄り、外を眺めた。眼下に高速道路が走っている。いくつものヘッドライトが、川を流れるように動いていた。

「この夜景では御希望に沿えませんか」

「当たり前だろ。何度もいうようだけど、奇麗な夜景の見える部屋を希望したんだ。これじゃあ詐欺だ」

新田はため息をつきたくなるのを堪えた。客がルールブックだ、という山岸尚美の言葉を忘れたわけではなかったが、あまりにも馬鹿馬鹿しい。

「お客様、奇麗というのは主観的なものです。お気に召さなかったのは残念ですが、私としては、ここから見える夜景も決して奇麗でないとは思えません」

栗原はじろりと睨《ね》めつけてきた。

「何だよ。客に口答えするのか。こっちが間違ってるというのか」

新田はあわててかぶりを振った。

「決してそういうわけではありません。ただ、詐欺だとおっしゃったものですから、こちらの考えを御説明させていただいたまでです。とにかく、すぐに代わりのお部屋を御用意させていただきますので、もう少々お待ちください」

彼が電話に近寄ろうとすると、「ちょっと待てよ」と栗原はいい、そばに置いてあったバッグからノートパソコンを取り出した。

「何でしょうか」

「いいから、そこで待ってろ」

栗原はパソコンの操作を始めた。どうやらインターネットにアクセスしたいようだ。何をする気なのかと思って新田が眺めていると、やがて栗原はパソコンの画面を彼のほうに向けてきた。

「これを見ろよ」

そこに表示されているのは、このホテルのオフィシャル・サイトだった。

「それが何か？」

「何かじゃないだろ。夜景の写真が貼ってある。わかるよな」

栗原は画面を指で叩いた。たしかにトップページは東京の夜景で彩られている。中央には東京タワーが写っていた。

「公式サイトにこんな写真が付いてたら、どの部屋からもこの景色が見えると思うのが当然だろ？　代わりの部屋を用意するのは結構だけど、そのことを忘れるなよ」

新田は呆れた思いでパソコンと栗原の顔を交互に見た。

「何だよ。何か文句があるのか」栗原は口を尖らせた。

「いや、あの、このサイトの写真は単なる宣伝用のイメージ写真でして……」そこまでしゃべったところで新田は口をつぐんだ。こんな説明をしても無駄だと気づいた。この男は、そんなことは承知で難癖をつけてきているのだ。

「だから何だ。勘違いしたほうが悪いというのか」

「いえ、どうも失礼しました。では、ちょっと失礼していいですか。下に行って、相談してきます」

「相談って何だよ。いっておくけど、俺はおまえに命じたんだからな。ほかの人間を寄越すなよ。おまえが何とかしろ。わかったか」

「……わかりました」

新田は一礼してから部屋を出た。ドアを閉める時、思いきり力を込めたくなるのを寸前で我慢した。代わりに、そばの壁を蹴った。

一階のフロントに戻り、山岸尚美に事情を説明した。彼女は顔をしかめ、端末を睨んだ。

「その手のクレームですか。パンフレットと内容が違うといって文句をいう方は時々いらっしゃいますけど、公式サイトの写真をネタにされたのは、たぶん初めてです」

「どうしますか。文句があるなら泊まらなくても結構だ、とでもいってやりましょうか」

山岸尚美は目を剝いた。「そんなわけにはいきません」

「だけどあいつは典型的なクレーマーですよ。俺を選んだのも、たぶん俺が一番ホテルマンとして未熟そうに見えたからですよ。悔しい話だけど」

「だったら、挑発に乗るのは相手の思う壺です。しっかり対応して、見返してやってください」

そういうと彼女は端末を操作し始めた。「東京タワーが見えるということは西側ですね。なるべく上の階にある部屋を選びましょう」

そこへ若手フロントクラークの川本がやってきた。ファイルを手にしている。

「ほかのホテルから回ってきているクレーマーのリストには、あの方らしき人物は載っていませんね。クレジットカードを使っているから、偽名とは思えないし」

「クレーマーとしてのデビュー戦かな」新田はいった。「で、俺は手玉に取りやすいとでも思われたか」

「いずれにせよ、新田さんの正体がばれているわけではないんですね」山岸尚美が訊く。

「たぶん」新田は答えた。「どこかで会ったような気がするんですが、誰かと間違えているのかもしれません」

山岸尚美は頷いた後、手元のメモに何やら書き込み、それを新田のほうに差し出した。

「三十四階に、適当な部屋がありました。シングルだけでなく、ツインとデラックスツインも一応確保してあります。もしこれでも問題があるようなら連絡してください」

そのメモにはいくつかの部屋番号が記されていた。

「こんなことをするために、ホテルマンの格好をしているわけじゃないんだけどなあ」

「お客様から見れば、新田さんはホテルマン以外の何者でもありません。我慢を」山岸尚美はマスターキーを出してきた。

新田は黙ってそれを受け取り、ため息をついた。

2210号室に戻ると、栗原の機嫌は一層悪くなっていた。遅すぎる、というのだった。

「こっちには予定があるんだ。部屋を決める程度のことで、こんなに手間取っていいと思ってるのか。仕事に支障が出たら、おまえのせいだぞ」

「申し訳ございません。お気に召していただけそうな部屋を探していたものですから」

「そのこと自体がおかしいだろうが。どうして最初からそういう部屋を用意しないんだ」

申し訳ございません、と新田は繰り返した。

「本当に、今度はまともな部屋なんだろうな」

「大丈夫だと思います」新田はドアを開け、先に廊下に出ようとした。

「ちょっと待て。これを俺に持たせる気か」栗原はバッグを指差した。

失礼しました、といって新田はバッグを持ち上げた。ノートパソコンが入っているせいか、ずっしりと重かった。

最初に案内した3415号室はシングルルームだった。窓は西を向いていて、東京タワーを眺められる。公式サイトのトップページにある写真に近い夜景が、窓の外に広がっていた。

「いかがでしょうか」新田はカーテンを開いた。

しかし栗原は肝心の夜景を見ようとしない。室内をぐるりと見渡した後、無表情な顔を向けてきた。「ほかの部屋は?」

「この部屋では御不満でしょうか」

「どうせ、いくつか部屋を押さえてあるんだろ。だったら、全部見せろよ。その中から俺が選ぶ。おまえなんかに決められたくない」やや斜に構えて栗原はいった。

新田は奥歯を噛みしめた。年齢不詳の童顔を殴りたくなったが、懸命に堪えた。

「かしこまりました。では、御案内いたします」怒りと苛立ちのせいで、声が少し震えた。

山岸尚美から渡されたメモを見ながら、新田はツインルームとデラックスツインを栗原に見せた。どちらも夜景には遜色がない。だが栗原がそんなものに拘っているわけでないことは明白だった。彼は景色を見ようともしないのだ。

「ほかに部屋は？」面倒臭そうに栗原は訊く。

「今夜御用意できる部屋は以上です」

「本当か。知り合いにいって、今夜の空室状況を確認することだってできるんだぞ」栗原は低い声でいった。迫力はまるでないが、本人としては凄んでいるつもりなのだろう。

「少々お待ちください」

新田は部屋の電話を使い、フロントにかけた。山岸尚美が出た。

「新田です」

「どうですか？」

「それがちょっと……」

「納得していただけないわけですか」

「ええ、まあ」

一拍置いた後、わかりました、と彼女はいった。

「３４３０号室に御案内してみてください。スイートです」

「いいんですか」

「この際です。仕方がありません。それに新田さんも、早く本来の仕事に戻りたいでしょ」

「わかりました」

新田は電話を切り、栗原のほうを向いた。

「お客様、新たに部屋を用意しましたので、御覧になっていただけますか」

「何だ、やっぱりまだ部屋があったんじゃないか」

「準備が間に合わなかったんです。終わったようですから、御案内いたします」新田は栗原のバッグを手にした。

３４３０号室に入ると、栗原は片手をポケットに突っ込んだまま歩きまわった後、部屋の中央で立ち止まった。やはり夜景を見ようとはしない。

「どうでしょうか」新田は訊いた。

栗原は、彼のほうに身体を捻った。

「おまえ、俺が部屋のグレードアップを狙ってごねていると思ってるんだろ」

「そんな、とんでもない」

「とぼけるなよ。顔に書いてある」栗原は仏頂面で新田の前を通りすぎ、ドアに向かった。

「どちらへ？」

栗原は面倒臭そうに振り返った。

「最初のシングルでいい。案内しろ」

「３４１５号室ですか」

「違う。最初の、といっただろ。二十二階のほうだ。２２１０号室だ」

「えっ」

「急いでるんだ。早くしろ」栗原は乱暴にドアを開けた。

15

「全く、わけがわからない。何だってあんなことをするんだ。最初の部屋でいいんなら、文句なんていわなきゃいいじゃねえか。何が、公式サイトの夜景と違う、だ。けちをつけたかっただけかよ」

新田は愚痴をこぼしながらノートパソコンを操作し、液晶画面に目を走らせていった。そこに表示されているのは、彼等の係が過去に担当した事件に関する情報だった。

「たしかにおかしな話だよな。部屋のグレードアップを狙ったわけじゃないといいたいのなら、ツインかデラックスツインあたりで手を打っておけばいい。それが結局、元の部屋に戻るとはな。難癖をつける目的がわからん」本宮も横で首を捻っている。

新田は事務棟の会議室に来ていた。状況報告のためで、当然栗原のことを真っ先に話すことになった。係長の稲垣は、まだ来ていない。

「やっぱり、新田さんの正体を知っているんですかねえ。それでボロを出させるために、わざと無理難題をふっかけてきているとか」ベルボーイ姿の関根がいった。「だって、話を聞いてると、完全に新田さんをピンポイントで狙ってる感じですもんねえ」

新田は唸り、椅子にもたれた。「だめだ、思い出せない。やっぱり勘違いかな」

「うちの係が担当した事件の関係者ではないんだな」

本宮が念押ししてくるが、新田は強く頷くことはできなかった。

「それはないと思うんですがねえ……」

本宮は渋い表情で舌打ちした。

「参ったな。そこのところだけでも、はっきりさせてくれないとなあ」

「前科者のデータベースには、該当の人物はいないようです」関根がいう。

新田は手を振った。

「前科があるってことは、逮捕したってことだろ。それなら、いくら何でも覚えてるよ。被害者や加害者と関係のあった人物のことも、忘れてない自信はある。問題は、ちょっとした聞き込みで会った程度の人物なのかどうかってことだ」

「だけど、それなら向こうだって覚えてないだろ。覚えてたにしても、新田に嫌がらせをする理由がない」本宮の意見は尤《もっと》もなものだった。

新田は頭を掻きながら、改めてパソコンに向かおうとした。だがその時、彼の背後でドアの開く音がした。そちらに目を向けた本宮と関根が、途端に姿勢を正した。新田が振り返ると、管理官の尾崎が入ってくるところだった。その後ろには稲垣がいる。

新田もあわてて立ち上がったが、まあまあ、となだめるような仕草を尾崎は見せた。

「ばたばたしなくていい。様子を見にきただけだ」尾崎は空いている椅子に腰を下ろし、稲垣に目配せした。

「その後、何かあったか」稲垣が新田たちに訊いてきた。安野絵里子の一件については、今日の午前中に報告してある。

「パーティ、宴会部門では、特に問題なしです」本宮が答えた。

「宿泊部門は？」稲垣が新田に目を向けてくる。

「これは、大したことではないのかもしれませんが……」新田は迷いつつ、栗原健治のことを報告した。

稲垣は表情を曇らせた。尾崎も、聞き捨てならんといった顔つきだ。

「クレームをつけてきたのは、部屋についてだけか。ほかに何かいってきたのか」

「今のところは、部屋だけです」

「そうか」稲垣は頷いた。「その栗原とかいう男が、もし新田の正体を知っているのだとしたら、こっちの事件と関係していようとなかろうと、放置しておくわけにはいかんな。ほかの客のいるところで突然暴露でもされたら大変だ。真犯人に気づかれるかもしれんし、ホテルにも迷惑がかかる」

「俺は、なるべく栗原には近づかないようにしましょうか」

新田が提案したが、いや、と稲垣は首を傾げた。

「刺激するのは論外だが、不自然な行動も禁物だ。もし何か魂胆があった場合、おまえが避けていると気づけば、却って過激な行動に出るかもしれない。むしろ、いつでも対応できるように準備しておくべきだ」

「悪戯小僧は無視されると余計にムキになる、そこそこ相手をしてやったほうがいい、というわけですね」

本宮のうまい表現に、稲垣は満足そうに口元を緩めた。「まあ、そういうことだ」

「わかりました。とにかくあの客には気をつけておきます」新田は答えた。

「いやあ、それにしても、いろいろな客がいるものだな」今まで黙ってやりとりを聞いていた尾崎がいった。「稲垣君から、これまでの話を聞いたよ。変な人間を相手にするという点では、警察と変わらないな」

「ええ、まあ」

それ以上ですよ、といいたいのを新田は我慢した。

「だが、犯人の正体が摑めず、被害者も予測できない以上、今のやり方を続けるしかない。慣れないことをやらされて苦労しているとは思うが、どうかがんばってくれ」尾崎は厳しい目を新田と関根に注いできた。どうやら何か具体的な指示があったわけではなく、潜入捜査員にはっぱをかけるのが目的だったらしい。

「ほかの捜査はどうなっていますか。何か進展はあったんですか」新田は上司たちの顔を見比べながら訊いた。

「もちろん、どこの現場も一生懸命やってるよ」稲垣が、尾崎の顔をちらりと見てからいった。

「残念ながら、まだこれといった成果は出ていないが、いずれ実を結ぶ時が来るだろう。おまえたちとしては、ここに現れるはずの殺人犯に関する手がかりを少しでもほしいところだろうが、今しばらく辛抱してくれ」

あまりに抽象的な言い方に、新田は少々苛立った。

「ほかの現場の進捗状況を、我々が教えてもらうことはできないんでしょうか。たとえばほら、千住新橋の事件では、被害者に多額の生命保険を掛けてあったってことでしたよね。あれについては、その後どんなふうに——」

新田、と稲垣は言葉を制するように手を出してきた。その顔には不快感が浮かんでいる。

「おまえたちは、このホテルでの潜入捜査に集中してくれればいいんだ。そのためにプラスになる情報なら、入り次第知らせる。だからほかの現場のことは考えなくていい。それを考えるのは俺たちの仕事だ。わかったな」

しかし、といいかけて新田は口をつぐんだ。稲垣の横では尾崎が、口を真一文字に結んで宙を睨んでいた。

わかりました、と新田は答えた。

会議室を出て、関根と共に持ち場に戻ることにした。釈然としない思いが、依然として胸の中で燻《くすぶ》っている。

「あの様子だと、よっぽど進展がないんでしょうね」関根が声をひそめていった。「何かわかったんなら、もっと教えてくれるはずですよ」

「いや、あれはそういう感じじゃないな」

「えっ、そうですか」

「俺たち兵隊にはいえない何かがあるんじゃないか。そういう気がする」

「また腹芸ですか。好きだなあ」関根は苦笑まじりにいう。

たしかに上司たちが、部下に情報を隠しながら捜査を指揮する、というのはよくあることだ。単純に機密漏洩を防ぐためであったり、出世を意識してのことであったりと、その理由は様々だ。しかし今回の場合は何かが違うと新田は感じていた。

事務棟から外に出た時、携帯電話が着信を告げた。山岸尚美からだった。

「はい、新田です」

「山岸です。すみません、会議中ではありませんか」

「終わりました。これから戻るところです。どうかしましたか」

「それなら、お戻りになられてから御説明します。フロントにおりますので」

「わかりました」新田は電話を切り、首を傾げた。

「山岸さんですか」関根が訊く。

「うん。こっちが会議中かもしれないと思いつつ電話をかけてきた。余程のことらしい」

「例の客ですかね」

「そうでないことを祈ってるけどな」新田は本館に向けて足を速めた。

だが彼の祈りは通じなかった。フロントで待っていた山岸尚美が、すっと差し出したメモには、『2210』と記されていた。栗原健治の部屋番号だ。

「あの客がまた何か?」

山岸尚美は、ため息をついて頷いた。

「すぐに部屋に来るように、とのことです。もちろん、新田さんを御指名です。今、席を外しておりますので、私が代わりに参りますといったのですけど、それではだめだと」

新田は顔をしかめ、舌を鳴らした。

「今度は何だ。トイレの使い勝手が悪いとでもいう気かな」

「新田さん、そういう表情は、ここではＮＧです」山岸尚美は小声でいい、人差し指を横に振った。「栗原様について、何か思い出したことはありませんか」

彼は首を振った。

「だめです。過去の事件を振り返ってみたりしたんですけど、思い出せません。もしかしたら、事件とは関係のないところで会っているのかもしれない」

「だとすれば、栗原様は新田さんを、本当にこのホテルの人間だと思い込んでいるということになりますね」

「まあ、そうですね」

「そういうことなら」山岸尚美は少し胸を張るようにして新田を見つめてきた。「話は簡単です。新田さんはコルテシア東京のスタッフとして、最高の仕事をしてください。あれこれ考える必要はないと思います」

「だけど、あいつが腹に一物《いちもつ》あるのはたしかですよ」

「たとえそうであっても、ホテルマンとしてすべきことは一つです」

「客に逆らうな、客がルールブックだ、ですか」

「客ではなく、お客様、です」そういって山岸尚美は頭を下げた。「急いでください。栗原様がお待ちです」

新田は彼女を一睨みしてから踵を返し、エレベータホールに向かって歩きだした。

2210号室の前に立つと、深呼吸をしてからノックをした。返事が聞こえないので、もう一度叩こうと拳を固めた時、ドアが開いた。栗原が、どんよりと濁った目で見上げてきた。口元は不機嫌そうに曲がっている。

「遅いな。何やってたんだ」

「申し訳ございません。ちょっと手が離せない仕事がありまして。ほかの者なら、もっと早くに来れたと思うんですけど」

「ほかの人間じゃ意味ないんだよ。おまえでなきゃだめなんだ。だっておまえの責任なんだからな」栗原は、おまえ、という部分を強調しながら早口でいった。

「この部屋に、また何か問題でも?」新田は訊いた。自分が責任を負わねばならないとしたら、部屋に関することだけだろうと思ったからだ。

ところが栗原は苛立ったように激しく首を振った。

「部屋のことなんかいってない。こっちへ来てみろ」

栗原に命じられ、新田は室内に進んだ。ライティングデスクの上に、さっきも見せられたノートパソコンが載っている。

「いいか、見ていろよ」栗原が起動ボタンを押した。

しかしパソコンは何の反応も示さなかった。音も出ない。液晶画面は暗いままだ。

「ええと」新田は横目で栗原のほうを窺った。「これが何か」

「何か、じゃないだろう。全然動かないじゃないか。どうしてくれるんだ」

「はあ？」新田は口を開き、栗原を正面から見下ろした。「パソコンが壊れたってことですか」

「そうだよっ。さっきまでは問題なかったんだ。おまえだって知ってるだろ。この起動ボタンを押したら、ふつうに動いたんだ」栗原はヒステリックに喚きながら、起動ボタンを何度も指先で押した。「だけど、今使おうと思ったら、この調子だ。これじゃあ、仕事にならない。大事なデータだって、いっぱい入ってるのに。一体、どうしてくれる？」

どうしてくれる、という言葉を栗原が口にするのは二度目だった。それで新田は、どうやらとんでもない言い掛かりをつけられようとしていることに気づいた。

「ちょっと待ってください。お客様の言い方ですと、まるでパソコンの壊れた原因が当方にあるように聞こえるのですが」

「あるじゃないか。当方じゃない。おまえだ。おまえが壊したんだ」栗原は顔面を紅潮させていった。

「俺……私が？　何をいいだすんですか。私はパソコンに触ってもいません」

「いい加減なことをいうなっ。触ったじゃないか」

「いつ私が――」そういったところで、新田は気づいた。「もしかして、バッグを運んだことをいってるんですか」

「そうだよっ。そらみろ、触ってないなんていいやがって」

「いやしかし、パソコンには直接触れていません。バッグから出してもいません」

「関係ないんだよ。いいか、パソコンってのはデリケートな精密機械なんだぞ。バッグに入れてあったとしても、ちょっとした衝撃で壊れることだってあるんだ。どうしてくれる？　おい、どうしてくれるんだよ。答えろっ」

ものすごい剣幕でまくしたてられ、新田は混乱した。バッグを運んだのは事実だ。乱暴に扱った覚えはないが、では慎重に持ち運んでいたかと問われると自信がなかった。あの時は栗原を部屋に案内することで頭がいっぱいだったのだ。

「何を黙ってるんだ。何とかいえよ、おい」

「いや、あのですね、おっしゃってることはわかりましたけど、私のせいだとはかぎらないんじゃないですか」

「まだとぼける気か。おまえのせいじゃないなら、何が原因だっていうんだ」

「それは私には何とも……。お客様が操作ミスをされたのかもしれないし」

「なんだとっ」栗原が目を血走らせた。「俺のせいにしようってのか」

「いえ、そういう可能性もあるといったまでで」

「おまえだよっ。いい加減、認めたらどうだ。おまえが壊したんだ」栗原は右手を伸ばし、人差し指を新田の鼻先に突きつけてきた。

次の瞬間、新田はそれを手の甲で払いのけていた。完全に無意識の、反射的行動だった。その直後、しまった、と思った。

「おまえ、何だ、その態度は。客の手を払いのけたな」栗原は一重瞼の目を剝いた。

「申し訳ございません。払いのけたのではなく、つい当たっちゃったんです」

「うるさい。そこにいろ。動くなよ」そういうなり栗原はデスク上の電話に手を伸ばした。

16

「とりあえず、今夜一晩、代わりのパソコンをお貸しすることになりました。故障したパソコンにつきましては、こちらで修理業者を手配したいと申し出たのですが、自分の信頼しているショップがあるので、そちらに持っていきたいとのことでした」山岸尚美が直立不動の姿勢で報告した。

「じゃあ、修理費が判明したら、こちらに請求してもらうように」答えたのは藤木だ。総支配人用の席についている。

「すでにそのようにお話ししました。すると、その必要はない、と」

藤木は首を傾げた。「どういうことかな」

「弁償してもらおうとは思ってない、とおっしゃるのです。そんなことで怒っているのではない、とも」

「では、何を怒っておられるわけかな」

それは、といって山岸尚美は言葉を切った。一瞬彼女の目が自分のほうに向けられたのを、隣にいる新田は感じた。

「新田さんの態度が気に入らなかった、というわけかね」藤木は訊いた。

「栗原様は、そうおっしゃってます」

ふうん、と藤木は穏やかな視線を新田のほうに移してきた。

「そのお客様は新田さんのお知り合いかもしれない、ということですが、やはりまだ思い出せませんか」

「すみません。でも、たぶんどこかで会ってるんだと思います。でなきゃ、こんなことはしないはずですから」

「しない……つまり、すべてお客様が意図的にしておられることだと思うわけですか」

新田は深く首肯した。

「部屋へのクレームにしても、いちゃもんとしかいいようのないものです。あれは俺にパソコンを見せるのと、それを入れたバッグを運ばせるための伏線だったと思われます」

「するとパソコンが壊れたのは……」

「自分で壊したんだと思います」新田は断言した。「バッグに入れた状態で、特にどこかにぶつけた覚えもないのに、あんなふうに壊れるのはおかしいです」

藤木は視線を山岸尚美に戻した。「君はどう思う?」

彼女は小さく空咳をしてからいった。

「私はパソコンのことはよくわかりませんが、電源が入った状態なら、ほんの少しの衝撃でハードディスクが壊れることはあるけれど、入っていなければ、少しぶつける程度のことは大丈夫だ、と以前聞いたことがあります。ただ、何か証拠があるわけではありませんから、栗原様が自分で壊したと決めつけるのは早計だと思います」

「いや、証拠ならありますよ」新田はいった。「あのパソコンを調べればいいんです。偶然の衝撃で壊れたか、わざと壊したのか、すぐに判明すると思います」

「でもその口実がありません。栗原様は修理については御自分で手配するとおっしゃってるんです」

新田は、ふうっと強く息を吐き、藤木を見た。

「何もかも計算尽くなんですよ。金銭目当てではなく、俺への個人攻撃が狙いなんです。何のためにそんなことをするのかはわかりませんけど」

「もしそうだとしても、挑発に乗ったのはまずかったですね。どんな理由があろうと、お客様に手を出してはいけません」

「……それはたしかに迂闊でした」新田は俯き、奥歯を嚙みしめた。

稲垣さん、と藤木が呼びかけた。稲垣は、宿泊部長の田倉と共に、ソファに座っている。

「どうなさいますか。もしかすると栗原様は、新田さんの正体に薄々勘づいておられるのかもしれません。そのうえで、何とか化けの皮……いや、失礼。正体を暴こうとして、わざとこういうことをしている可能性もあるわけですが」

稲垣は少し考え込んだ後、ゆっくりと首を横に振った。

「現時点では方針を変更するつもりはありません。今のままで押し通すしかないでしょう。仮にその栗原という人物が新田の正体を暴こうとしているのなら、新田がいなくなったりすれば余計に騒ぐかもしれませんし」

「なるほど、それは考えられますね」藤木は机の上で両手の指を組んだ。わずかに眉を寄せた表情は、思慮の深さを想像させる。やがて彼は顔を上げた。「わかりました。では、もう少し様子を見ましょう。ただし新田さん、言動には十分注意してください。決して隙を見せないことです」

「気をつけます」

新田がそう答えた時、後方からノックの音が聞こえた。どうぞ、と藤木が応じた。

ドアを開けて入ってきたのは久我だった。当惑した表情で室内を見渡していった。

「栗原様からフロントに電話がありました。今すぐ新田さんを部屋まで寄越すように、と」

一同からため息が漏れた。

「早速ですか」藤木がいった。「いいですね、新田さん。栗原様からどんな無理難題をいわれようと、じっと我慢すること」

「わかっています」新田は頭を下げ、総支配人室を出た。

2210号室では、栗原が仏頂面で待っていた。デスクの上にはホテル側が貸し出したパソコンが置いてある。

「パソコンの調子はいかがでしょうか」新田は訊いた。

「使いにくいよ。機種が違うからな」ぶっきらぼうに栗原はいった。「ひどいことをしてくれたものだな」

もはや彼の中では、新田がパソコンを壊したというのは既成事実と化しているようだ。いや、そう振る舞っているだけなのか。

「もしかしたら、私の扱いが悪かったのかもしれません」

「自分の責任だと認めるんだな」

「パソコンが壊れた原因については明言できませんが、栗原様のお仕事に支障が出ないよう、できるかぎり、お手伝いしたいと思います。それについては私が責任を持ちます」この台詞は、山岸尚美から教わったものだった。

「よし、その言葉、忘れるなよ」

栗原は傍らのバッグを引き寄せ、中から一冊の本を出してきた。意外なことに、それは英語の参考書だった。

「これは英文解釈の参考書だ。中には、たくさんの例文が載っている」栗原はそれをデスクの上に置いた。「それを全部、このパソコンに打ち込むんだ」

「えっ、全部ですか」

「そうだ。全部だ。おまえが壊したパソコンには、全部打ち込んであったんだ。それがないと、俺はとても困るんだよ。明日、必要なんだ」

新田は、その参考書を手に取った。ぱらぱらと眺めたところ、殆どすべての頁に、かなり長い英文が掲載されていた。

「これを今夜中に打ち込めってことですか」

「そうだ。いやだとはいわせないぞ。責任を持つっていっただろ」栗原は唾を飛ばした。

参ったな、と新田は思った。これをすべて打ち込むとなれば、何時間もかかるだろう。しかし断るわけにはいかなかった。それに考えてみれば、彼自身が打ち込まなくてもいいのだ。

「わかりました。何とかやってみます。終わり次第、こちらのお部屋にお持ちいたします」

「お持ち？　何をいってるんだ。この部屋でやればいいだろう」

「でも――」

「俺はおまえに命じたんだ。おまえがやらなきゃ意味がない。ほかの者に手伝ってもらったりしたら承知しないからな」

「しかし、こういうことは何人かで手分けしてやったほうが効率的で――」

「うるさいっ」栗原はデスクを叩き、立ち上がった。「おまえ一人でやれといってるだろ。責任を感じてるんなら、いう通りにしろ。わかったか」

完全に個人攻撃だった。ホテルにではなく、新田個人を痛めつけるのが目的らしい。なぜこんなことをするのか。この男は何者なのか。

「なんだ、その目は」栗原が睨んできた。「文句があるのか」

「あ、いえ」新田は視線を下げた。つい、目つきが険しくなっていたらしい。

栗原は腕時計を見た。

「今、九時半だ。俺は出かけるから、その間にやっておけ。何度もいうけど、おまえ一人でやるんだ。誰にも手伝わせるなよ」

「はあ……わかりました」

「おまえ、ケータイは持ってるよな」

「ケータイ？　持っていますが」

栗原はデスクの上にあった、自分の携帯電話を取り、新田のほうに差し出した。

「この電話で、自分のケータイにかけるんだ」

新田は仕方なく、いわれた通りにした。内ポケットから、携帯電話のバイブ音が聞こえた。よし、と栗原は自分の電話を取り返した。

「俺の番号を確認しておけ。外から時々おまえのケータイに電話をかける。ただし、すぐに切るから電話には出なくていい。おまえはその後、三十秒以内に、この部屋の電話を使って、俺にかけろ。間違うなよ、ホテルの電話を使うんだ」

新田は目を瞬いた。「それは一体何のためですか」

「決まってるだろ。おまえを監視するためだよ。別の部屋へ行ったり、ほかの者に代わってもらったりしないようにだ。いつ俺から電話がかかってくるかわからなければ、ここを離れられないだろ」

「ははあ、なるほど……」

「ごまかそうと思っても無駄だからな。きちんとやっておけよ」がなり立てると、栗原はカードキーを手にして出ていった。

ばたんとドアの閉まる音を聞いた後も、新田はしばらくぼんやりとしていた。だがその後で、猛烈に腹が立ってきた。なぜ自分がこんな目に遭わねばならないのか。自分は捜査のために潜入しているだけだ。

その時、携帯電話が震えた。早速栗原がかけてきたのかと思ったが、山岸尚美からだった。時間がかかっているので、心配になったのだろう。

いかがですか、と彼女は訊いてきた。

「最悪です」新田は事情を説明した。つい乱暴な口調になるのを堪えられなかった。「あいつ、わざと嫌がらせをしてやがるんです。こうなったら、こっちから刑事だってことを明かしてやろうかと思います」

「それはいけません。はやまらないでください。栗原様が新田さんの正体を知っているとはかぎらないのです。もし知らなければ、とんでもない藪蛇ということになります」

「それはまあ、そうですけど……」彼女のいうことは正論だった。

「待っててください。私もそちらに行きます」そういうと山岸尚美は新田の返事を待たずに電話を切った。

五分ほどで彼女は現れた。フロントクラークの制服を着たままだ。今夜も彼女はあっさりとは帰宅できそうにない。そう思うとさすがに気の毒になった。

「これは高校の英語ですね」参考書を見て、山岸尚美はいった。「学校の先生なのかもしれません。あるいは塾の講師とか」

「どっちにしても、心当たりはないな。難癖をつけられる覚えもない」

「でも今のお話を伺ったかぎりでは、やはり栗原様のほうは新田さんのことを以前から御存じだったように思われますね」

「御存じの上に、恨みまで持っている。まあ刑事ってのは、いつどこで恨みを買ってるか、わからない仕事ですからね」

新田がそういった時、デスクに置いた携帯電話が振動した。今度こそ、栗原からのようだ。呼び出し音は三回で消えた。

デスクの上の電話を取り、栗原の携帯電話にかけた。繋がるなり、おれだ、という無愛想な声が聞こえた。

「新田です」

「ふん、一応部屋にはいるようだな。仕事には取りかかったか」

「今、始めたところです」

「間に合うのか、そんなので。また連絡するから、サボらずにちゃんとやっとけよ」

ぷつん、と電話が切れた。新田は電話を見つめ、頭を振った。「参ったな」

山岸尚美が上着を脱ぎ、袖まくりをしながらパソコンの前に座った。

「あなたが打ってくださるんですか」新田は驚いて訊いた。

「はい。こう見えても、キー入力には自信があります」

「何だか申し訳ないな……」

「気になさらないでください。たとえこの部屋から出られなくても、新田さんは、いつでもすぐに警察官として動けるように準備しておく必要があります。こちらは任せてください」低く落ち着いた声で語る彼女の言葉からは、プロのホテルマンとしてのプライドと意地が感じられた。

助かります、と新田は頭を下げた。

自信があるといっただけあって、山岸尚美の指さばきは見事だった。完璧なブラインドタッチだが、殆どミスすることなく、英語の長文を打ち込んでいく。

「大したものですね」後ろから覗き込み、新田はいった。「俺なんか、日本語の報告書を打つだけでもミスだらけです」

「日本語を入力するより、はるかに楽です。変換の必要がありませんから」手を止めずに彼女は答えた。

「そういうものですか。いや、しかし、それにしても難解な文章だ」文面を見て、新田はいった。「哲学書からの抜粋か何かかな」

山岸尚美が手を止めて振り返った。

「内容がおわかりになりますか。さすがですね」

「大雑把にですよ」

「お得意なのは、英会話だけではなかったんですね」彼女がそういったのは、新田にホテルマンとしての教育を施す際、英会話レベルもチェックしたからだろう。彼は中学生時代、父親の仕事の関係で二年間ほどロサンゼルスに住んでいた。

「学校じゃ、まだこんな古臭い英語を教えてるのかなあ。俺も日本に帰ってきた時、教科書を見て、びっくりした覚えがあるんですが」

「学校によるんじゃないですか。あと、先生にも」

「ああ、それはあるかも」

「新田さんのような方には、受験英語を教えることに必死な教師など、滑稽に見えるんじゃないですか」

「いや、滑稽ってほどでも――」そういった時、新田の頭の中で変化が起きた。これまでまるで無関係だと思っていたパズルのピースが、突然予期せぬところにぴたりと嵌ったような感覚だった。はっとして、次には自分の間抜けぶりに失望していた。

どうしたんですか、と山岸尚美が訊いてきた。

「思い出しました」新田はいった。「あの男とは、高校時代に会っています」

17

「教育実習？」山岸尚美はそういって首を傾げ、ぱちぱちぱちと瞬きした。あまりにも予想外の言葉を聞かされたからだろう。新田としても、こんな話をすることになるとは思ってもみなかった。よりによって、高校時代とは。

「英語の教育実習で、うちのクラスに教えに来た男です。栗原健治……か。そういう名前だったような気もするけど、はっきりいって覚えてないですね。期間はたしか、二週間ほどじゃなかったかな」新田は腕組みし、古い記憶を探ってみる。クラスメートの名前なら、大抵は出てくる。今でも連絡を取り合っている者も何人かいる。どんな教室だったか、窓からどういう風景が見えたか、ある程度は細かく人に説明できる。

しかし教育実習となると、ろくに記憶がない。期間が短いし、余程の美人でもないかぎり、実習生には関心などないからだ。ませた高校生にすれば、教師を目指す大学生など大人に見えない。

それでも少しは印象に残っている出来事があった。高校二年の時だ。やってきた英語担当の教育実習生は、体格のわりに頭の大きい男だった。短い髪を七三に分け、眼鏡のつるをこめかみに食い込ませていた彼は、登場した瞬間から生徒たちに舐められていた。少しでも生徒から間違いを指摘されたりすると、途端に目の周囲を真っ赤にしてむきになるところも、からかいの材料になった。

新田たちの高校は偏差値が高く、暴力沙汰を起こすような生徒は殆どいなかった。だからこの少し変わった実習生を痛い目にあわせてやろう、などとは誰も考えなかった。しかし、教壇の上から時折見下した態度を取ってくることに対し、不愉快に思っている者がいたのは事実だった。

新田の仲のよかった同級生に、西脇という男がいた。その教育実習生のことを快く思っていない一人だった。皆の前で英文の朗読を命じられた西脇は、発音を何度か注意されたことに腹を立て、その実習生に挑発的な言葉を投げかけた。

「ねえ、こんな英文を音読することに何か意味があるわけ？　これって英文解釈の問題でしょ。だったら、黙読で十分じゃん」

とっちゃんぼうや、という渾名《あだな》が定着しつつあった実習生は、てきめんに顔を赤くした。

「読むことだって大事だよ。言語を勉強してるんだから」

「言語ったって、こんな英語はふだんは使わないでしょ。英会話に役立つんならわかるけどさあ」

「役立つよ。発音の練習になる」

「発音？　マジでいってんの？」なぜか西脇が新田のほうを向き、にやりと笑った。

「何？　何か不満？」実習生が訊いた。

「じゃあさあ、先生が一回読んでみてよ。発音の手本を聞かせてよ」

「僕が？」

「そう。だって、専門家なんでしょ」さあさあ、というふうに西脇は手を動かした。

実習生は眉をひそめ、テキストに目を落とした。大きく息を吸い込んだかと思うと、滑舌のいい英語が、その口から出てきた。たっぷりと練習を積んできたことがよくわかる、流暢な読み方だった。ただし——外国人に通じるものではなかった。

「オーケーオーケー、そこまででいい」西脇は再び新田に顔を向けてきた。「どうよ、新田。今の英語、意味わかった？」

そういうことか、と新田は友人の企みを理解した。面倒臭いことを思いついたものだ。

「えっ、どういうこと？」教育実習生が新田と西脇とを見比べた。

「あいつ、アメリカ帰りなんですよ。だから英語はぺらぺら」

それまで赤かった実習生の頬が、急速に白くなっていった。同時に目が吊り上がる。

「なあ、どうよ。アメリカ人が今の英語を聞いて、ちゃんと意味がわかると思うか」西脇が尋ねてくる。

新田は後方にちらりと目をやった。指導教師は、とりあえず成り行きを見ようとでも思っているのか、黙ったままだ。

吐息をついた。やりすぎだよ、西脇。だがここで友人の期待を裏切るわけにはいかなかった。

実習生は数週間でいなくなるが、高校生活はまだまだ続く。

「まあ、今のじゃ無理だろうね」新田はいった。「こんな古い英語は会話じゃ使わないし」

「発音は？」西脇はしつこい。徹底的にやる気だ。

「俺にいわせるわけ？」

冗談をいったつもりではなかったが、新田の答えにクラス中が笑った。

「新田、おまえ、ちょっと読んでみろよ」西脇がいった。

「俺が？　何でだよ」

「いいじゃねえか。ちょこっとだけ。違いを聞きたいからさあ」

周りの友人たちも、やってくれよと囃し立ててきた。ここで頑固に断れば、面白くないやつといわれるのは確実だった。

仕方なく新田は、座ったままで最初の二行ほどをぼそぼそと読んでみた。

西脇が口笛を鳴らした。「やっぱ、本物は違うわ」

彼につられて拍手を始めるおっちょこちょいまでいた。

新田は実習生を見た。とっちゃんぼうやは全身から脂汗を流しそうな雰囲気で、池の鯉のように口をぱくぱくさせていた。

新田の記憶はそこまでだった。その後、どういう展開になり、あの実習生がどうなったのか、全く覚えていなかった。指導教師が口を挟んできたように思うが、記憶違いかもしれない。西脇とは今でも付き合いがあるが、その話をしたことはなかった。高校生活を振り返るための思い出話なら、ほかにいくらでも楽しいネタがある。

新田は、この話を山岸尚美に聞かせてみた。彼女は興味深そうに耳を傾けていた。

「その時の教育実習生というのが栗原健治です」

山岸尚美は呆れた様子で新田を見返した。

「新田さんにも、そんな時期があったんですね。そういう子供っぽい悪戯をしていた頃が」

「俺が率先してやったわけではありません。友人の手前、引っ込みがつかなくなったんです。あなただってわかるでしょう？　自分だけ良い子になるわけにはいかないんですよ」

「でもそういう仕打ちを受けたら、教育実習生はショックでしょうね。立ち直れない人もいるかもしれません。その生徒たちのことを一生忘れずに憎み続けるってこともありそう」

彼女のいいたいことがわかったので、新田はのけぞってみせた。

「待ってください。栗原健治が俺に嫌がらせをするのは、あの時の仕返しだとでもいうんですか。冗談じゃない。あれは友人が仕掛けたことで、俺は仕方なくやったんです」

「そうなのかもしれませんけど、栗原様がどう受けとめたかはわからないでしょう？　新田さんがお友達と二人で仕組んだことだと考えたかもしれません」

冗談じゃない、と新田は繰り返した。貧乏揺すりを始めていた。友人のジョークに付き合ったせいで、悪者にされてしまったということか。だがこれで、あれこれと悩む必要はなくなった。

「とにかく、俺が警察官だってことを知られてないのなら一安心です。もうこれで奴の好きにはさせません」

「どうされるおつもりですか」

「どうもこうもありません。やめさせるだけです」

その時、またしても新田の携帯電話が着信を告げた。栗原からだった。さっきと同じように、呼び出し音が三回鳴ったところで切れた。

「ちょうどいい」新田はデスクの電話の受話器を上げた。

だが番号ボタンを押そうとしたところで、上から山岸尚美の手がかぶさってきた。

「何をするんです」

「栗原様が教育実習生だったことを思い出した、とでもおっしゃるつもりですか」

「もちろんです。仕返しをしたいなら、正々堂々とやれといってやります。こんな卑怯なやり方をするな、とね」

山岸尚美は強い目をして首を横に振った。「それはいけません」

「どうしてですか」

「新田さんはホテルマンだからです。ホテルマンは、たとえお客様が知己の人物であろうと、先方からいいだされないかぎり、それを口にしてはいけません。お客様にはお客様の都合があるのです」

「ちょっと待ってください。それじゃあ、抗議できないじゃないですか」

「そうです。抗議してはいけません」山岸尚美は睨みつけてくる。

新田は無言で彼女の手をどかし、番号ボタンを押し始めた。すでに三十秒は過ぎてしまっている。

電話が繋がると、遅い、と栗原は吐き捨てるようにいった。

「申し訳ありません。トイレに入っていたものですから。次からは一分以内ということにしていただけますと助かります」

「文句をいうな。それより作業はどうだ。どれぐらいできた？」

「二割強……というところでしょうか」

「さっさとやれよ。間に合わなかったら承知しないからな」そういうと電話を切った。

新田は頭を振りながら受話器を置き、山岸尚美を見た。

「よく堪えてくださいました」彼女は頭を下げた。

「どんな時でも客のいいなりですか。相手は明らかにこちらに敵愾心を持っている。それに対抗することは必要でしょう。あなただって、いい迷惑じゃないですか」

「対抗ではなく、対応するのです。感情的になってはいけません。私のことは心配しないでください。キーを打つことなど何でもありませんから」

やり手の女性フロントクラークは、どこまでも冷静だった。新田は頭を掻きむしりながら室内を歩きまわり、椅子に座り直した。

「こういう経験ってありますか。かつての知り合いが客としてやってきて、しかも自分のことを恨んでいる、というようなことが」

山岸尚美はキーを打ちながら首を傾げた。

「知り合いが来たことはありますけど、恨みを買っていたということはなかったと思います。少なくとも、嫌がらせはされませんでした。でも、世の中にはいろいろな人がいますから、そういうこともありうるとは思います。先程新田さんは、刑事というのはいつどこで恨みを買っているかわからないとおっしゃいましたけど、ホテルマンも同じです。こちらがサービスのつもりでやったことが、逆にお客様を不快にしてしまうということもないわけではありません」

不特定多数の人間を相手にするのだ。十分に考えられることだった。

「そうすると、ホテルの人間がターゲットってこともあるわけだ」

「ターゲット?」

「連続殺人事件の話です。どうやら栗原は関係なさそうですが、犯人が狙うのが客だとはかぎらない。ここの従業員が狙われている可能性もあります」

山岸尚美は手を止め、振り返った。「どうしてわざわざ従業員を?」

「それはわかりません。可能性があるというだけです」

山岸尚美は少し考える顔をした後、ゆっくりと口を開いた。

「だとすれば、犯行現場は客室ではありませんね」

「どうしてですか」

「だって、従業員が客室で殺された場合、犯人は、その部屋を確保した人間と特定できてしまいます。全く無関係なお客様の部屋で、犯人と被害者が二人きりになることはありえません。そういうことは犯人だって考えるのではありませんか」

「なるほど」新田は納得した。いわれてみれば、そのとおりだ。

「たとえば今回、新田さんは何度か栗原様と二人きりになられましたよね。もしどこかのタイミングで新田さんが殺されていたら、当然栗原様が疑われます」

「たしかにね」新田は唇を歪め、パソコンの画面を見つめた。「殺せないから、嫌がらせで我慢しているということかな」

「そう考えれば、この程度のことで済んでよかったと思えるじゃないですか」山岸尚美は微笑み、作業に戻った。

彼女の後ろ姿を見ているうちに、新田は猛烈に腹が立ってきた。栗原が昔のことを根に持つのは勝手だ。だがこういうやり方で、結果的にほかの人間にまで迷惑をかけていることが許せなかった。文句があるなら、正々堂々と喧嘩を売ってくればいいのだ。

ベッドの脇に栗原のバッグが置いてあった。新田はそれを引き寄せた。

「何をするんですかっ」気配を察したらしく、山岸尚美の声が飛んできた。

「奴のことを調べるんです。何か弱みを握れるかもしれない」

「いけませんっ」彼女は椅子から下り、スライディングをするように新田とバッグの間に両手を差し入れてきた。「それだけは絶対にいけません」

「中をちょっと見るだけです。盗むわけじゃありません」

「だめです。お客様の荷物を開けることは断じて許されません。私は警察のことはよく存じませんが、たとえ捜査のためであっても、そういうことはできないはずですよね。本人の許可がいりますよね。もし強制的にやるとしても、令状というものが必要でしょう？」山岸尚美は必死の口調でまくしたてた。

新田はため息をつき、力を抜いた。彼女はバッグを元の場所に戻した。

「あなたはホテルマンの鑑《かがみ》だ。嫌味じゃなく、心底そう思います」

「鑑だなんてとんでもない。当然のことです」彼女は椅子に戻った。参考書が床に落ちていた。それを拾い上げる。その時、新田の目に留まるものがあった。

「ちょっと、それを見せてください」彼は参考書の裏表紙をめくった。そこには『イマイ塾池袋校』と印刷したテープが貼られていた。

「やっぱり塾の先生だったんですね」横から山岸尚美がいった。

新田は携帯電話を摑んだ。本宮にかけた。彼はまだ事務棟にいるはずだ。

どうした、と本宮は訊いてきた。

「栗原の職場がわかりました。おそらく奴は塾の講師です」

新田は、栗原から英文の入力を命じられたことを話した。ただし、彼が高校時代の教育実習生だったことは伏せておいた。

「おまえは何か思い出さないのか」本宮が尋ねてくる。

「すみません。どうにも心当たりがなくて」

「わかった。係長とも相談して、至急、栗原のことを調べてみよう」本宮は期待通りの回答を寄越し、電話を切った。

「なぜ、思い出したことをいわなかったのですか」山岸尚美が不思議そうに見上げてきた。

新田はポケットに両手を突っ込み、肩をすくめた。

「それをいってしまえば、上司たちは栗原への興味を失います。わざわざ調べてはくれないでしょう」

山岸尚美は目を見張った。「お仲間まで騙すんですか。怖い世界ですね」

「嘘も方便。それに栗原が危険因子でないと決まったわけではありませんから」

女性フロントクラークは反論する気をなくしたのか、再びキーを打ち始めた。

その後も約三十分おきに栗原からの着信があった。新田はそのたびに電話をかけた。いずれも短い会話を交わすだけだが、栗原が少し酔っているのは明らかだった。

「どうしてこんな面倒なことをするのかな」新田は首を捻った。「俺がここにいるかどうかを確かめたいなら、自分からこの部屋の電話に直接かけてくればいいのに」

山岸尚美は、さあ、と呟いただけだった。作業に没頭しているようだ。

間もなく日付が変わろうかという頃、ついに山岸尚美はすべての英文を入力し終えた。二人で間違いのないことを確認した後、彼女はゆっくりと首と腕を回した。

「お疲れ様でした」新田は立ち上がり、丁寧に頭を下げた。「俺がやっていたのでは、たぶん半分もできなかったでしょう。心から感謝します」

山岸尚美は、脱いでいた上着に腕を通し、笑みを浮かべた。

「これで栗原様の気が済めばいいのですけどね」

何とも答えようがなく新田が鼻の上に皺を寄せた時、携帯電話が着信を告げた。栗原からだった。時計を見ると、十二時ジャストだ。

「どんな具合だ」栗原は訊いてきた。

「たった今、終わったところです」

「よし、じゃあ今すぐに帰るから、そこで待っていろ」やや呂律《ろれつ》の怪しい口調でいった後、乱暴に電話を切った。

「御帰館のようです。あなたはオフィスに戻っていてください。打ち込んだのが俺じゃないとわかったら、たぶんまた怒りだすでしょうから」新田は山岸尚美にいった。「もちろん、そのままお帰りになっても構いません」

「新田さん、約束してくださいね。たとえ何をいわれても、あなたのほうからは――」

「わかっています」新田は右手を出し、彼女の言葉を制した。「俺からは何もいいません。ホテルマンのルールを遵守します」

山岸尚美は疑わしそうな目をしている。その時、またしても携帯電話が振動した。今度は本宮からだった。

「栗原のこと、わかったぜ。おまえがいったように塾の講師だった。先週まではな」

「先週まで？　どういうことです」

「クビになったんだよ。この四月に採用されたばかりらしいが、生徒からの評判が悪くて、切られたんだそうだ。これまでにも、かなりいろいろな塾や予備校を転々としてきたようだ」

新田は、栗原が彼に向かって、「仕事が長続きしないタイプか」と馬鹿にしたことを思い出した。あれは自分のことでもあったのか。

「まあ、特に怪しい点はなさそうだ。おまえとの繋がりも見当たらない。どこかで会ったことがあるというのは、おまえの錯覚じゃないのか」

どうやら現時点では、栗原が教育実習生だった頃のことまでは調べていないようだ。

「塾の講師をする前は、学校の教師か何かですか」一応、訊いてみた。

「前は会社員だったそうだ。教師の経験はない。教師志望だったが挫折したという話だ。教職の免許が取れなかったとかでな。教育実習っていうのがあるだろ。あれを学生時代にやっていないそうだ」

ぎくりとした。「どうしてやらなかったんですか」

「さあね。聞き込みに当たった刑事も、それ以上のことは訊かなかったらしい。とにかく、栗原については特に問題ない。おまえに対する嫌がらせは気になるが、引き続き静観しておこうということになった」

「わかりました」

電話を切った後、新田は山岸尚美にかいつまんで説明した。途端に彼女は眉をひそめた。

「新田さんたちのクラスで行われた教育実習はどうなったのでしょう?」

「やってないことになっているわけですから、彼が来なくなったのは実習期間が終わったからではなく、勝手に来なくなった、頓挫したってことでしょう」

「その原因は……」

「俺たちってことでしょうかねえ」新田は椅子に腰を下ろした。「自分が教師になれなかったのは、あの時の悪ガキたちのせいだ、とでも思ってるのかな」

山岸尚美は立ち尽くしている。何をいっていいのかわからないのだろう。

「あなたはオフィスに戻ってください。そろそろ栗原が帰ってきます」

彼女は頷いた後、「何かあれば呼んでください」といって部屋を出ていった。

新田は前髪に指を突っ込み、ぼりぼりと頭を掻いた。鉛を呑み込んだような気分だった。そんなこと知らねえよ、とも思った。あの程度のことで教育実習を放り出してしまうほうがどうかしている。どんな職業にだって困難はある。少しからかわれたぐらいで逃げ出しているようでは、到底教師になる資格などない。

だが詫びたい気持ちがあるのも事実だった。成り行きとはいえ、人の夢を奪うきっかけを作ったことに変わりはない。

入り口で物音がした。数秒後、ドアが開いて栗原が入ってきた。

「お帰りなさいませ」新田は立ち上がった。

栗原は据わった目を向けてきた。「英文は?」

「こちらです。どうぞ、御確認を」新田は両手でパソコンを示した。

おぼつかない足取りで栗原はデスクに近づいた。だが途中でバランスを崩し、転びそうになった。かなり酔っているようだ。室内の空気が酒臭くなった。

栗原は尻を落とすように椅子に座り、パソコンの操作を始めた。時折、大きな音をたててしゃっくりをする。

「おい」不意に顔を新田のほうに向けた。「これ、本当におまえが一人で打ったのか。ほかの人間に手伝わせたんじゃないだろうな」巻き舌になっている。

「栗原様の御指示通りにやらせていただきました」

ふん、と栗原はパソコンの画面に目を戻す。再び、大きなしゃっくり。

「納得していただけたのでしたら、これで失礼させていただきますが」

返事がない。新田は、「ではこれで」と頭を下げ、ドアに向かいかけた。

「待て」栗原が呻くようにいった。「これを読んでみろ」

「はあ？」

栗原はパソコンの画面を顎でしゃくった。

「この英文を読んでみろといってるんだ。声を出して読むんだ。おたくら、英語は得意なんだろ？　だったら、読んでみろよ」

むっとしたが、次の瞬間には違う感情が胸に広がっていた。やはりこの男は、あの時のことが心の傷になっているのだろうか。

新田はデスクに近づき、パソコンを持ち上げた。「最初から読むんですか」

「どこでもいい。好きなところを読め」栗原はぶっきらぼうにいう。

新田は呼吸を整えた後、画面に表示されている英文を読み始めた。通常の会話では使うことのない難解な単語も文中には出てくるが、発音を類推して読んでいく。

「……もういい」栗原が、ぼそりといった。

「いいんですか」

「いいといってるだろ。早く出てけ」

新田はパソコンをデスクに置き、一礼してから踵を返した。部屋を出る時、一度だけ振り返った。栗原は椅子の上で膝を抱え、その間に顔を埋めていた。

18

例によって新田は仮眠室で休むことになった。山岸尚美は、なるべく早く出勤するといって帰っていった。やはり栗原健治のことが気になっている様子だった。

粗末なベッドで横になり、栗原について考えた。刑事としての仕事が原因で誰かに恨まれたのだとしたら、これほど重たい気持ちにはならなかっただろう。むしろ、それぐらい非情に徹することが必要な職業だと自負している。だが端を発しているのが高校時代となれば、言い訳のしようがない。罪の意識がまるでなかったことで、自分自身に失望する気持ちもある。

それにしても、世の中には執念深い人間がいるものだ。山岸尚美がいうように、この程度の嫌がらせで済んでよかったのかもしれない。ホテルマンも、そんなに安全な職業ではないと改めて思った。

疲れているせいもあり、いつの間にか眠りについていた。その眠りを破ったのは、やはり携帯電話だった。アラームではなく、呼び出し音だ。番号を見ると、どうやらホテルのフロントからかけてきているらしい。

時刻は午前八時半。予定外に眠ってしまった。

「新田です」声がかすれた。咳払いをする。

「朝早くからすみません。フロントの鈴木です。また例のお客様……栗原様から連絡がありまして、これからチェックアウトしたいと……」

「そうですか。それはよかった」ほっとした。これでようやく解放される。

「いえそれが、新田さんを呼べとおっしゃるものですから」

「俺を？」

「どうしましょうか。新田さんの勤務時間でないことは御説明したのですが、わかっていただけなくて」

「わかりました。すぐに行きます」

ベッドから起き、脱ぎ捨てたままの制服を着始めた。軽く頭痛がする。睡眠不足のせいだけではなかった。

洗面所で適当に身支度を済ませ、事務棟を出た。小走りにフロントに向かう。若いフロントクラークの鈴木が困惑した表情で立っていた。新田に気づくと、ちらりとロビーに目をやった。視線の先にはソファに座る栗原の姿があった。テーブルの上には、ホテルから貸し出されたパソコンが載っている。

新田は小さく咳払いをしてから近づいていった。気配を察したのか、栗原が顔を上げた。

「おはようございます。御出発でございますか」

栗原は淀んだ表情で、顎の先をテーブルに向けた。

「それどころじゃない。おい、これは一体どういうことだ」

「何か問題でも？」

「とぼけるなっ」栗原はパソコンのキーを叩いた。画面に英文が現れた。「さっきよく確かめたら、ところどころ抜けてるところがあるじゃないか。俺が気づかないと思って、ごまかしたんだろ」

「えっ、まさか」

「本当だよ。ばれないとでも思ったのか」栗原は持っていた参考書を開き、画面と照らし合わせた。「ほらみろ、この頁なんか、まるまる飛ばしてるじゃないか」

「そんなはずはありません。確かに打ち込みました」

実際に打ち込んだのは山岸尚美だが、最後に二人で確認した。間違いない。

つまり栗原が自分で消したということだ。何のためかは考えるまでもない。新田は呆れた思いで栗原を見下ろしていた。

「なんだ、その目は。また刃向かう気か」

「いいえ、決してそんな……」目をそらした。

「どうしてくれるんだ。今日、塾で使うことになってるんだ。これじゃあ、使い物にならないだろ」

「塾で？」思わず眉間に皺を寄せていた。

「そうだよ。塾の講師なんだ。いけないか？」

いいえ、と再び俯く。あんたはクビになったじゃないか、とはいえない。

「どうしてくれるんだ」栗原は立ち上がった。「何とかいえよ」どん、と胸を突いてきた。

新田は頬が強張るのを感じた。

「私は間違いなく打ち込みました。それは断言できます。もし消えているということでしたら、何らかの操作ミスが原因だと思われます」

「俺が原因だというのか。また人のせいにする気か。自分が手抜きをしたくせに」

「手抜き？」

「手抜きじゃないか。分量が多いからばれないとでも思ったんだろうっ」

これにはかちんときた。山岸尚美は、栗原の嫌がらせだとわかりつつ、文句もいわずに打ち込んでくれた。その後ろ姿を、新田はずっと見つめていた。彼女の仕事にけちをつけられては黙っていられない。

「いい加減に――」しろ、といいかけたところで新田は声を呑み込んだ。遠くに本宮の姿があることに気づいたからだ。彼は心配そうにこちらを見ていた。

本宮だけではない。このロビーには多くの捜査員がいる。そして何より、ふつうの客がいる。彼等の目が自分たちに向けられていることに新田は気づいた。

「なんだ、何か文句があるのか」栗原が充血した目で睨んでくる。

新田は息を整えた。怒りが鎮まるのを待った。

自分は今、誰よりもホテルマンらしく振る舞わねばならない、と思った。刑事だとばれるのは論外だ。それどころか、出来の悪いホテルマンと思われてもならない。ホテルの信用を落とすことになるからだ。

「いい加減な……仕事はしていないつもりです。私はたしかに御指示のあった通りに打ち込みました。ですから、一度当方でパソコンを調べてみます。システムの専門家もおりますから、データを復元できるかもしれません」

この対応は効果があったようだ。一瞬栗原の表情が、虚を衝かれたように無垢なものになった。それから彼はあわてて首を振った。

「そんなことをしている時間はないんだ。俺は急いでるんだよ」

「しかしお客様――」

「謝れっ」栗原が新田の足元を指差した。「謝ったら許してやる。謝れ。土下座だ。そうだ、それがいい。ここで手をついて謝れ」

まるで駄々っ子だ。新田は、その団子っ鼻を思いきり殴りたくなった。だが堪えた。自分は優秀なホテルマンを演じなければならない。優秀といえば――山岸尚美だ。彼女なら、こんな時にどうするか。土下座するか。いや、彼女にそれは似合わない。

「お客様」新田は正面から見据えた。

栗原が、ぎょっとしたように後ずさりした。殴られると思ったのかもしれない。

「土下座では問題は解決しないと思うのです。私共としましては、何とかしてお客様のお役に立ちたいと存じます。やはりデータの復元を、まずはトライさせていただけないでしょうか」

栗原は短い手を左右に振った。「そんな時間はないんだ」

「ですから、まずは専門家に見せましょう。短時間で復元できるかもしれません」

「それはいいといってるだろ。おまえが謝ればいいんだ。土下座しろっ」

「土下座は、もし復元できなかった場合には、いくらでもいたします。ですから、とにかく専門家を」

「うるさいっ。今すぐ土下座だ。おまえが頭を下げろ」突然、栗原が飛びかかってきた。

新田は咄嗟によけそうになったが、寸前で動きを止めた。

栗原は新田の襟を摑み、前後に揺すってくる。「くそう、どうしてだよ。なんでだよ。なんでなんだよお」

「お客様、おやめください。落ち着いてください」新田は栗原の身体を引きはがそうとした。だが相手の顔を見た瞬間、力が入らなくなった。

栗原は泣いていたからだ。

「なんでだよ。なんで怒らないんだよ。なんで殴ってこないんだよ……」声が小さくなっていった。

ほかの従業員や警備員も駆けつけてきた。その中に関根の姿があった。新田は彼を手招きした。

「お客様が御気分を悪くされたようです。応接室に御案内を」

栗原を関根に委ねた後、新田はテーブルに残されたノートパソコンと栗原のバッグを両手に提げた。その時、周囲の視線が集まっていることに気づいた。

「皆様、どうもお騒がせして申し訳ございませんでした。何も問題はございませんので、どうぞ御歓談をお続けくださいませ」一礼し、その場を離れた。

応接室に向かう途中、山岸尚美に気づいた。彼女も今のやりとりを見ていたらしい。新田のほうを見て、小さくVサインを寄越してきた。

「俺のこと、覚えてる？」応接室のソファで背中を丸めるように座ったまま、栗原はぼそりと訊いてきた。

「覚えてますよ。栗原先生でしょ」

栗原は意外そうに顔を上げた。「最初から？」

「いえ。昨日の夜です。英文を見ているうちに思い出しました」

「そうか。俺は最初にフロントで見た時から気がついてた。君のことは忘れられなかったから」

「余程、印象が悪かったってことですか」

「悪いっていうか……怖かったんだよな」

「怖い？　そうですか。怖がらせるようなことはしなかったと思うんですけど」

「そうじゃなくて」栗原は顔を擦った。「あんな生徒がいるのは嫌だなあ、また発音のことで馬鹿にされるんじゃないだろうか、こいつ下手だな、英語のことをわかってないなとか思われるんじゃないかって、そんなことばかり考えたんだ。そうしたら、もう実習に行くのが怖くてさ、結局、教育実習を途中で投げ出しちゃったんだ」

「……そういうことでしたか」

あんな些細《ささい》なことで、と新田は思ったが、口には出せなかった。どんなことで人が傷つくのか、他人にはわからない。

栗原は深く項垂れ、両手の指を絡ませた。

「おかげで教師にはなれなかった。仕方なく企業に就職したんだけど、自分には合わないと思って一年ほどで辞めた。その後も、いくつか仕事を替えてみたけど、どこも長続きしなかった。そこで始めたのが塾講師のアルバイトで、これなら自分に合っていると思った。生徒たちはおとなしくて真面目だしね。ところがこっちは合ったと思っていても、あっちは合わないっていうんだよ」

「あっち、とは?」

「塾側だよ。残念ながら君の教え方はうちの方針と合わない——そんな言い方をされる。いつも一年ぐらいで契約を打ち切られる。早い時は三か月とかで」

塾側としてはオブラートに包んだ物言いをしたつもりだろう。君は生徒から人気がない、本当はそういいたかったはずだ。

「じつは実家に帰るつもりなんだ。山形にね。それで最後の贅沢をしようと思って、このホテルに泊まることにしたんだ」

「するとそこに私が……あの時の生徒がいたというわけですね」

「驚いたと同時に、無性に怒りがこみあげてきた。こっちは無職だというのに、どうしてこいつが高級ホテルの制服を着て、すました顔で立っているんだ、とね。たぶん英語が話せるからだろうと思ったら、余計に腹が立った。何とかこいつを困らせてやろう、すました顔の仮面をはぎ取ってやろうと思った。昨日、俺の手を払いのけた時には、内心しめたとほくそ笑んだよ。うまくすれば暴力をふるわせて、クビにすることもできるかもしれないってね」栗原は両手で頭を抱えたかと思うと、くしゃくしゃと髪を乱した。「だけど君は冷静だったな。その後は、こっちの挑発に全く乗ってこなくなった。さっきだって、じつに落ち着いていた。大したものだな。俺、思ったよ。プロってこういうものなんだなって。生徒にからかわれたぐらいで教育実習を放り出すような人間は、所詮プロにはなれないんだ」彼は髪の毛を乱したままで新田のほうを向いた。涙は乾いていたが、目の充血は残っていた。「悪かった。謝るよ。わかっていると思うけど、パソコンは俺がわざと壊したんだ」

頭を下げる栗原を見て、新田は複雑な気持ちに包まれていた。プロ？　この俺が？　滑稽に思いつつ、少し照れ臭く、同時に誇らしくもあった。

「どうか、顔をお上げください、栗原様」新田はいった。「私のほうこそ謝らなければなりません。あの時は、本当に失礼なことをいたしました。どうかお許しください」

栗原は下を向いたままで、ゆらゆらと首を振った。

「君はそんなに悪くない。自分でもそう思うだろ。俺がだめなんだよ。何をやってもだめなんだ」

典型的な負け犬の台詞に、新田は苛々して怒鳴りつけたくなった。だがその気持ちを呑み込み、口を開いた。

「夢を諦めることはないではありませんか。今からでも遅くないと思います。もう一度勉強し直して、教育実習も受けて、教師を目指せばいいじゃないですか。アルバイトではない、プロの教師を」自然に言葉が出てきた。

「そんなの……無理だよ。いくらなんでも遅すぎるよ」

「そんなことはありません。プロ野球を引退後、高校球児を育てたい一心で教師になった人もいます。音楽の世界で人気者になった後、大学の教授になった人だっています。遅いなんてことはありません」

栗原は俯いたままで動かなかった。新田はソファに浅く腰掛け、両手を膝に置いた姿勢で彼が言葉を発するのを待った。自分が背筋をぴんと伸ばしていることに気づき、内心驚いていた。

ようやく栗原が顔を上げた。ばつが悪そうに笑っている。

「君がそういうなら、がんばってみようかな」

是非、と新田は頷いた。その時、ドアをノックする音が聞こえた。どうぞ、と応じると山岸尚美が現れた。後ろには関根も控えている。

「栗原様、御利用金額の明細をお持ちいたしました。精算はこちらでなさいますか。それともフロントのほうで」彼女は訊いた。

明細書を受け取った栗原は、その内容に目を落とした後、新田に笑いかけてきた。

「英文の入力、約束通り、あの部屋でやったんだな」

意味がわからずに新田が首を傾げると、ほら、といって栗原は明細書を示した。

「部屋の電話の利用時刻が印字されている。君がずっとあの部屋にいたという証拠だ」

「この証拠を残すために、あんな面倒なことを?」

「まあね。俺のほうから部屋に電話をかけるという方法だと記録が残らないから、本当にあの部屋に繋がっていたのかどうかはわからないだろ。じつは君は別の場所にいて、交換手にいい含めて、そっちに繋いでもらってたってこともありうる。そういうアリバイ工作をさせないためだった」

「なるほど。たしかに」新田は頷いた。そんなことは考えもしなかった。

「精算はフロントでやるよ。これ以上、君たちに面倒をかけたくない」栗原はバッグを手にし、立ち上がった。新田も腰を上げた。

「わかりました」山岸尚美がいい、関根のほうを振り返った。「フロントまで御案内を」

関根が頷いてドアを開けた。栗原は改めて新田を見つめてきた。

「いろいろとありがとう」

新田は頭を下げた。「またの御利用をお待ちしております」

栗原は瞬きし、部屋を出ていった。ドアが閉まるのを見届け、新田はソファに座り直した。疲れがどっと出たような気がする。だが不快ではなかった。

「御苦労様でした。まさしくプロの仕事ぶりでしたよ」山岸尚美が冷やかしてきた。やりとりを廊下で聞いていたのだろう。

「犯人の取り調べよりも緊張しました。あー、参った」

「栗原様の夢が叶うといいですね」

「うまくいくんじゃないかな。彼は頭のいい男です。これまでは少しばかり要領が悪かっただけでね。ホテルの電話をあんなふうに使うことなんて、ふつう咄嗟には思いつかないですよ」

「そうですよね。まさかアリバイ工作を防止するためだったとは思いませんでした」

山岸尚美の言葉に新田は頷いた。だが次の瞬間、頭の中で何かがスパークした。彼は飛び跳ねるように立ち上がった。

19

夕食時になり、レストラン目当てに訪れる客が増え始めた頃、能勢がロビーに現れた。正面玄関からではなく地下からのエスカレータに乗ってきた。このホテルの地階は、地下鉄の駅と直結している。

能勢はフロントにいる新田に気づいたようだ。ぺこりと頭を下げ、近くのソファに腰を下ろした。

山岸尚美の姿が見当たらなかったので、新田は、そばにいた若手フロントクラークに断った後、フロントを出た。能勢のほうは見ないようにして、二階に上がるエスカレータに向かった。エスカレータに乗る直前、一度だけ振り返った。能勢は携帯電話を耳に押し当てながら、ゆっくりと後をついてきている。電話はカムフラージュだろう。

二階には宴会場が並んでいる。その手前のブライダルコーナーは、以前、山岸尚美との密談に使ったことがある。今はスタッフの姿はなく、テーブルはすべて空いていた。

能勢がエスカレータで上がってきた。新田はブライダルコーナーの中から手招きした。

「遅くなってすみません。係長から、あれこれと質問されてたものですから」テーブルにつくと、能勢はハンカチで額の汗をぬぐった。ハンカチには奇麗にアイロンがかかっている。背広がくたびれているのとは対照的だった。自宅に帰ったか、着替えを届けてもらうかしたのだろう。いずれにせよ、しっかりと家事のできる妻がいるようだ。

話があるのでホテルに来てほしい、と新田が連絡したのは午前中のことだ。どうしても能勢に調べてもらいたいことができたからだった。この時間になってしまったことは責められない。能勢には、上司にさえも内緒で動いてもらっている。

「井上浩代について調べていることで、何かいわれたんですか」

新田が訊くと、いやいや、と能勢は手を振った。

「それについては話してません。被害者の女性関係で、これまでに判明していることを訊かれたんです。前にもお話ししたと思いますが、被害者はかなりのプレイボーイで、いろいろな女性と付き合っていました。ただし、あまり長く付き合うと結婚を迫られるので、そうなる前にさっさと別れるという主義だったようです。そんなふうだから女性関係を説明するだけでも、結構時間をとられちゃうんです」

「おたくの係長は、犯人は女だと？」

「そう睨んでいるようです。まあたしかに、あれだけ女をとっかえひっかえしてりゃあ、殺してやろうかっていうぐらい恨んでいる者も中にはいるでしょうがね」

「井上浩代はどうですか？」新田はいった。「彼女は結婚していますが、以前能勢さんは、被害者は人妻と付き合っているんじゃないか、という推理を述べておられましたよね。それが井上だとは考えられませんか」

能勢は、合点しているというように頷いた。

「そのことは私も考えました。それで昨夜、被害者と人妻らしき女が入った居酒屋に行って、これを店員に見せてみたんです」

能勢がポケットから出してきたのはデジタルカメラだった。何やら操作し、これです、といって新田のほうに向けた液晶画面には、女の無表情な顔が映っていた。一重瞼をごまかすような厚化粧と、薄い唇に見覚えがあった。井上浩代だ。

「居酒屋に行く前に井上浩代に電話して、どうしても確認したいことがあるからといって、家の近くの喫茶店に呼び出したんです。結構うまく撮れてるでしょう？　私、隠し撮りには自信がありましてね。こう見えても、高校時代は写真部だったんです」

一体何を撮ってたんだか、といいたいのを我慢して、「で、居酒屋の店員は、この写真を見て何と？」と新田は訊いた。

能勢は渋い顔を作り、かぶりを振った。

「似ているようにも思うけど、自信はないってことでした。あまりよく覚えてないんだそうです。女性の顔をじろじろ見るのは失礼だと思ったともいっています。まあ、無理ないかもしれませんな」

新田は両肘をテーブルにつき、重ねた手の甲に顎を載せた。

「もし井上浩代が不倫をしていて、その相手が被害者だったとしたら、それが殺害の動機になることはあるかな……」

「ならんことはないでしょうな」能勢は即答した。「愛情と憎しみは紙一重です。裏切り、嫉妬、復讐、男と女の間にはどんなことでも起こりうる。ただ、井上浩代に犯行は無理です。完璧なアリバイがある。犯行時刻、井上は本多千鶴さんの部屋にいました。部屋にいて、本多さんが手嶋正樹に電話をかけるのを横で聞いています」

「その電話が怪しいんですよね」

「おっしゃるとおりです。今、隠し撮りをするために井上浩代を呼びだしたといいましたが、その時に、本多さんが手嶋に電話をかけた時のことを、もう少し詳しく聞かせてほしいといってみました。井上の反応は明らかに不自然でしたね。よく覚えてないの一点張りで、話を早くきりあげたくて仕方がないといった感じでした」

あの電話のことで、もし井上浩代に何か隠し事があるのなら、改めて刑事が来たりすれば、当然動揺するだろう。

「本多さん本人からは話を聞いてくれましたか」新田は訊いた。

「今朝、会社に出向いてきました」能勢は意味ありげに口元を緩めてカメラをポケットにしまい、代わりに手帳を出した。もったいをつけるように、ゆっくりと開く。「何となく、そういう話になった。本多さんはそうおっしゃってます」

「何となく？」

「つまりはこういうことです。井上浩代と昔話なんぞをしているうちに、かつて付き合った男の話になった。すると井上がこんなことをいう。ところで、例の元カレには連絡してみたの？」能勢が気味悪く身体をくねらせた。

「例の元カレ？」

「無論、手嶋のことです。本多さんは手嶋とのことを井上にも話していたそうです。で、ここからが少し複雑なのですが」周囲には誰もいないが、能勢は声をひそめた。「たぶん本多さんは、まだ手嶋に未練があるようですな。新しい彼氏とは、あまりうまくいってないらしいです。できれば手嶋とよりを戻したい、そんなふうに考えておられるようです」

もっともらしく話す丸顔の刑事の顔を新田は見返した。

「それを聞き出したんですか。本多さんから」

「いや、はっきりとそうおっしゃったわけではありません。雑談なんぞを交えながらいろいろと話をしているうちに、なるほどそういうことかと呑み込めた次第で。だからまあ、私の勘違いかもしれんわけですが」

謙遜気味に話すが、能勢の口ぶりから察すると、どうやら自信があるようだ。人間の本音を引き出す術を心得ているということか。じつは優秀な刑事だ、と本宮がいっていたのを、新田は改めて思い出した。

「それで、そこから先はどうなりました。元カレに連絡をしてみたのかと井上が訊いて、本多さんは何と答えたんですか」

「していない、と答えたそうです。すると井上が本多さんにいったらしいです。そんなに気になるなら、その元カレに今すぐにでも電話をかけてみたら、とね」

新田は目を見開き、右手で、ばんとテーブルを叩いた。

「やっぱりそうか。井上が電話をかけるようにそそのかしてたんだ」

「当たりでしたね。井上は本多さんの手嶋に対する未練を知っていたから、水を向ければ乗ってくると踏んだんですよ。本多さんは明言されませんでしたが、以前から手嶋に電話をかけたかったけれど、その理由がなくて躊躇っていたようです」

「井上と手嶋は、その心理を利用したんだ。二人は共犯だ」新田は断言した。

「いや、しかし大きな問題が」能勢が押し止《とど》めるように両手を出した。「仮に意図的に電話をかけさせたにせよ、アリバイが成立しているのは事実です」

今度は新田が不敵な笑みを浮かべる番だった。彼が唇の端を上げるのを見て、能勢は意外そうに瞬きした。

「井上に誘導されたにせよ、本多さんが手嶋に電話をかけたのは事実です。だけど、手嶋の部屋にかけたとはかぎりません」

新田の言葉に能勢は目を丸くした。「えっ、どういうことですか」

「手嶋の番号は、本多さんのケータイに登録されていました。だから電話をかけようと思えば、単にそれを選んで発信ボタンを押すだけです。仮にその番号が違っていたとしても気づかない」

能勢は口を半開きにして背中を反らせた後、また前屈みになった。

「本多さんのケータイに登録されていた番号が書き換えられていたと？」

「同じ部屋にいた井上浩代なら可能じゃないでしょうか。本多さんが目を離した隙にやれば。部屋ではケータイを無造作に置きっぱなしにしている人も多いし」

「たしかにありえます。ただ、いろいろと問題は残りますな」

「通話記録と履歴のことですね。それについても考えてみました」新田は人差し指を立てて、説明を始めた。「まずは手順その一。井上浩代は本多さんの部屋へ行き、隙を見て携帯電話に登録されている手嶋の番号を別の番号に書き換えます。一方手嶋は、その番号の電話がある場所で待機しています。この場所というのは、第一の犯行現場である品川の近くだと思われます」

「なるほど。で、その上で井上浩代は本多さんが手嶋に電話をかけるよう話を誘導する……と」

能勢が引き継いでいった。「本多さんは何の疑いもなく、登録されている手嶋の番号にかける。偽の場所にいる手嶋は、その電話を受ける」

「次に手順その二です。本多さんが手嶋との電話を終えた後、井上浩代は再び隙を見て、先程変更しておいた手嶋の番号を元に戻す。さらに、その状態で発信します」

ほう、というように能勢が口をすぼめた。「それは何のためですか」

「その時間に、本多千鶴さんのケータイから手嶋の部屋に間違いなく電話がかけられた、という通話記録を残すためです。おそらく手嶋の部屋の電話は、留守番電話になっていたのでしょう。

そして最後に手順その三。本多さんが手嶋と話した際の発信履歴を携帯電話から消しておく。これで完了です」

「うーん、なるほどねえ」能勢は腕組みし、唸った。「そういう手がありましたか」

「ケータイに一度登録してしまった番号というのは、余程のことがないかぎり確認しませんからね。勝手に書き換えられていても気づかない。本多さん自身、自分が別の場所にいる相手と話したとは、夢にも思わないでしょう」

栗原健治によって気づかされたことだった。ホテルの交換手が意図的に別のところに繋いでも、かけた人間にはそれがわからない。そのトリックを第一の事件で使えないかと考えてみたのだ。

「たしかにそうだ。私にしても、人の電話番号を覚えるなんてこと、もう何年もやってませんからなあ」

「手嶋は、本多さんと話していたのは五分ほどだといいました。ところが通話記録によれば、本多さんのケータイから手嶋の部屋に電話がかけられていた時間は、たったの二分だったんです。なぜ二分か。おそらくそれが留守番電話で記録できる最大時間なんだと思います。不自然さをごまかすために、手嶋の奴、少し長めにいったんですよ。そこのところを、もっと早く気づくべきでした」

「いやあ、でもすごいじゃないですか。こんなこと、誰も思いつかなかった。大したもんだなあ」能勢は首を振りながら新田を見つめてくる。

「たまたまです。それより、能勢さんに確認してほしいことがあります」

能勢が右手を顔の前に出した。

「みなまでいわんでください。わかっています。新田さんの推理が正しければ、本多さんが実際に手嶋と話した時の通話記録が残っているはずです。自宅とは別の場所にいた手嶋とね。すぐに確認しましょう」

「それともう一つ」

「井上浩代と手嶋の関係、ですね」能勢は、にっと歯を見せた。「手嶋は被害者の同僚だったわけですから、もし井上と被害者が不倫関係にあったなら、何かのきっかけで知り合っていた可能性はあります。そのあたりで調べてみます」

「お願いします。あとそれから、井上浩代と野口史子、あるいは畑中和之の関係も調べる価値があると思います」

能勢が真顔に戻り、一重瞼の細い目を新田に向けてきた。

「その二人は、第二、第三の事件の被害者ですね」

「そうです。以前、手嶋が本ボシと睨んだ時、手嶋と彼等との繋がりを見つけようとしてうまくいきませんでした。だけど井上浩代が共犯となれば話は違ってきます」

「なるほど、わかりました。了解です。そっちのほうも、調べてみます」

二人だけの捜査会議を終え、ブライダルコーナーを出た。能勢は小さく手を上げ、エスカレータに向かう。揃って下りていくと本宮らから何か訊かれるかもしれないと思い、新田はしばらく留まることにした。

能勢の丸い背中が消えるのを見送りながら、もしかすると今回は優秀なパートナーに恵まれたのかもしれない、と思った。大胆な発想があるわけではない。しかし能勢には他人の考えを理解しようという謙虚さがある。地道な作業をコツコツと積み重ねていくのが最大の武器で、近道のことなど考えない。ほかの刑事なら、いくら相手が捜査一課だからといっても、年下の人間に顎で使われたら面白くないだろう。ましてやほかの人間には内緒の捜査だ。やってられない、と思うのがふつうだ。

二階のフロアは中央部が吹き抜けになっていて、一階のロビーを見下ろすことができる。新田は手すりに近づき、全体を見渡した。ティーラウンジは照明が絞られ、コーヒーよりもカクテルがふさわしい雰囲気になっていた。

夕食の待ち合わせでもしているのだろうか、ロビーのソファは七割ほどが埋まっていた。立ったまま、周囲に視線を配っている人もいる。そしてそんな客たちの間を目立たぬように、しかし用がある人間にとっては呼び止めやすい気配を作りつつ、従業員たちが移動していた。彼等の顔から笑みが消えることはない。

ふと、能勢なら優れたホテルマンになれるのではないか、と思った。自分が目立つことは一切考えず、何をすれば人のためになるか、を冷静に考え、実際に行動に移せる人物だ。

そう考えた直後、新田は首を捻った。おかしなことを想像したものだ。能勢の性格はともかく、あの体形ではホテルマンの衣装は似合わない。

フロントに次々と宿泊客が訪れてくるのが見えた。早く自分も行かなければ、と思った。

20

総支配人の藤木は、机の上で両手の指を組み、穏やかな笑みを唇に浮かべていた。優しげな視線は、淡々と報告を続ける尚美の顔に注がれていた。隣では宿泊部長の田倉が、やや俯き加減で立っている。二人の上司は、彼女が話し終えるまで、殆どこの姿勢を変えなかった。

「ここまでが、栗原様と新田さんとのやりとりです。その後、栗原様は通常通りにチェックアウトの手続きを終えられ、タクシーにお乗りになったということです。行き先は、たぶん東京駅です。故郷である山形にお帰りになられるということでしたから」尚美は一息ついてから二人の上司を交互に見た。「私からの報告は以上です」

昨夜から今朝にかけての、栗原健治にまつわる騒動についてだった。今日は藤木が出かけていたので、この時間まで報告できなかったのだ。

「そうか。いろいろとあったようだね。でも、深刻なことにならなくてよかった」藤木がいい、田倉と頷き合った。

「あの刑事も、なかなかやるもんですね」田倉が、やや揶揄の籠もった物言いをする。

尚美は、少し反発を覚えた。

「新田さんの対応は素晴らしかったと思います。ホテルマンの経験が殆どない人にあれだけのことができたのは驚異的です。少なくとも、新米時代の私には無理だったでしょう」

藤木が意外そうに両方の眉を上げた。額に皺が寄る。

「珍しいね。君がそんなふうに彼を褒めるのは」

尚美は少しどぎまぎした。

「いいところがあれば、評価するのは当然だと思います。客観的に申し上げているだけです」なぜか言い訳を述べているような気持ちになっていた。

「うん、なるほど。とにかく、何もなくてよかった。それにしても、高校時代の教育実習生だったとはね。変わった偶然もあるものだ。しかも、ずっと恨まれていたとは」

「そのことで新田さんが、少し気になることを」尚美はいった。「今回の連続殺人犯の狙っているのが、お客様の命だとはかぎらない、ターゲットが私たち従業員の可能性もある、と。それを聞き、私も、たしかにそうだと思いました。毎日たくさんのお客様と接していますから、心ならずも恨みを買ってしまっていることもないとはいえません。それだけでなく、今回の新田さんのように、仕事とは全く関係のないところで恨まれている場合もあります」

藤木は再び田倉と顔を見合わせた。事件の話題が出たからか、その目からは穏やかな色は消えていた。

「それはありうるだろうね」藤木は低い声でいった。「つい最近もあったな。無銭飲食を咎められ、恥をかかされたといってウェイターを殴った男がいた」

「先月のことです」田倉がすかさず補足する。

「今まで私は、あまりそんなふうに考えたことがありませんでした。でもそれは、もしかしたらとても危険なのかもしれません。特に今のような状況においては」

藤木が怪訝そうに眉をひそめた。彼女の真意を窺おうとする目になった。

「何がいいたいのかね」

「現在従業員たちは、このホテルに多くの警察官が潜入していることは知っています。その理由を、何かの事件の犯人がここに現れるおそれがあるからだと解釈しています。でも殆どの者は、危険なのはお客様だと思い込んでいます。自分たちだって安全ではないのだということを、全従業員に改めて通達してはいかがでしょうか」

藤木は虚を衝かれた顔を見せたが、すぐに納得したように頷き、「どう思う？」と田倉に振った。

「一考の余地はあるでしょうね」宿泊部長はいった。「しかし、やりすぎるのも問題があります。お客様が自分のことを襲うのではないかと疑っていたのでは、サービスどころの話ではありませんから」

「私も同感だ。疑いの気持ちは、必ず態度に表れる。それによって関係のないお客様を不愉快にさせることなど決して許されない」藤木は上目遣いに尚美を見た。「その点、君はどう考える？」

尚美は背筋を伸ばした。上司たちの意見は彼女が予想したもので、それに対する答えは用意してあった。

「お客様を疑う必要はないと思います。これまで通り、コルテシアの人間として恥ずかしくないサービスに努めればいいと思います」

「どういうことかね」藤木は首を傾げる。

「お客様と二人きりになる可能性が一番高いのはベルボーイですが、廊下やエレベータには防犯カメラがあります。犯人が、自分の泊まる部屋で犯行に及ぶとは思えません。ほかに二人きりになる可能性があるとすれば、エステサロンやスポーツジムでしょうけど、そうした場所には複数の人間が頻繁に出入りしますから、犯行場所に選ぶことは考えにくいと思います。結局のところ、従業員がお客様に対してサービスを行う場では、さほど用心する必要はないということになります」

「ふむ。では用心しなけりゃいけない場所とは？」

総支配人の質問に、尚美は即答した。「バックヤードです」

「バック……なるほど」

本来は「裏庭」という意味だが、ここでは従業員専用エリアのことを指す。

「廊下や非常階段、倉庫、配膳室、使ってない厨房など、人気《ひとけ》のないところはたくさんあります。中には外部からの侵入が難しくないところもあります。犯人がそうしたところに潜んで、犯行のチャンスを窺っている可能性については、考えておく必要があるのではないでしょうか」

藤木は頷き、指先で机を軽く叩いた。

「犯人が従業員用の通路を利用することについては、警察も考えてはいるようだ。だから出入りの業者を制限しているし、通行証のない人間は従業員用出入口を使えないようになっている。しかしそれは犯人が移動手段として使うかもしれないと考えているだけで、バックヤードそのものが犯行現場になることを予想してのものじゃない……。山岸君のいうように、もし犯人の狙いが従業員なら、そっちのほうを用心する必要はあるな」

「そういうことなら、注意すべきは宿泊部門ではなく、むしろ料飲部門と宴会部門ですね」田倉が進言した。「たとえば、使ってない宴会場などから従業員用エリアに忍び込むことは簡単です」

「わかった。両部門の責任者たちを呼んで、一度協議してみよう。警視庁の稲垣係長には、私から話をする」厳しい顔つきでいった後、藤木は尚美に微笑みかけてきた。「貴重な意見をありがとう。参考になったよ。お客様を守ることばかり考えて、従業員にまでは気が回らなかった」

「出過ぎた真似をして、申し訳ありません」

「いや、これからも、何か気がついたことがあればいってくれ」

総支配人の言葉に、はい、と尚美は胸を張って答えた。

フロントに戻ると、三人のフロントクラークがチェックイン業務を行っていた。驚いたことに、そのうちの一人は新田だった。誰の補助も受けず、客の応対をしている。端末で予約を確認し、宿泊票の処理を行い、デポジットを受け取り、カードキーを渡している。その動きはスムーズで無駄がなく、言葉遣いは丁寧だ。物腰も、ずいぶんと柔らかくなったように思える。

新田は、「どうぞごゆっくり」と頭を下げて一人の女性客を見送った後、すぐ後ろを振り向いた。「俺の接客について何か文句でも？」

どうやら、先程から尚美が眺めていたことには気づいていたらしい。彼女は首を振った。

「感心して見ていたんです。ただ、できればふだんから、俺、という言葉は使わないほうがいいと思います。うっかり出ちゃうことがあるでしょう？」

新田は顔をしかめ、鼻の下を擦った。

「逆に私っていうのが癖になったらまずいんですよ。警察に戻った時、みんなから気味悪がられる」

「そんなことはないと思いますけど」

「キャラクターは大切にしなきゃいけないんでね。ところで今までどこに？」

「総支配人のところです。外出先からお戻りになられたので、いろいろと報告を。栗原様のことか」

「ははあ、なるほどね」新田は少しばつが悪そうな顔をした。

「そういえば、栗原様がお帰りになられた後、新田さんは何か重要なことをお気づきになったようでしたね。その後、進展はあったのですか」

「ああ、あれね」新田は素早く周囲を見回した後、尚美のほうに顔を寄せてきた。「もしかしたら、事件解決の糸口が見つかったかもしれません。今、極秘捜査を進めているところでね。もうしばらくお待ちを」耳元で囁くようにいった。

尚美は、新田の浅黒く整った顔を見つめ返した。

「本当ですか。何を見つけたんですか」

「見つけたのではなく、見つかったかもしれない、といったんです。それがはっきりするまで、たとえあなたであっても、今はこれです」新田は人差し指を立て、唇に当てた。

21

　この夜、新田は日付が変わる直前まで、フロントに立っていた。たまたま遅くにチェックインする客が多かったせいもあるが、事務棟に設けられた現地対策本部から何の連絡もなかったのが大きな理由だ。いつもなら、夕食後あたりにお呼びがかかり、今日一日の出来事を報告するよう命じられる。だから午前零時過ぎに本宮から電話があり、会議室に来るようにいわれた時には、「どうしたんですか」と訊いていた。「あまりにも進展がないから、今夜の捜査会議はなくなったのかと思っていたんですが」

　すると本宮はどすのきいた声で、その逆だ、といった。

「進展がないどころか、大きく舵取りを変えることになりそうなんだ。それで、上がいろいろと協議していて遅くなったんだ」

「進展？　どこの誰が手柄を立てたんですか」それが一番気になることだった。

「それはこっちに来ればわかる。すぐに来てくれ。相棒もお待ちだ」

「相棒？」新田が尋ねた時には電話は切れていた。

　訝りながら事務棟に向かった。道路から見上げると、二階の窓にかけられたブラインドの内側が、いつもよりも明るく感じられた。この時間帯になると、近所の目を気にして、なるべく余分には明かりをつけないようにしている。

建物に入り、階段を上がった。会議室の前に、見張り役と思われる警官が立っていた。こんなことも今まではなかった。新田が近づいていくと、制服を着た若い警官は、黙って頭を下げた。

会議室から、話し声は殆ど聞こえてこない。せいぜい数名が残っている程度なのかと思った。しかしドアを開けると同時に新田に向けられた視線の数は、予想をはるかに上回るものだった。十数人分の椅子はすべて埋まり、立っている捜査員がいるほどだ。

「御苦労」そう声をかけてきたのは稲垣だ。彼の右隣には管理官の尾崎の姿がある。そして左隣では――なぜか能勢が背中を丸めて座っていた。新田と目が合うと、やや気まずそうに小さく頭を下げてきた。

「何があったんですか」新田は訊いた。

「誰か、席を譲ってやれ」

稲垣にいわれ、彼の向かい側に座っていた若手捜査員が立ち上がった。新田はそこに腰を下ろし、周りを見回した。全員の顔に緊張の色が浮かんでいることを確認した後、改めて上司たちを見つめた。「一体何事ですか」

「品川で起きた岡部哲晴殺害事件において、同僚の手嶋正樹と、飲食店経営者の妻井上浩代を重要参考人としてマークすることになった。まだ逮捕はしないが、いつでもそれができる準備は整えておく。またこのことは、マスコミその他には一切秘密だ。ホテルの人間にも漏らさぬこと。わかったな」

一方的にいわれ、新田は面食らった。返事に窮していると、「聞こえなかったのか」と苛立ち混じりの声で稲垣からいわれた。

「いや、その、どういうことでしょうか。手嶋と井上をマークって……」

「そのままの意味だ。手嶋には岡部哲晴を殺害した疑いがあり、井上浩代は手嶋のアリバイ工作に協力したとみられている。アリバイ証人となった本多千鶴さんの携帯電話に関する記録を詳しく調べたところ、手嶋の部屋にかける数分前、東品川にある休業中のラーメン屋にかけていることが判明した。だが本多さんは、そんなところにかけた覚えはないといっている。そのラーメン屋は、井上浩代の夫が二か月前まで経営していた。そこから岡部哲晴が殺された現場までは、徒歩でも二十分ほどしかかからない。ラーメン屋の電話から手嶋の指紋は検出されなかったが、周辺から毛髪や皮脂などを採取して、すでにDNA鑑定を依頼した」稲垣は淀みなく、早口でまくしたてた。まるで新田に質問する暇を与えまいとするかのようだ。

「待ってください。ちょっと待ってください」新田は右手を大きく上下させた。「本多さんのケータイに井上浩代が細工したんじゃないかってことは、今日の夕方、俺が能勢さんに話しました。もしかして、それに基づいて捜査が行われたってことですか」

「自惚れちゃいかんな、新田くん」管理官の尾崎が口を挟んできた。「その程度のことは我々だって考えていた。だからこそ、こうして裏づけ捜査も済ませているというわけだ。君も思いついたのかもしれないが、少し遅かったね」

新田は瞬きした。自分の目が泳ぐのがわかった。咄嗟に言葉が出ない。

「現在、手嶋と井上の関係を調べているところだ」稲垣が続けた。「井上が、一時期派遣社員として、手嶋や岡部たちと同じ会社にいたことがわかっている。ここから繋がりを見つけだせるんじゃないかと思われる」

話を聞きながら、そういうことか、と新田は全身から力が抜けるのを感じた。何がきっかけかはわからないが、稲垣たちは新田と能勢の単独捜査に気づいたのだ。だがスタンドプレイは許さないとばかりに、自らが大々的に指揮を執り、先んじて裏づけ捜査を行ったということなのだろう。

「ここまでで何か質問は？」稲垣が訊いてきた。彼の目は新田一人に向けられている。つまりこの会議は、彼のために開かれているわけだ。手柄を奪ったことについて、後から文句をいわせないためだろう。

「係長たちは、手嶋と井上が本ボシだと睨んでるんですか」新田はいってみた。

「限りなくクロに近い、というのが共通の見解だ」稲垣は答えた。

「じゃあ、ほかの事件についても、解決ということですか。第二、第三の事件の犯人もあの二人で、連中をマークしてさえいれば、もうこのホテルでの潜入捜査は不要ということになりますね」

だが係長は頷かなかった。管理官と顔を見合わせた後、ゆっくりと新田のほうに視線を巡らせた。

「なあ新田、俺がさあ、おまえらの手柄を横取りするために、こんな大層なことをやってると思うのか。わざわざ管理官にまで出向いてもらってさ」

稲垣の粘着質なしゃべりかたに新田は顎を引いて身構えた。上目遣いに上司を見る。

「じゃあ、何ですか」

稲垣は一呼吸置いてから口を開いた。

「話はさ、もっと複雑なんだよ。いや、単純というべきかな。いずれにせよ、手嶋と井上を逮捕しただけでは事件は終わらない。むしろ、これから始まるんだ」

「これから？」新田は上司の顔を正面から見据えた。「どういう意味ですか。手嶋と井上が本ボシなんでしょう。だったら、その二人を逮捕したら事件は終わりじゃないですか」

「ところがそうじゃないんだよ。――おい、あれを」稲垣は若手の部下に目配せした。

新田の前に一冊のファイルが置かれた。

「何ですか、これ」

「まあ、見てみろ」

新田は不満顔を隠すことなくファイルを開いた。そこには文字がプリントされたＡ４用紙が何枚か収められていた。どうやらパソコンのメール文のようだ。その文面を少し流し読みしただけで、血がざわざわと騒ぎだし、体温が急上昇した。

「これは……」

「驚いただろ。俺も初めて見た時には腰を抜かした」

「誰がどこで見つけたものなんですか」

「見つけたのは、千住新橋の事件を追っている連中だ。野口鉄工所のパソコンを任意で調べたところ、そいつが出てきたらしい。もっとも、メールソフトからは消去されてたそうだがな。野口のやつ、ハードディスクから復元できるってことを知らなかったんだろう」

「その野口というのは……」

「野口靖彦。いうまでもなく、第二の事件で殺された野口史子の亭主だ」

新田は思わず背筋をぴんと伸ばした。改めて、手元のメール文に目を落とす。

『受信　Date：10月4日　22:10:45
From：x1
Subject：プラン1完了
To：x2,x3,x4
つい先程、プラン1のm仕事を終えた。うまくやったつもり。
x2へ。もはや後戻りはできない。必ず、約束の地点で実行するように。』

『送信　Date：10月5日　18:12:23
From：x2
Subject：プラン2に関する連絡
To：x1,x3,x4
x1のm仕事、新聞とニュースで確認した。お見事。もちろん、こちらの場所に変更はなし。
先日連絡した緯度と経度の地点にて、m仕事を実行する。

ｘ３へ最終確認。そちらのｍ仕事実行地点に変更はあるか。ある場合は速やかに連絡してほしい。以上』

『送信　Date：10月11日　02:28:43

From：x2

Subject：プラン２完了

To：x1,x3,x4

プラン２のｍ仕事を完了した。メッセージも残した。ｘ３には何が何でも約束の地点で実行してもらわなければならない。明日以降、Ｐが来ると思われる。こちらへのメール送信は不要。以上』

文字を追っている間、新田は息を止めていた。顔を上げ、その息を吐き出した。

「ｘ１と名乗る人物からメールが届いたのが十月四日。第一の事件が起きた日ですね」

「そう。そしてｘ２が『プラン２完了』というメールを送信した十月十一日というのは、野口史子の遺体が見つかった日だ」

新田は頭を振った。とても偶然とは思えなかった。

「事件の犯人は複数いて、これらのメールは、その連中が今回の犯行についての打ち合わせをした時のものってことですか」

「そう考えるのが妥当なんじゃないか」

新田は稲垣の真剣な顔を見返した後、周囲の者たちに視線を移した。当然、ここにいる全員はすでに知っているのだろう。表情を弛緩させている者など一人もいなかった。

新田は再びメール文に目を落とした。

「野口のパソコンから見つかったわけですから、送信メールを書いたｘ２が野口ということになりますね」

「当然、そうだろうな」

「それなら、野口を引っ張ればいいじゃないですか。メールの中で緯度と経度のことにも触れてるし、白状させられると思いますが」

「君にいわれるまでもなく引っ張ってるよ。とうの昔にね」尾崎が横からいった。「逮捕こそしていないが、任意での取り調べは進んでいる」

「野口は犯行を認めているんですか」

「大筋認めている」管理官はあっさりといった。

新田は稲垣を見た。「本当ですか」

「ああ、本当だ」稲垣は顎を引いた。「野口の自供によれば、妻の史子を扼殺したのは十月十日の夜七時頃で、場所は自宅の居間。その後死体をそのままにして、知り合いと飲みに出かけている。いうまでもなくアリバイ作りだ。夜中の一時頃に帰宅した後、死体をビニールシートに包み、千住新橋付近にあるビルの建設現場に放置したらしい。メールを打ったのは、その後のようだ。

送信記録とも一致する」

「動機は？」

「我々の睨んだ通りだった。女房にかけた保険金目当ての犯行だ」

新田は前髪をかきあげ、鼻の穴を膨らませた。

「何ですか、それは。そんな単純な話だったんですか」

「だからさっき、複雑というより、むしろ単純だといい直しただろ。だけど例の数字の問題があったから、俺たちは勝手に複雑に考えていたんだ。連中の策略に、まんまと嵌っていたわけだ」

「連中って？」

稲垣はメール文を指差した。

「野口が送信した最後のメールに、『明日以降、Pが来ると思われる。』という文章があるだろ。Pというのはおそらく警察のことだ。奴は女房の他殺体が見つかった場合、自分が真っ先に疑われるってことを自覚していたんだ。そこで何とかして疑われないようにしたいと考え、パソコンを使って、あるサイトにアクセスした。危ない仕事、非合法な仕事を斡旋する、所謂闇サイトってやつだ。m仕事というのは、そこの掲示板で使われるいわば隠語で、殺しを意味する。たぶんmurderの略だろう」

「闇サイト……」新田は口の中に苦いものが広がるのを感じた。「すると、このメールの宛先にあるx1、x3、x4ってのは、そこで知り合った仲間ってことですか」

「どうやらそういうことらしい。仲間は野口を含めて四人。彼等の間に面識はない。お互いの本名も知らないそうだ。四人に共通しているのは、それぞれに殺したい人間がいるということだけだ」

ぼんやりと事件の構図が新田にも見えてきた。ただし、まだ半信半疑だ。そんな馬鹿なことを考える人間がいるだろうか。しかし、と思い直す。かつて、闇サイトで知り合った者同士で通り魔殺人を実行するという事件があった。

「最初、野口は闇サイトで殺し屋を雇おうとしたようだ」稲垣はいった。「ところが、そう簡単には話はまとまらない。しかししばらくすると、野口のところに、ある人物からメールが届いた。最終的にx4と名乗ることになる人物だ。メールの内容は、殺しを請け負うことはできないが、あなたが誰かを殺しても、あなたが逮捕されないように協力することはできる、というものだった。報酬は不要。ただし、あなたにも協力してもらわねばならないことがある。興味があるなら連絡をくれ――そう締めくくられていた」

「で、野口は連絡したわけですね」

「そうだ。返事はすぐに届いた。そこには、警察から嫌疑をかけられるのを防ぐための具体的な方法が記されていた。その方法については、おまえならもう見当がついてるんじゃないか」稲垣が新田に振ってきた。

「複数の人間が犯した殺人事件を、同一人あるいは同一グループによる連続殺人に見せかける。そういうことですね」

稲垣は口元を緩めたが、目つきは一層険しくなった。

「すべての犯行現場に、共通したメッセージを残しておく。それだけでも警察は、同一犯の仕業だと考える。ただし、容易に真似られるメッセージでは、模倣犯の可能性が残ってしまう。メッセージは、必ずほかの事件との繋がりを示したものにしなければならない。そこで、次に事件が起きる場所の緯度と経度を示したメッセージにする。無論、そのままの数字を残したのでは警察に張り込まれるので、ある加工を行う。例の日付との組み合わせだ。すべての殺人が完了した時、特捜本部宛にメッセージの意味を記した手紙を送る。これで完全に警察は同一犯による連続殺人事件だと断定せざるをえない。個々の事件では怪しい人間も、ほかの事件との繋がりが見つからないかぎり、警察は容疑者扱いできない。結果、事件は迷宮入りする」何度か練習したのかと思うほど滑らかに語った後、稲垣はふっと息を吐いてから続けた。「x４と名乗る人物が野口に授けた方法は以上のようなものだ。またx４は、すでに同調者を一人見つけてあるが、さらにもう一人加えて、合計四人で実行する予定だと野口に連絡してきている」

「その同調者の二人というのがx１とx３ですね」

「だろうな」

「野口のパソコンにデータが残っていたのなら、ほかの連中のＩＰアドレスを辿れるんじゃないですか」

稲垣は、ふんと鼻を鳴らした。

「そういうことを俺たちがやってないとでも思うのか」

「やったけれど、まだ犯人を特定できないでいるってことですか。つまり、インターネットカフェが使われたと」

「万一誰かが捕まっても、自分のところには捜査の手が伸びてこないよう用心したんだろうな。インターネットカフェは特定できたが、いずれも東京都外の身分証なしで利用できる店で、しかも防犯カメラもろくに設置していないというい加減さだ。無論、そういう店だと確認したうえで利用したんだろうけどな。能天気に自分のパソコンを使ってたのは野口だけだ」

「なるほど」新田は椅子にもたれ、天井を見上げた。

そういうからくりだったか。道理で、事件関係者の間から共通点が見つからないわけだ。最初から何の繋がりもない事件だったのだ。

「五年前に野口は、このホテルで開かれたパーティに出席していましたよね。するとあの話は……」

「単なる偶然ということになる」稲垣はいった。「考えてみれば不思議な話じゃない。これだけのホテルだ。企業主催のパーティなんて、年に何十回と開かれている。そのうちの一つに、これまでの事件関係者の一人がたまたま出席したってこともあるだろうさ」

やれやれ、と新田は首を振った。

「では、それらのことはいつわかったんですか。野口が自供したのはいつなんですか」

新田の問いに稲垣は即答せず、意見を伺うように尾崎を見た。尾崎は小さく頷く。何かの許可を与えたように見えた。

「鑑識が野口のパソコンを調べたのは数日前だ」稲垣はいった。「千住新橋の特捜本部が野口に任意同行を求めたのが三日ほど前だったかな」

「三日前？」新田は思わず尻を浮かせた。「そうか、そういえば……」依然として背中を丸めて座っている能勢に目を向けた。「その頃、品川署の特捜本部では、ほかの事件との繫がりはあまり考えなくていいという指示が出たそうですが、野口の自供を踏まえてのことだったんですね」

稲垣は指先で鼻の横を搔いた。「まあ、そういうことだ」

「じゃあ、どうして教えてくれなかったんですか。あの時、俺は係長に訊きましたよね。品川の特捜本部でそういう指示が出されているようだけど、どういうことですかって。係長は、それは単なる勘違いだとおっしゃいました。そうでしたよね」新田は早口でまくしたてた。

「ああ、たしかにそういった」稲垣は面倒臭そうに答えた。

「なんでですか。なぜ、あの時に本当のことを教えてくれなかったんですか。おかしいじゃないですか」新田の口から唾の飛沫が飛んだ。

稲垣は机に両肘を載せた。

「すべての事件の犯人は別々に存在し、共通点はない。各特捜本部は別個に捜査を進めることになった――そう聞かされたら、おまえはどうしたかな」

「それは……」

「第一の事件の特捜本部、つまり品川署に戻って捜査に加わりたいといいだしたんじゃないか。実際、あの事件のことが頭から離れなかったみたいだしな」そういって稲垣は、ちらりと能勢のほうを見た。

「いけませんか。俺は刑事です。起きてしまった事件の犯人を追うのが仕事です」

「これから起きようとしている殺人を防ぐのも刑事の仕事だ。そう思わないか」

「それはわかりますが……」

「君の、ここでの仕事ぶりについては稲垣君や本宮君から聞いているよ」横から尾崎がいった。「大変、よくやってくれているようだ。それほど時間が経っていないのに、どこから見てもホテルマンとしか思えないそうじゃないか。そんなことは君にしかできない。君の代わりはいないんだよ。だからこちらの仕事に集中してもらうため、敢えて野口の自供内容などは教えないことにした。すべて私の指示したことだ」

新田は俯き、膝の上で両手の拳を固めた。スラックスの折り目が、くっきりと入っているのが目に留まった。刑事が一日歩き回れば、ズボンなどは大抵皺だらけになる。たしかにこのフロントクラークの服装が似合う人間は、捜査一課にはそうそういないかもしれない。だが、やはり納得できなかった。

でも、と顔を上げ、尾崎を見た。「俺を品川の特捜本部に戻したほうが、話は早かったんじゃないですか」

「何がいいたいのかな」

「もしあっちの捜査に専念できていれば、もっと早くに手嶋たちのトリックに気づいていたかもしれません」

尾崎は、わかってないな、というように薄笑いを浮かべながら首を振った。

「君はさっきの稲垣君の話を聞いてなかったのかね。手嶋と井上を逮捕しただけでは事件は終わらない、むしろこれから始まる――彼はそういっただろ？　大事なのは、ここからなんだよ」

「どういう意味ですか」

尾崎は、右の眉だけを器用に吊り上がらせた。

「繰り返すが、今回の犯人は別々に存在する。その数は四人。x２は野口で、x１はたぶん手嶋だろう。第三の事件を起こしたx３についても、その正体を突き止めるべく現在捜査中で、近いうちに成果が現れると信じている。だが忘れちゃいかんのは、これまでに起きた事件についてどれほど捜査が実を結ぼうと、計画の発案者であるx４には辿り着けないということだ。x４に関する手がかりは殆どない。男なのか女なのか、年寄りか若造か、金持ちか貧乏人か、何ひとつ不明だ。唯一わかっているのは、近いうちにこのホテルで誰かを殺そうとしているってことだけだ。最初、ホテル内を張り込む捜査員たちには、これまでの事件関係者の顔写真を持たせていたが、今では回収している。そんな写真は何の役にも立たないからだ。ここまで聞けば、いかに頑固者の君でも、事態が切迫していることはわかるんじゃないか」

管理官の低い声が室内に響き渡った。それは同時に新田の胸中も揺さぶっていた。たしかにこれは、ただならぬ事態なのかもしれない。今までは、どれか一つの事件に関して重要な手がかりが得られれば、芋づる式に解決していくものだと思い込んでいた。だがそんなことは全く期待できなくなったのだ。

「おまえは品川での事件を根拠に、犯人は男だと推理していたな」稲垣がいった。「たしかに男だった。だけどｘ４は女かもしれない。またおまえは、犯行の質から考えて、犯人はストーカーの類ではないだろうともいっていた。だがｘ４はストーカーかもしれん。何も断定はできないんだ」

そういうことか、と新田は合点した。安野絵里子や栗原健治のことを報告した時、彼自身は事件とは無関係だろうと思ったのだが、上司たちは過敏に反応してきた。あの時点ですでに彼等は、どういう人間が犯人であってもおかしくない、と考えていたのだ。

徐《おもむろ》に尾崎が立ち上がり、全員を見渡した。

「第三の事件については、引き続き捜査を行う。第一、第二の事件に関しても、裏づけ捜査は必要だ。しかし、今後我々が最優先しなければならないのは、何が何でも第四の犯行は阻止するってことだ。今後、手の空いている者は全員、このホテルでの張り込みに回ってもらう。みんな、そのつもりでいてくれ」

はい、と気合いのこもった返事が響いた。

その後、いくつかの細かい指示が稲垣から出され、散会となった。だが新田が立ち上がろうとした時、ちょっと、と稲垣から呼ばれた。

「今の話、ホテルの人間には秘密だ。話すんじゃないぞ」

「もちろん、余計なことを話す気はありません。でも、ほかの事件との繋がりがなくなったことは伝えたほうがいいんじゃないですか。警備についてはホテル側の協力が必要なわけだし」

だが稲垣は険しい顔でかぶりを振った。

「だめだ。ホテル側には絶対に教えてはならない。警備は、俺たちの手で万全にやる」

「そうはいっても、ホテルのことを一番よくわかっているのはホテルマンですよ」

「そのホテルマンの中にｘ４がいるかもしれないとは考えないのか」

稲垣の言葉に、新田は思わず背筋を伸ばした。

「内部犯行だと？」

「その可能性は低くない。野口や手嶋らもそうだが、今回の犯人たちは、事件発覚後に自分が疑われることを予想して、こんな面倒臭い計画を立てたんだ。つまりｘ４も疑われやすい立場の人間である公算が大きい。たとえば真夜中に宿泊客が殺されたとしたらどうだ。マスターキーを自由に使える人間たちが真っ先に疑われるんじゃないか」

この意見には新田も異を唱えられない。同じようなことを考え、山岸尚美に協力を頼んだことがある。もっとも、彼女を激怒させただけだったが。

「係長のおっしゃっていることはわかります。でもすでに多くの従業員が、このホテルに警察の捜査が及んでいることを知っています。その中にｘ４がいるのだとしたら、もはや犯行を断念しているのではないでしょうか」

「それはわからんぞ。数字の謎は解かれても、犯人が別々だということまではばれてないと思っているかもしれない。油断は大敵だ」

「ではせめて、潜入捜査に協力してくれている人たちだけにでも教えてはどうですか。たとえば総支配人とか山岸さんとか……」

稲垣は新田のほうに顔を寄せてきた。

「おまえさあ、なぜ手嶋や井上だけでなく、野口にさえも逮捕状が出てないと思う？　自供もしてるし、本来なら逮捕できるケースだ。二十四時間見張りを付けるぐらいなら、留置場に放り込んだほうが早い。それでもまだ逮捕はしない。なぜだかわかるか」

わからないので新田は黙っていた。稲垣はさらに声を低くして続けた。

「逮捕したらマスコミに公表しなきゃいかんだろう。そうしたらどうなる？　手嶋や三番目の事件の犯人についてはどうでもいい。こいつらはもう殺しを実行しているからな。問題はｘ４だ。野口が逮捕されたと知れば、計画が破綻したと気づいて、このホテルでの犯行を中止するだろう」

新田は瞬きして上司を見返した。

「ｘ４をこのホテルにおびきよせるため、ほかの犯人を逮捕しないと？」

「そういうことだ。管理官がおっしゃったように、ｘ４に関する手がかりは何もない。当然だ。まだ何もしてないんだからな。このまま中止されたら、俺たちは永久にｘ４には辿り着けない。いや仮にｘ４が名乗り出たとしても、起訴できるかどうかはわからない。野口らとのメールのやりとりは単なる悪戯のつもりだった、とでもいわれれば、どうしようもない。しかしそれじゃまずいんだよ。今回の事件の首謀者はｘ４だ。そいつが変なふうにそそのかさなければ、野口や手嶋らだって、犯行には及ばなかったかもしれない。被害者は出なかったかもしれないんだ。俺たちは、何としてでもｘ４を捕まえて、刑務所にぶちこまねばならん。そのためには、単なる悪戯なんかではなく、ｘ４にも殺人の意思があったってことを証明する必要がある」

ｘ４については殺人未遂か殺人予備罪で捕まえ、起訴する――上司たちはそんなふうにイメージしているらしい。

そうか、と新田は呟いた。

「ホテル側が真相を知れば、それをマスコミに公表するおそれがある。そう考えておられるわけですね」

「俺がホテルの責任者なら、迷わず公表する」稲垣はいった。「そうすれば、四番目の犯人はこのホテル内での殺人を断念してくれるだろうからな。そいつが捕まろうと捕まらなかろうと一向に構わない。ホテルには関係ない。ふつう誰でもそう考える」

「つまり、ホテル側を騙すと……」

「騙すんじゃない。何度もいってるだろ。余計なことを教えないだけだ」

「いいんですか。もし何かあったら、大問題になりますよ」

「後で文句をいわれるぐらいのことはあるだろう。だけど問題にはならない。事件は未然に防がれるからだ」稲垣は新田の肩に手を置いた。「そうだろ？」

「もちろん、そうあるべきだと思いますが……」

「だったら、いいじゃないか。おまえさん、あのホテルウーマンと意気投合しているらしいが、彼女のためにも黙ってるんだ。余計なことを知れば、責任の重さに苦しむことになるからな」

皮肉めいた笑みを浮かべてから立ち去る係長を見送り、そういうことか、と新田は合点した。

上司たちが本当のことをいわなかったのは、彼が品川の捜査に戻りたがると思ったからだけではない。彼が山岸尚美に漏らすかもしれないと疑ってもいたのだ。

ため息をついて視線をそらすと本宮と目が合った。苦笑いを浮かべ、鼻の下をこすっている。

新田は軽く睨みながら近づいた。

「本宮さんも知ってたんですね。四つの事件の犯人が別々だってこと」

「俺だって、最近知らされたばかりだよ。おまえさんから品川署での噂について訊かれて、係長に尋ねた時だ」

「このことは新田には内緒だ、ともいわれたわけですね」

「悪く思うな。品川の捜査に戻りたかったのは俺だって同じだ。毎日毎日、客のふりをして、来るかどうかもわからん相手を待っている気持ちがわかるか？　だけど俺は納得した。おまえは俺ほど物わかりがよくないと思われたんだ」本宮は新田の胸元を指差すと、じゃあお先に、といって会議室を出ていった。

いつの間にか尾崎の姿もなくなっていた。だが能勢は残っていた。悄然とした様子で座っている。

「外へ出ませんか」新田は小声でいった。

能勢は黙って頷き、腰を上げた。

会議室を後にし、ホテルの本館に向かった。能勢は少し遅れてついてくる。通用口から本館に入ったところで新田は足を止め、振り返った。

「あなたも知っていたんですね。それぞれの犯人が別々だってことを」

能勢は申し訳なさそうに身をすくませた。

「課長から、ほかの事件とは切り離して捜査をするよう指示されたって、新田さんにお話ししましたよね。あれから間もなく課長に呼ばれましてね、先程の、x1だのx2だのって話を聞きました。ただし当面は極秘だから、ほかの捜査員にも話さないようにと釘を刺されていたんです」

「それで俺にも話さなかったと？　これまで一緒にやってきた俺にさえも？」

能勢は、頭髪が薄くなった頭を下げた。

「隠しているのは心苦しかったです。でも、新田さんには今の仕事に集中してもらわなきゃならんという話には、同意せざるをえませんでした。尾崎管理官のおっしゃる通りです。今の新田さんのお仕事は、新田さんにしかできません」

「あなたにそんなことをいってもらっても、嬉しくも何ともありませんね」

「そりゃあそうでしょうけど……」

「それで？　俺に隠していたのは、それだけですか。違うでしょう？　俺とのこれまでのやりとりも、すべて上司たちに報告していたんじゃありませんか。例の電話のトリックについても」

能勢は俯いたままで黙り込んでいる。その様子を見て新田は横を向いた。「やっぱりそうか。何てことだ」

「でも、結果的に新田さんが品川の事件を解決したんだからよかったじゃないですか。さっき尾崎管理官はあんなふうにおっしゃいましたけど、きっと、新田さんの手柄だと認めておられますよ」
「俺はそんなことをいってるんじゃないんです。もう結構。もういいです」新田は片手を上げて能勢を制すると、フロントに向かって大股で歩きだした。

22

新田が身体を後ろに捻り、こっそりと生欠伸《あくび》を嚙み殺すのを見て、一体どういうことだろうと尚美は思った。今日は午前中からずっとこんな調子だ。これまで、ろくに睡眠をとらなくとも、朝早くから全身に活力を漲《みなぎ》らせて動き回っていることに対し、さすがは警視庁のやり手捜査員だと感心していた。ところが今日に関していえば、まるで覇気が感じられない。五月病にかかった新入社員のようだ。

尚美たちは、いつものようにフロントに立っていた。時刻は午後二時過ぎ。たまにアーリー・チェックインをする宿泊客はいるが、さほど忙しい時間帯ではない。

「川本君、ちょっとお願い」

若手のフロントクラークに声をかけた後、尚美は新田に近づいた。

「今、少しいいですか」

何ですか、と答えることもなく、新田は顔を向けてきた。目がどんよりと濁っている。昨夜はかなり遅かったようだ。しかも、おそらく少しアルコールを入れたのだろう。酒臭くはないが、顔が少しむくんでいる。

「お尋ねしたいことがあります。裏へ行きましょう」尚美は後ろのドアを開けた。冴えない表情のまま、新田もついてくる。

事務所に入ると、彼女は新田を見つめた。「コーヒーでもいれましょうか。濃いブラックで」

新田は不満そうに口をへの字にした。「コーヒー？　どうしてです」

「だって、まだ目が覚めてないみたいですから。それともお疲れなんでしょうか」

新田は自分の頬をぴしゃぴしゃと二度叩いた。

「ホテルマンとしては、あるまじき眠そうな顔でしたか。それはどうもすみませんね。これからは気合いを入れます」

尚美は腕組みをした。「何かあったのですか」

意外な質問だったらしく、新田の目が一瞬大きくなった。だがすぐにふて腐れたような顔になり、別に、と呟いた。高校時代の同級生に、嘘をつくとすぐ顔に出る男子がいたが、あの彼に似ていると尚美は思った。そういえば彼も正義感が強かった。

「昨夜、新田さんはおっしゃってましたよね。もしかすると事件解決の糸口が見つかったかもしれないと。あの件は、その後どうなりましたか。まだ教えていただける段階ではありませんか」

新田は険しい表情になり、大きく息を吸い込んだ。太い眉の間に皺を刻み、尚美を睨みつけてきた。

「捜査のことは一般の人には教えられません。そんなこと、当然じゃないですか」声が尖っている。

「でも昨日は、もうしばらくお待ちくださいと……」

新田は苛立ったように首を振った。

「解決して、マスコミにも公表できる段階になったら、あなたにもお話しします。しばらくお待ちくださいといったのは、そういう意味です」

「では、捜査が進展しているかどうかだけでも教えていただけませんか。新田さんは、例の数字について、私に教えてくださいましたよね。私を信用してくださっているからだと自惚れているんですけど――」

「うるさいな」

新田の言葉に、尚美はぎくりとした。乱暴な台詞だったことよりも、それを口にした彼自身が傷ついたように見えたことに驚いたのだ。

「すみません」新田は呟くようにいい、小さく頭を下げた。さらに下を向いたままで続けた。「俺たち捜査員は、ただの駒なんです。駒には、全体の動きなんか見えません。どう進展しているかなんて、駒にはわからないんです」

「新田さん……」

「持ち場に戻ります。おかげで眠気も飛びましたし」そういうと新田はドアを開け、部屋を出ていった。

宴会部ブライダル課の仁科理恵は、尚美と同期入社だ。配属された部署は違うが、仲のいい友人の一人といっていい。

その理恵から電話がかかってきたのは、午後四時を少し過ぎた頃だった。内線電話を使わず、尚美の携帯電話にかけてきた。おそらく個人的な用件なのだろうと見当をつけながら電話に出た。

「ごめんなさい。今、大丈夫？」理恵が押し殺した声で訊いてきた。

「うん、平気だけど」尚美はフロントの奥に身を寄せた。

「じつは、ちょっと相談したいことがあるの。今すぐにこちらまで来てもらえるとありがたいんだけど」

「えっ、こちらまでっていうと、ブライダルのオフィス？」

「そう。忙しい時に申し訳ないとは思うんだけど、課長と話し合った結果、あなたに相談するのが一番いいだろうってことになったの」

課長とは、無論ブライダル課の課長のことだろう。

「どうして私なの？」

「それは、こちらに来てから話す。電話で話せるようなことじゃないの。お願い」

わけがわからなかった。尚美は宴会部にいたことがなく、仕事に関して彼等から相談されることなど考えられなかった。しかしその口調から察するに、理恵たちが何らかの逼迫《ひっぱく》した事態に直面しているのはたしかなようだ。

「わかった。じゃあ、今すぐに行く」

「ありがとう。待ってる」

電話を切った後、尚美は新田に声をかけ、ブライダルコーナーに行く旨を伝えた。彼は相変わらず元気がない。用件を尋ねてくることもなく、黙って頷いた。

エスカレータを使って二階に上がり、ブライダルコーナーを覗いた。入ってすぐのところにあるカウンターで、小柄な仁科理恵が待っていた。愛嬌のある丸顔が人気だが、今日は表情が冴えない。尚美を見て、すまなさそうに頭を下げてきた。

「ごめんね、無理いって」

「それはいいけど、一体どういうこと?」

「うん、ちょっとこっちに来て」

接客用のテーブルはすべて空いていた。その一つを挟み、二人は向き合って座った。

「まず教えてほしいんだけど、例の事件って、どうなってるの?」理恵が訊いてきた。

「事件っていうと……」

「このホテルで、近々何か犯罪が起きるらしいっていう件よ。私たちには詳しいことは教えてもらえないんだけど、宿泊部の人たちは何か知ってるんでしょう? いつも山岸さんと一緒にいる男性、刑事さんだって聞いてるけど」

「ああ……」尚美は一旦俯いた後、理恵の顔を見返した。「そのこと……。でも私は刑事さんの補助をするようにいわれただけで、詳しいことを知っているわけではないの」

「だけど全然知らないってことはないでしょ。刑事さんがフロントクラークに化けるのを手伝ってるぐらいだから、多少事情は知らされているよね」

「それは、多少は……。だけど、迂闊には口外しないよういわれているし」友人に隠し事をするのは辛い。歯切れが悪くなった。

「誤解しないで。事情を教えてくれといってるわけじゃないの。何も教えてくれなくていい。そのかわり、判断してほしいの」

「判断って？」尚美は瞬きした。友人のいいたいことがよくわからなかった。

「じつはね、奥の部屋にお客様がいらっしゃるの。今度の土曜日に、うちで式と披露宴を執り行うことになってて」理恵が声をひそめていった。

「そのお客様が何か？」尚美も声を低く抑えた。

理恵が真剣な顔つきで少し身を乗り出してきた。

「一週間ぐらい前、ここにおかしな電話がかかってきたの。男性の声で、タカヤマケイコの兄だけど、式のスケジュールについて確認させてほしいっていうのよ」

「タカヤマケイコさんっていうのは……」

「新婦の名前。今、奥にいらっしゃるお客様よ」

「どうして新婦の兄が電話してくるわけ？」

「その人がいうには、サプライズを用意したいからって」

「サプライズ？」

「妹に内緒で、とびきりのゲストを用意してあるんだけど、その人の登場のタイミングを決めるのに、詳しいスケジュールが必要だ――そういったのよ」

「ふうん。なんか、怪しそうな話ね」

「私もそう思った。だって、式のスケジュールなんて、本人に訊けばいいと思うもの。理由なんて、いくらでもつけられるはずだし」

「で、あなたはどうしたの？」

「今担当者がいないので、戻ったら連絡させますといって、電話番号を訊いてみたの。それがわかれば、本当に新婦のお兄さんかどうか確認できるでしょう？　でもそうしたら相手の男性は、仕事中に電話をかけられたら困るから、こちらから改めてかけ直すといって電話を切っちゃったのよ。変でしょう」

「その後、電話は？」

理恵はかぶりを振った。「それっきり」

尚美は頷き、吐息をついた。ブライダル課では、この手のことは頻繁にあるらしい。

本来、結婚式は幸せを象徴する儀式だが、式を挙げる本人たちが幸せなだけで、誰もが心の底から祝福しているとはかぎらない。一生の伴侶として特定の異性を選んだ以上、当然ほかの人間は選ばれなかったわけだ。その中に、なぜ自分ではないのか、という不満を持つ者がいてもおかしくはない。不満程度ならいいが、それが憎しみに変わったりすれば話は厄介だ。何とかして式を台無しにしてやろうと画策し始めたりする。だからブライダル課では、相手の身元が確認できないかぎりは、式や披露宴に関する問い合わせには一切答えないきまりになっている。

「それで、私に相談というのは？」尚美は訊いた。「その程度のことなら、あなたは慣れてるでしょう？」

「たしかにね。でも話はここからなの」理恵は奥の部屋を気にする素振りを見せた後、深刻そうに眉根を寄せた。「今日、タカヤマさんがお一人でいらっしゃったので、ちょうどいいと思って、この話をしてみたの。だってほら、新郎には聞かせないほうがいいかもしれないから」

「それはそうよね」

新婦が元カレとの関係を奇麗に断ち切っていないことが原因だったりすると、話がこじれるおそれがある。理恵の判断は正しいだろう。

「そうしたら、タカヤマさんにはお兄さんなんかいなかったの。やっぱり偽者だった」

「そうなんだ。騙されなくてよかったじゃない」

しかし理恵は険しい表情で首を振った。

「それが安心している場合じゃないの。タカヤマさんが、がたがたと震え始めたのよ。目で見てわかるぐらい。私、びっくりしちゃって」

「何があったの？」

「どうしたんですかって訊いてみたら、やっぱり気のせいじゃなかったんだ、誰かにつけまわされてるっておっしゃるの。興奮しすぎてて、最初は何をおっしゃりたいのか、よくわからなかった。でも気分を落ち着かせて、いろいろと話を伺ううちに、事情がわかってきた。で、これは自分たちには手に負えないかもっていうことになったわけ」

「一体どういうこと？」

理恵は唇を舐め、じっと尚美の目を見ながらいった。

「たぶん、タカヤマさんはストーカーに狙われてるんだと思う」

えっと声を漏らし、息を呑んだ。「本当？」

理恵は、こっくりと首を縦に動かした。

「タカヤマさんは独り暮らしなんだけど、最近になって、郵便物が届かなかったり、届いたとしても誰かに一度開けられたような形跡があったりして、気味の悪い思いをしておられたそうよ。でも証拠はないし、警察に届けても相手にしてもらえなさそうだったので、どうしようかと悩んでたんだって」

尚美は思わず背筋を伸ばしていた。どうやら事態は深刻なようだ。話を聞いたかぎりでは、たしかにストーカーの仕業だとしか思えない。

「電話をかけてきたのも、そのストーカーだというわけね」

尚美の質問に、理恵は頷いた。「それしか考えられないでしょう？」

「御本人に心当たりはないわけ？　その……ストーカーになりそうな人物に」

「尋ねてみたんだけど、思い当たらないって。でも以前、本で読んだことがあるんだけど、そういうことは珍しくないそうよ。名前も知らないし、話した覚えもない男が、勝手に自分のことを好きになって、ストーカー行為を始めるってこと、結構多いんだって」

そういう話なら尚美も聞いたことがあった。

「そのストーカーがタカヤマさんの結婚式のことを知って妨害しようとしている——そういいたいわけね」

「うん。でもいつもなら、その程度のことであわてたりしない。式をキャンセルする偽電話がかかってきたり、当日になって弔電が届いたりなんてことは、しょっちゅうだもの。新郎に振られた女性が、喪服姿で現れたことだってあったし」

何でもないことのように理恵が話すのを聞き、すごい職場だな、と尚美は改めて思った。見かけの華やかさとは対照的に、裏では様々な出来事が起きているのだ。

「ただ、課長と話し合ってみて、今回はいつもと少し違うんじゃないかってことになったの。一つは、相手の正体がわからないってこと。名前や顔がわかっていれば、事前にこちらで注意しておけるでしょう？　でもそれがわからないとなると、手の打ちようがない。招待客のふりをすれば、誰でも式場や披露宴会場に近づける。場合によっては控え室にも。きちんとした服装をしていれば、周りの人たちだって変には思わないだろうし」

「そうかもしれないわね」

「それともう一つ気になったのが、今このホテルが置かれている状況。警察が警戒している件と何か関係があるんじゃないかって課長はいうわけ。最終的には宴会部長や総支配人に相談することになると思うけど、その前にあなたの意見を聞いておこうと思って」

「そういうことだったの」

尚美は、ようやく用件を理解した。だがこれだけデリケートな内容となれば、理恵の話し方が慎重になるのも無理はない。

「どう？　関係あると思う？」改めて尋ねてくる。

十秒ほど考えてから、尚美は口を開いた。

「関係があるかどうか、私にはわからない。でも個人的に意見をいわせてもらうなら、今すぐに総支配人と宴会部長に連絡すべきだと思う。私は、自分の判断で、刑事さんに話します。その必要があると思うから」

理恵が目に緊張の色を浮かべた。「関係している可能性が高いと思うわけね」

「それは私にはわからないといったでしょう。でも、もし関係していたら大変なことになる」尚美は息を整え、友人の目を見つめていった。「あなただから教えてあげる。あの刑事さんたちが捜査しているのは連続殺人事件。すでに三人が殺されている。そして近々、四人目の被害者がこのホテルで出るかもしれない——あの人たちはそう考えているの」

23

壁に貼られた紙には、百三十六人の名前がずらりと二列に並んでいた。向かって右側の列の上には渡辺家、左側の列の上には高山家と記してある。それぞれの一番上は渡辺紀之と高山佳子だ。新郎と新婦である。

稲垣がメモを片手に立ち上がった。

「両家の結婚式は、土曜日の午後四時からとなっている。ホテル内の四階にある教会で行われるが、着席できるのは約七十名。参列者がそれ以上になった場合には立ち見ということになる。現時点では、約八十人ほどが出席の意向を示しているそうだが、実際にどうなるかは当日にならないとわからない。式に参列する両家の親戚には午後三時半までに、友人知人には三時五十分までに教会の前まで来るよう案内状が出されている。挙式は約二十分で終了。その後、新郎と新婦は写真撮影に入る。披露宴会場は五階、胡蝶の間。二百人までが入れる宴会場だ。見取り図を貰ってきたから、誰か拡大コピーして壁に貼ってくれ。披露宴開始は午後五時から。受付を終えた出席者は、会場の隣にある控え室で待つことになっている」一気にしゃべり終えた後、稲垣は管理官の尾崎と十数名の捜査員が顔を並べた会議室内を見回した。「以上が、問題の結婚式と披露宴の概要だ」

本宮が手を挙げた。

「これは確認ですが、我々の捜査のことは両家には隠しておくわけですね」

「もちろんそうだ」稲垣は即答した。「今回のストーカーが、我々の追っているｘ４だという証拠は何もない。違っていた場合には、引き続きこのホテルで潜入捜査を行うことになる。我々の捜査について部外者に漏らすようなことは、絶対に許されない。したがって今回の特別警備についても、両家及び両家の関係者には極秘で行われることになる。新婦にはホテル側から、警察関係者とも相談して警備には万全を期すから安心していてほしい、とだけ伝えてもらっている」

「しかしそうなると、高山佳子さんからストーカーに関する情報を入手しにくいのではないですか。郵便物が盗まれたり、無断で開封されたりしたということですが、どういう郵便物が狙われたのか、具体的に調べる必要があると思うのですが」

「それについては手は打ってある。まずホテル側から高山さんに、すぐに地元の警察に届けるよう進言してもらった。届けが出た時点で、二名の捜査員を向かわせ、改めて高山さん本人から詳しい事情を聞き出す手筈だ。マンションに防犯カメラがついているなら、警備会社に連絡して、その映像も入手する。高山さんに接触するのは、その捜査員たちだけだ。仮に高山さんがホテルに現れたとしても、ほかの者は絶対に近寄るな」

別の若い刑事が手を挙げた。

「警察に届けが出された後なら、我々の警備について両家の関係者に隠しておく必要はないのではないですか」

稲垣が苦笑を浮かべ、尾崎のほうを向いた。それを受け、管理官は徐に口を開いた。

「警備のことを両家の人間に話したら、さぞかし感謝されるだろうねえ。本当にやってくるかどうかわからず、そもそも存在するのかどうかも不明なストーカー対策のために、警察が特別に警備をするんだからな。無事に披露宴が終わったら、きっとあちこちで吹聴してくれるぞ。で、聞いた人間はこう考える。今度、自分の周りで似たようなことがあったら、すぐに警察に届けて警備をしてもらおうって。だが実際には、そんな話にいちいち対応していられない。今回は特別なんだ。覚えておけ。庶民というのは、一度御馳走を出してもらうと、いつでも出してもらえると思い込み、出てこないと文句をいうものだ」

うまい比喩だと傍で聞いていて新田は思った。質問した若手の刑事は首をすくめた。

時計の針は、まだ午後七時にもなっていなかった。いつもなら、殆どの刑事はそれぞれの任務で出払っている時間だ。それが急遽こうして集められたのは、いうまでもなく今回のストーカー騒動が怪しいと思われたからだ。

新田自身は詳しいことを山岸尚美から聞いたが、稲垣のところへは総支配人の藤木から連絡があったようだ。稲垣が尾崎に相談し、緊急会議が開かれることになったのだった。

式場と宴会場及びその周辺の見取り図を拡大コピーしたものが壁に貼られた。稲垣はその前に立った。

「では当日の警備についてだ。最初にいっておくが、そのストーカーがｘ４であることを前提に我々は準備を進める。逆にいうと、そいつがｘ４でなかった場合には、我々は行動を起こさない。勘違いするなよ。我々の目的は、ストーカーに披露宴の妨害をさせないことじゃない。ｘ４でないのなら、そいつが式場に発煙筒を投げ込もうと、披露宴会場に素っ裸で乗り込もうと、一切手出しするな。その場合はホテルの警備部門に任せるんだ。そのことはすでにホテル側にも伝えてある」

稲垣の言葉は冷淡に聞こえるが、考えてみれば当然のことだ。ｘ４を捕まえるまで、潜入捜査のことは公表できない。

「ここで問題は」尾崎が座ったままで発言した。「一体どうやって、そのストーカーがｘ４なのかどうかを見極めるか、ということだ。そこでまず、そいつがｘ４だった場合、どのようにして犯行に及ぶかを予測する。それができれば、網を張る場所も自ずと決まってくる」そういってから、後を任せるとばかりに稲垣を見上げた。

「ストーカーがx4だった場合、これまでの流れから考えて、当然誰かを殺そうとしていることになる」稲垣が話し始めた。「ターゲットは新婦の高山佳子さんである可能性が最も高いが、新郎を狙っていることも考えられる。そこで新郎新婦が二人きり、あるいはそれぞれが一人きりになるのはいつかということを明確にしておく必要がある。すでにブライダル課のほうから資料を貰っている。新郎新婦が一人きりになる可能性があるのは、まずはそれぞれの着替えの時。大抵は、そばに係の者がついているということだが、用心しておく必要はある。後は結婚式前の控え室。個室になっているので、隙を見て侵入し、素早く殺害してから抜け出す、という犯行も不可能ではない。結婚式後、披露宴までの間は、新郎新婦は二人だけの控え室にいる。大まかにいうと以上だが、お色直しで中座した時、化粧室を使う時など、ほんの短い時間にせよ、犯行のチャンスが生じるかもしれない。あらゆる可能性を想定した上で、警備の方法を考えたい」

気合いの籠もった稲垣の話の後、各捜査員の役割分担が決められていった。基本的には従業員や招待客の中に捜査員を紛れ込ませることになるが、いずれにせよその数はあまり多くできない。何もしないホテルマンがたくさんいるのは不自然だし、ホテルの評判にかかわってしまう。だからといって招待客に扮した捜査員を増やすと、本物の招待客に気づかれ、騒がれるおそれがあった。

「式場や披露宴会場の周辺は、少数精鋭でいくしかなさそうだな」皆のやりとりを聞いた後、尾崎が結論づけるようにいった。「後は、当日までにどれだけ手がかりを摑めるかだ。ストーカーの正体が判明すれば、それが理想的なんだが」

そうですね、と稲垣も同意する。

ここで新田は手を挙げた。「発言してもいいですか」

なんだ、と訊くように尾崎と稲垣が同時に彼を見た。

「当日、俺はどこにいればいいでしょうか」

新田の質問に、稲垣は意見を伺うように尾崎を見た。

「君はフロントにいなさい」尾崎はあっさりといった。「当然だろう。君はフロントクラークなんだから」

新田は頭を振り、笑みを浮かべた。無論、本当におかしかったわけではない。馬鹿げていると思ったのだ。

「ちょっと待ってください。何人かを従業員に扮させるわけですよね。ホテルマンに化けさせるんでしょう？　だったら、すでに化けている俺を任務につかせたほうが話が早いんじゃないですか」

稲垣が苦笑を漏らしている。新田がこんなふうにいいだすことは予想していたのかもしれない。

だが尾崎は無表情のままでいった。

「君はフロントクラークだ。宿泊部の人間なんだよ。結婚式や披露宴は宴会部の仕事だ。そこに部外者がいたら、変だろう」

「そんなこと、よそから来た人間にわかるはずないじゃないですか」

「それはわからんよ。今回のストーカーがｘ４だった場合、当然何度も下見を繰り返しているはずだ。その際、フロントの前も通り、君の顔を見たかもしれない。フロントクラークが突然宴会部の仕事をしていたら、不審に思うんじゃないか」

「まさか、そこまで勘が鋭いとは――」

「鋭かったらどうするんだ？」尾崎が睨んできた。「君がいることでｘ４が犯行を断念した場合、我々は永久にｘ４を逮捕できないかもしれない。その場合、君はどうやって責任を取る？」

新田は唇を結んだ。反論の言葉は思いつかなかった。

それに、と尾崎は急に穏やかな表情になって続けた。「このストーカーがｘ４だと決まったわけじゃない。違っていた場合には、これまでと同様の潜入捜査を続ける必要があるんだ。いや、それどころか、この結婚式の間にも、本物のｘ４がフロントに来るかもしれない。君には君の仕事、君にしかできない仕事がある。どうか、そちらに気持ちを集中させてくれ」明らかに慰める口調だった。

「わかったのか、新田」稲垣が訊いてきた。

新田は小さな声で、はい、と答えた。

それから間もなく、彼は会議から解放された。結婚式当日の警備に関する話し合いは続いている。その任務に直接当たらない者は持ち場に戻れ、ということだ。

胸の内では不満が膨らんでいた。今回の潜入捜査では、誰よりも自分が貢献してきたという自負がある。短期間で訓練を受け、慣れないホテル業務に従事してきたのは、最前線で事件と対峙できるというやり甲斐があったからだ。ところがそんな気概がまるで無視されている。事件の本当の構造について、ずいぶん長い間隠されてきたと思ったら、今度はついに本命の容疑者が現れそうな局面になって、肝心の警備から外されるとはどういうことか。自分は一体何なのだ。単なる駒だと割り切るにせよ、駒には駒のプライドがある。

もやもやした思いを抱えたままでフロントに戻った。二人のフロントクラークが立っていたが、山岸尚美の姿はない。帰ったのかと思って尋ねてみると、事務棟に行ったという。

「何か調べ物をしてから帰る、というようなことをいってましたけど」若いフロントクラークが答えた。

新田は頷き、踵を返した。山岸尚美は何を調べているのだろう。気になったので、事務棟に引き返すことにした。

事務棟では階段を使わず、エレベータで三階に上がった。階段だと、まだ会議を続けている連中と顔を合わせるおそれがあるからだ。

宿泊部のオフィスに行ってみると、案の定パソコンに向かう山岸尚美の後ろ姿があった。気配を察したらしく、彼女は振り返った。笑みを浮かべ、会釈してきた。

「何を調べてるんですか」

「大したことじゃありません。素人の私にできることなど、たかが知れています。それでも、何もやらないよりはましだと思ったものですから……。新田さんは会議に行ってしまわれましたし」

「答えになってませんね」新田はパソコンの画面を覗き込んだ。そこに映し出されている物を見て、眉をひそめた。全く予想していないものだったからだ。「東京都の路線図を調べて、どうしようというんですか」

山岸尚美は微笑んだままで、手元の書類を差し出してきた。「これ、披露宴の司会者の原稿用に用意されたものなんです。本当はお見せしちゃいけないんですけど、警察ならいくらでも入手できますよね」

新田は書類を受け取り、目を走らせた。そこに記されていたのは、新婦である高山佳子の略歴だった。学歴や、所属していたサークル、就職先、さらには転職先が細かく書かれていた。

「これと路線図にどういう関係が？」新田は訊いた。

「ストーカーの行動範囲を推定できないかなと思ったんです」

「行動範囲？　どうやって？」

山岸尚美は略歴の一部を指差した。

「高山様は福島県の御出身で、大学卒業後、就職のために上京されています。その後、高円寺のマンションで独り暮らしをしながら、現在まで二つの会社にお勤めです。私は、もしそのストーカーが高山様の知らない人間だとしたら、どこに二人の接点があったのだろうかと考えました。もちろん出会う可能性のある場所など無数にあるでしょうけど、相手の男性がストーカーになってしまったということは、かなり高い頻度で会っていたのではないかと思うんです。何度も会っているのに、一方の女性は気づかないでいる。それは一体どういう場所だと思いますか」

彼女のいいたいことが新田にもわかってきた。なるほど、と合点した。

「通勤コースのどこか……通勤電車の中とか、ですか」

山岸尚美は、我が意を得たりとばかりに、ぐいと顎を引いた。

「高山様が現在お勤めの会社は池袋にあり、以前の会社は四ツ谷でした。これは御本人に確かめなければ何ともいえませんけど、おそらくずっと中央線を使っておられるのではないかと思います。以前は直通で四ツ谷まで行っておられて、今は新宿で山手線に乗り換えて、池袋に通っておられるのではないでしょうか」

「中央線の乗客の中にストーカーがいると？」

「いえ、それならもっと以前から何らかの被害が出ていたと思うんです。高山様が今の会社に移られたのは約一年前です。それによって通勤コースが微妙に変わった結果、後にストーカーになる人物と出会うことになったんじゃないかと思うんですけど」

「するとつまり」新田は路線図を見ていった。「新宿で山手線に乗り換えて池袋に向かう途中というわけだ」

「あくまでも素人の推理です。でも可能性は高いんじゃないかと思います。ほかの事件現場とも、バランスがいいですし」

「バランス？」新田は山岸尚美の顔を見つめた。「何ですか、バランスって？」

するとと彼女はやや躊躇いながらキーボードを操作した。次に画面に現れたのは東京都の地図だった。

「最初の事件が起きた場所は品川でしたよね。で、次の事件は千住新橋で、三番目の事件は葛西ジャンクション付近で起きました。私、この配置に何か意味はないのだろうかと考えたんです。それであれこれやっているうちに、すごいことを発見したんです」

「何ですか」

山岸尚美は机の上から三十センチの定規を取り、それを画面上の地図に押し当てた。

「見てください。千住新橋と品川を一本の線で繋ぐと、そのほぼ中間に、このホテルがあるんです」

新田は目を見張り、画面に顔を近づけた。そんなことは、これまで誰も気づかなかった。あるいは彼女がいうように、大きな発見なのか。

だがやがて新田は失望した。定規の当て方が正確でないと気づいたからだ。ちょっと失礼、といって彼は自分で定規を当ててみることにした。

「事件現場の地図は、穴が開くほど見ましたから、かなり正確に覚えています。厳密に定規を当てるなら、こうなります。両地点の中間地点は、東京駅のあたりです」

「東京駅なら、このホテルの近くといっていいんじゃないでしょうか」山岸尚美は、ややむきになっているようだった。

「わかりました。とりあえずあなたの考えを聞かせてください」

彼女は頷き、再び自分で定規を画面に当てた。

「三番目の事件の葛西ジャンクション付近と、このホテルの場所とを繋ぎます。で、そのまま同じ程度の距離まで延長させると、新宿西口あたりということになります」

新田は、思わず口をあんぐりと開けていた。

「それで、ストーカーが高山佳子さんと出会った場所は新宿付近ではないか、というわけですか。なるほど。たしかに場所のバランスはいい」

「出会った場所と事件現場が、ほぼ十字の形に並ぶんです。どうです。すごい発見だと思いません？」山岸尚美は目を輝かせた。

新田はズボンのポケットに手を突っ込み、肩をすくめた。「いや、申し訳ないけど、そんなふうには思えないな」

「どうしてですか。単なる偶然だとでもいうんですか」

ええ、と彼は頷いた。「単なる偶然にすぎません」

山岸尚美は納得できない顔で画面を見つめた。「そうでしょうか」

「仮にそのストーカーが高山佳子さんの命を狙っていたとします。でもその現場としてこのホテルを選ぶのは、高山さんがここで結婚式を挙げようとしているからです。そしてここで式を挙げることを決めたのは高山さんと新郎の渡辺紀之さんです。ストーカーがこの場所を選んだわけじゃない」

「でも――」

「もう、やめましょうよ」新田は彼女の言葉を遮り、顔の前で手を振った。「どうしてですか。

なぜあなたが捜査に首を突っ込むんです。あなたは俺のフォローだけをしてくれればいいといったじゃないですか。ホテルのためを考えているのはわかるけど、捜査については俺たちプロに任せてください」

呆然としたように、山岸尚美の視線が宙を彷徨った。だがすぐに瞬きを繰り返すと、胸を上下させてから新田を見た。

「ホテルのためだと思ってやっているのはたしかです。でも、少しでも新田さんのお役に立てればとも思って……」

意表をつく台詞だった。新田は狼狽した。「どうして……」

「だって今朝からずっと様子がおかしいから、たぶん捜査がうまく進んでいないのだろうなと思ったんです。それで高山様の話を同僚から聞いた時も、真っ先にお話ししました。ほかにも自分に何かできることがないかなと思っているうちに、今のようなことを考え始めて……」

「この刑事だけに任せていては埒があかないから、自分が手がかりを授けてやろうってことですか」

「いえ、決してそんなわけじゃあ……」

「とにかく、あなたがこういう残業をする必要はありません。どうか、早くお帰りになってください。お願いします」そういって頭を下げ、新田は山岸尚美に背中を見せた。大股で歩きながら、どいつもこいつも馬鹿にしやがって、と腹の中で毒づいていた。しかしその一方で、自分自身に腹を立てている気持ちもあった。

24

能勢のずんぐりとした姿がロビーに現れたのは、午前十一時を少し過ぎた頃だった。チェックアウト時刻は過ぎ、フロントにやってくる客は少なくなっていた。

能勢は新田に向かって小さく会釈すると、壁際のソファまで移動し、背広の内側から携帯電話を取り出した。ボタンを操作してから耳に当てている。間もなく、新田の上着の内側で携帯電話が震えた。

能勢からの着信であることを確認し、電話に出た。「はい」

「私です。能勢です」そういって彼は空いているほうの手を振った。顔には愛想笑いが浮かんでいる。

「わかっています。見えていますから」わざと冷淡な口調でいった。

「少し、お話しできませんか？　いろいろと相談したいことがありまして」

「言い訳なら、この前聞きました。もういいといったはずです」

「そうじゃありません。相談だといったでしょう。十五分、いや十分で結構です」

新田は電話でも聞こえるよう、勢いよくため息をついた。

「俺に相談してどうするんですか。それをまた上に報告するわけですか」

「違います。そんなことはしません」

「いいんですよ、報告したって。だってそれが部下の務めでしょう。問題は、報告しないなんていう嘘をつくことです」

「それについては本当に心苦しく思っております。謝り方が足りないということなら、土下座でも何でもします。今すぐにここでやりましょうか」能勢は新田のほうを真っ直ぐに見たまま、ソファの上で尻をずらし始めた。ほうっておいたら、本当にやりそうだ。

「やめてください。そんなことをいってるんじゃありません」

「だったら信じてください。今後はもう嘘をついたりしません。その上で、いってるんです。相談したいことがあります。上司たちには内緒の話です」能勢には北関東を思わせる訛りが少しあり、おまけに滑舌が悪い。そんな彼が嚙んで含めるようにゆっくりと話しかけてくると、なぜか誠実そうに聞こえてくる。

お願いします、と能勢はいった。ソファに座ったまま、頭を下げている。

新田は再びため息をついた。

「わかりました。二階のブライダルコーナーに来てください。前に電話のトリックについてお話ししたところです」

「了解です。ありがとうございます」電話を切った後、能勢は嬉しそうな顔を作り、また頭を下げた。

携帯電話を内ポケットに戻す際、視線を感じた。横を見ると山岸尚美が疑わしそうな顔をして立っていた。

「あの方と何を?」そういって彼女は遠くに目を向けた。その先では能勢が移動を始めている。

「新田さん、ずいぶんと語気を強めておられましたけど」

「すみません。仕事の邪魔になりましたか」

「そんなことはありませんけど……あの方は、お仲間なんでしょう?」

「そうです。これから少し打ち合わせをしてきます。ここをよろしく」

「あ、はい」

山岸尚美の視線を感じながら新田はフロントを離れた。昨夜のやりとりが蘇り、ばつの悪い気持ちになる。彼女は新田のことを本気で心配し、自分にできることは何かと懸命に考えたに違いない。これまでに起きた三つの事件現場と、このホテルの位置関係に着目した説は的外れではあるが、こじつけにせよ四つの事件を結びつけた推理力は見事といえる。

だがそんな彼女に感謝や労《ねぎら》いの言葉をかけてやらず、ただ冷たくあしらってしまった。おかげであの後もずっと後味が悪く、仮眠室でもよく眠れなかった。

今朝は顔を合わせにくかったが、山岸尚美のほうから笑顔で挨拶をしてくれた。まるで何も気にしていないように見えた。無論、内心は穏やかではないはずだ。

機会があれば昨夜のことは謝ろう、とエスカレータで二階に向かいながら新田は思った。

ブライダルコーナーに行くと、手前の席で能勢がちょこんと座っていた。ほかに人はいない。オフィスのドアを見て、仁科理恵は中にいるのだろうかと考えた。その名前は山岸尚美から教わった。例の結婚式を担当している女性だ。

新田が向かい側に座ると能勢は首をすくめて見せた。「忙しいところをすみません」

「別に忙しくはありません。本職の仕事のほうは、という意味ですが。それより、話というのは何ですか」

「いや、その前にまず――」能勢はテーブルに両手をつき、薄毛の頭を下げた。「本当に申し訳ありませんでした。改めて、お詫びいたします」

新田はうんざりした。一体何度頭を下げれば気が済むのか。

「もういいですよ。しつこい人だな」

能勢は手をついたまま、顔だけを向けてきた。新田を見上げ、情けない表情を作った。

「いやあ、本当に悪かったなあと思ってるんです。上司の命令には逆らえないし」

「わかってますよ。だからもういいと何度もいってるでしょ」

能勢がようやく身体を起こした。

「しかしこのままでは、やっぱり私の気が済まんのです。何とか新田さんの力になれないものかと昨日からずっと考えておるわけです」

「俺の力になるって、どういう意味ですか」

「言葉通りに受け取っていただいて結構です。新田さん、何か調べたいことがあるなら私にいってください。どんなことでもお手伝いします。手嶋のアリバイを見破ったように、x4とかいう奴の正体も二人で突き止めましょうよ」

新田は能勢の丸い顔を睨んだ。

「それ、本気でいってるんですか」

「もちろん本気です。いうまでもないと思いますが、今度こそ上司にも話しません。それは約束します」

新田は口元を曲げ、小さくかぶりを振った。「相談したいことって、それですか」

「そうです、何とか新田さんに手柄を立ててほしいんですよ」

「だったら、もう帰ってください。俺は持ち場に戻ります」新田は立ち上がった。

能勢も腰を浮かせた。「新田さん……」

「あなたは知らないだろうけど、ここの現地対策本部ではｘ４に関する重大な手がかりを摑んでいて、現在多くの捜査員が準備中なんです」

能勢の細い目が少しだけ開いた。「本当ですか。どこからそんな手がかりが……」

「ここです」新田は下を指差した。「ブライダルコーナーからです」

意味がよくわからないのか、能勢は床を見つめ、瞬きした。

新田は、ふっと唇を緩めた。

「ところが、ほかの連中はそんなふうに盛り上がっているというのに、俺は蚊帳の外なんです。これまで通り、フロントに立って客の相手をしていろっていわれました。いずれｘ４は捕まるかもしれませんが、手柄を立てるのは俺以外の誰かです」

「しかし、その手がかりが当たりかどうかはわからないんじゃないですか。それが必ずｘ４だという確証でもあるんですか」

「それはないけど……」

「だったら、我々はほかの方向から攻めましょうよ。必ずどこかに突破口があるはずです」

「もう結構です。やめましょう」新田は手を振り、出口に向かって歩きだした。

「待ってください」ブライダルコーナーを出たところで能勢が追いついてきた。新田の前に立った。「品川の事件について、御報告したいことがあります。この件については新田さんも担当しておられたわけですから、無視できないはずです」

新田はげんなりし、顔をそむけた。「一体何ですか」

「x1が使っていたインターネットカフェを、手嶋が何度か利用していたという証言が得られました。埼玉にある店です。店員が顔を覚えていたんです」

「それはよかったじゃないですか。一歩前進だ」

興味のない話だった。品川の事件など、新田にとっては終わった話だ。おそらく尾崎や稲垣たちにとっても同様だろう。

新田は歩きだそうとしたが、能勢が前に立ち塞がった。

「御存じの通り、x1だけでなくx3やx4もインターネットカフェを利用していました。自宅のパソコンを使っていたのはx2、つまり野口靖彦だけです」

「それが何か？」

「すべての計画を練ったのは、いいだしっぺのx4です。x4は自分ではインターネットカフェを利用しておきながら、なぜx2にもそうするよう指示しなかったのでしょうか。だって仲間の中に一人でもメール記録を残している人間がいたら、この計画は破綻します」

「いうまでもないことだと思ったんじゃないですか」

「そうでしょうか。x4は、かなり頭の切れる人間だと思います。おまけに慎重だ。いうまでもないことでも、まず最初に確認するんじゃないでしょうか」

新田は返答に詰まった。能勢のいっていることには説得力があった。

「x4はx2が自宅のパソコンを使っていることを知っていて、わざとそれをやめるよう指示しなかったとでも？」

能勢は珍しく険しい表情になって頷いた。

「そうじゃないかと私は思うんです」

「何のために？　どうしてわざわざそんな危険なことをするんですか」

「そこですよ。なぜそんなことをしたのか。私には理由がわかりませんが、そうしたほうが、x4にとって何か都合がいいことがあるのではないでしょうか」

新田は眉根を寄せ、床に視線を落とした。突飛な考えだと思った。しかしこうした逆転の発想がパズルを解く鍵に繋がるのはたしかだ。

「いかがですか」能勢が顔を覗き込んできた。「新田さんの脳細胞が刺激されたんじゃないですか」

新田は、ふんと鼻を鳴らした。「おかしな言い方をしないでください」

「でも、興味を持ち、早くも推理を始めておられる。そういう顔だ」

「そんなことはありません。面白い考えだとは思いましたけど」

能勢は、目を糸のように細め、にっこりと笑った。

「それならよかった。どうですか、新田さん。この問題に、我々だけで取り組んでみませんか。特捜本部の誰も、こんなことは考えちゃいません。自由にやれます」

「取り組むといっても、何をすればいいのか……」

「考えるんですよ。新田さんの、その素晴らしい頭脳で。あなたなら、きっと答えを見つけられるはずだ」

つまらないお世辞を、と新田は吐き捨てようとした。だが能勢の顔を見て、その台詞を呑み込んだ。彼の口元は笑っていたが、細い目には真剣な光が宿っていた。

「では、私はこれで」新田が沈黙したことで自分の目的は果たせたと思ったか、能勢は丁寧に一礼した後、エスカレータに向かった。

その後ろ姿を見送りながら、無駄だよ、と新田は口の中で呟いた。面白い着想だとは思うが、こんな細かいことに拘っていたって、犯人逮捕には到底結びつかない。仮に何かを摑めたにしても、その頃には尾崎らが指揮を執る、人海戦術を駆使した捜査が実を結んでいることだろう。

小さく首を振り、新田は歩きだした。するとエスカレータで一人の女性が上がってきた。ホテルの制服を着ている。彼女は新田の顔を見ると、表情を強張らせて立ち止まった。

新田は彼女の胸元を見て、はっとした。名札には『仁科』とあった。

「あなたが仁科理恵さんですか」

彼女は頷いた。「山岸さんから話を?」

どうやら新田が警察官だということを知っているらしい。

「聞きました。現在、対策を講じているところです」

「よかった……。どうか、よろしくお願いいたします。後ほど高山様にも、ホテルとしてできるだけの用心はしますとお話しするつもりです」

「後ほど? 今日、高山さんはこちらに来られるのですか」

「ええ。最終的な確認作業がございまして」

「何時頃ですか」

新田が勢い込んで訊いたので、仁科理恵は当惑顔で後ずさりした。「お約束している時刻は二時ですけど……」

「二時ですね。わかりました」

新田は頷き、現在時刻を確認してから、改めてエスカレータに向かって歩きだした。

25

エスカレータで一階に下りてきた小太りの中年男は、そのままロビーを横切り、地下へと続く階段に向かった。新田の姿はない。それを見て尚美はフロントを出た。中年男の後を足早に追う。

男はのんびりとした足取りで階段を下りていた。その背中に声をかけた。「お客様」

男の足が止まった。尚美のほうを振り返り、おっというような顔をした。

あなたは、といってから男は声をひそめ、「新田さんと一緒にいる人ですね」と続けた。

尚美は頷き、名刺を出した。「山岸と申します」

男は慌てた様子で懐を探ったが、「しまった。名刺をきらしてたんだ」と渋い顔をした。

「結構です。新田さんから、どういう方かは伺っております」

「そうでしたか。ええと、ヤマギシさんとお読みするんですね」名刺を見ながらいった後、彼は能勢と名乗った。品川警察署刑事課の所属だという。「で、私に何の御用でしょうか」

「じつは、新田さんのことでお尋ねしたいことがあるんです。今、少しだけよろしいでしょうか」

「ははあ……」能勢は戸惑いを示したが、すぐに人の良さそうな笑みを浮かべた。「構いませんよ。ただ、私にお答えできるかどうかはわかりませんが」

「それでも結構です。ありがとうございます」階段の途中で立ち止まったまま、尚美は頭を下げた。

地下のメインバーは準備中だったが、尚美は構わず能勢を中へ案内した。入ってすぐのところに待合い用のスペースがあるからだ。

「ホテルのバーなんか入ったことないなあ」能勢が物珍しそうに壁の飾りなどを見ている。

「バーは、この奥なんですよ」

「あ、そうなんですか。へええ、高いんでしょうなあ」能勢は奥の暗がりを覗いている。

「あのう、能勢さん……」

「あ、はいはい」能勢はぴんと背筋を伸ばし、膝の上に手を置いた。「何でしょうか」

尚美は息を整えてから切りだした。

「私が口出しすることではないのかもしれませんが、新田さんに何かあったのでしょうか」

「えっ……」能勢は虚を衝かれたように動揺の色を浮かべた。「どうしてですか」

「このところ、様子がおかしいからです。具体的にいいますと、昨日の朝からです。ちっとも仕事に集中していないし、常に何かに苛々しているように見えます。一昨日の夜、何かあったんでしょうか」

ああ、と能勢は口を丸く開けた。「そうでしたか。ははあ、いやいや、そういうことになってましたか」

「やっぱり何かあったんですね。捜査がうまくいってないんでしょうか」

能勢は顔をしかめて短い腕を組み、うーん、と唸った。

「別に悪いことがあったわけではないんです。捜査自体は進展しております。ただですね、新田さんの望む形では進展していないというか、新田さんの知らないところで進展しているといいますか……」やけに歯切れが悪くなった。

「どういうことですか。進展しているのならいいじゃないですか」

「まあ、ふつうはそうなんですけどね。新田さんの場合、わざわざホテルマンに化けて潜入捜査をしているわけですから、もうちょっと手柄に絡みたいと思ってしまうんでしょうなあ。その気持ちはよくわかります」

「要するにこういうことですか。捜査は進んでいるけれど、それは新田さんがホテルマンに扮していることとは関係がない。今のままでは事件が解決したところであの方の手柄にはならない。それが面白くなくて拗ねている」

「いや、拗ねているわけではなく、不本意に感じておられるというか、疑問を抱いておられるというか……」

「なんだそれ。あきれた。馬鹿じゃないの」思わず口走った。

尚美がこんな言葉遣いをするとは思わなかったのか、能勢はぎょっとしたように細い目を見開いた。その顔を見返して、彼女は続けた。

「そんなつまらないことが原因だったんですか。心配して損しちゃった。ありがとうございます。よくわかりました」一気にまくしたてて、腰を浮かせた。

「ああいや、ちょっと待ってください」彼女が立ち上がるのを制するように、能勢が両手を出してきた。「もう少し聞いてください。私の話を聞いてください」

尚美は腰を下ろした。「何でしょうか」

能勢は髪の薄い頭を撫で、穏やかな笑みを浮かべた。

「新田さんは優秀な方です。あの若さで捜査一課の刑事になり、しかも重責を任されているんですから、これまでかなり際立った成果を上げてこられたということでしょう。少しばかりプライドが高くなるのは当然です」

「そうかもしれませんけど……」

「まあ、聞いてください。ただしそのプライドが、あの方の欠点であることも事実です。せっかくの優れた能力が、それによって生かされきれていない。そういう場合は、周りの人間のサポートが必要です。上司だとか同僚だとかのね。ところが現在そうした人々はそれぞれの仕事に手一杯で、そんなことを気にしている余裕なんてありません」

「それはそうだと思います。何を甘えたことをいってるんだって感じですよね」

ですから、と能勢はいった。

「あなたにその役目をお願いしたいのですよ」

「私が？」尚美は思わず眉をひそめていた。「どうして私なんですか」

「だってあなたは今、新田さんの同僚であり上司のようなものでしょう？　部下や同僚の心のケアだって、仕事の一つではありませんか」

尚美は苦笑して首を振った。

「私は上司から命じられたので警察の手伝いをしているだけです。新田さんという個人に関わる気はありません」

「そうですか。だったらなぜ、新田さんのことを心配したんですか」

「それは……」うまい答えが見つからず、尚美は返答に窮した。たしかにそうだ。なぜ自分は彼のことを心配してしまったのだろう。

山岸さん、と能勢が呼びかけてきた。

「あなたもまた優秀な方なのだろうと思います。だからこそ、短い期間の付き合いにも拘らず、新田さんの心境の変化に気づいた。気づいただけでなく、何とかしたいとお考えになったわけだ。どうかその義務感のままに行動してください」そういって頭を下げた。

尚美は風采の上がらない中年男を見つめた。「能勢さんって、いい人なんですね」

彼は顔を上げ、焦ったように手を振った。「いやいや、それほどじゃありません」

「でもふつう、そこまで人のことを心配しないものですよ。新田さんとは付き合いが長いわけでもないんでしょう？」

「今回の事件で、初めて会いました」

「それなのに、どうしてそんなに……」

能勢は、はははと照れ臭そうに笑った。

「根本的にお節介なんでしょうなあ。伸びるべき人間がつまらないことで行き詰まってるのを見ると、放っておけない性格なんです。それにあの人には、手を差し伸べたくなるような不思議な魅力がある。そうは思いませんか？」

同感だった。尚美は微笑んで頷いた。

「でも私なんかのサポートを、新田さんはありがたがらないと思います。ホテル業務のフォローだけしてくれればいいと昨夜もいわれました」

さもありなん、とばかりに能勢は大きく首を縦に振った。

「そういうところを直してやりたいのですよ。人の情がわかるようになれば、あの人はもっと素晴らしい刑事になります。あなたには迷惑な話かもしれないが、これも何かの縁と割り切って、どうか優しく見守ってやってください」

「私が優しく見守れば、あの方は変わるんでしょうか」

「変わります。いや、すでに変わりつつある」能勢はいいきった。「プライドの高さゆえに見えていないものも多いが、あの人には物事の裏を見抜く力があります。彼を心配するあなたの気持ちに気づかないなんてことはありません。プライドの高さは相当なものですが、それと同じくらいに頭がいいんですから」

それもまた同感だった。そうかもしれませんね、と尚美は答えた。

26

一人の若い女性がエスカレータで二階に上がるのを見て、新田は時刻を確認した。間もなく二時になろうとしている。平日のこんな時間に二階に用のある人間はかぎられている。おそらく高山佳子だろう。

新田はフロントを出ようとした。だがその時、「どちらに?」と後ろから声をかけられた。山岸尚美の声だ。

「何でもありません。個人的な用です」彼女の顔を見ずにいい、フロントを出た。

エスカレータを使うわけにはいかなかった。ロビーには相変わらず何人かの捜査員が潜入している。彼等も高山佳子の姿を見ているはずだ。彼女の後を追うように新田がエスカレータに乗ったのを見れば、必ず稲垣たちに報告するだろう。

彼は従業員用の階段を使い、二階に上がった。使用されていない宴会場を通り抜け、廊下に出た。この時間帯、宴会場の周辺に人気はない。

大股で歩き、ブライダルコーナーに近づいた。外から見たところ、接客用のテーブルはすべて空いていた。どうやら高山佳子は奥の個室に案内されているらしい。ストーカーにつきまとわれているおそれがあるのだから当然か。

新田はブライダルコーナーに足を踏み入れた。迷わず奥まで進む。個室は二つあり、一方はドアが開いたままになっていて無人だった。もう一つの部屋からは、人の話し声が聞こえてくる。

深呼吸をし、ドアをノックしようと拳を振り上げた。だがその瞬間、新田は強い力で襟首を引っ張られた。不意のことで、もう少しで転倒するところだった。体勢を立て直して振り返ると、本宮が険しい形相で睨んでいた。さらには新田のネクタイを摑み、引っ張りながら歩きだした。声を出す余裕もなかった。ブライダルコーナーを出て、廊下の角を曲がったところでようやく解放された。

ネクタイを緩め、空咳を繰り返してから新田は先輩刑事を見た。

「本宮さん、なんでここにいるんです」

「そんなことは決まってるだろ。ストーカーに狙われてるかもしれない女性が来るんだ。常に誰かが見張ってるのが当然じゃねえか。柱の陰から見てたら、てめえが入っていくんで驚いたぜ。

「一体、何の真似だ」

新田はネクタイを締め直し、本宮を正面から見返した。

「高山さんから話を聞こうとしたんです。いけませんか」

本宮の眉間の皺が深くなった。

「昨日の係長の話を聞いてなかったのか。被害届を受けて、今朝すでに捜査員が高山さんのところへ話を聞きに行った。その捜査員以外は、誰も高山さんには近寄るなっていわれただろうが」

「その話なら俺も聞きました。だけどそれは、ほかの刑事が接触したら高山さんサイドに不審がられるからでしょう？　だから俺は自分が刑事だってことを隠します。ホテルマンとして話を聞くのなら、何も問題はないはずです」

本宮は苛立った顔つきで激しく首を横に振った。

「何度注意されたらわかるんだ。おまえはフロントにいて、宿泊部門で何かおかしなことが起きないかを見張ってりゃいいんだ。それがおまえの仕事だ」

「その仕事だって、しっかりやっているつもりです。それに高山さんを狙っているストーカーが、今後このホテルに泊まらないともかぎらないでしょ？　それを考えると、十分な情報を仕入れておく必要があります」

「そんなことはおまえにいわれなくてもわかっている。担当の捜査員は、そういった情報も漏らさず入手してくるはずだ」

「いや、俺は又聞きじゃなくて、自分で直接話を聞いておきたいんです」

「ふざけるな。てめえがこの世で一番優秀な刑事だとでも思ってるのか。半人前のくせしやがって」

この台詞にはかちんときた。「俺のどこが半人前ですか」

「一人前だというなら、さっさと持ち場に戻れ。本来の仕事をやってないのは事実だろうが」本宮はエスカレータを指差した。

新田は先輩刑事と数秒間睨み合った後、結局自分から目をそらした。吐息と共に小さく頷き、エスカレータに向かって歩きだした。

今回、どうやら自分にツキはなさそうだと思った。考えてみれば、最初にホテルマンに化けろといわれた時から、そのことは決まっていたのかもしれない。こんなことをしていれば、本来の捜査から取り残されるのは当然なのだ。

貧乏くじを引かされたという思いを抱きながらフロントに戻った。すぐに山岸尚美が近づいてきた。「個人的な用は済みましたか」

「ええ、まあ」前を向いたままで鼻の横を掻いた。

「だったら、少しお時間をいただけません？　お話ししておきたいことがあるんです」

ここで初めて新田は山岸尚美の顔を見た。「何ですか」

彼女は唇に笑みを浮かべ、「裏に行きましょう」といった。

事務所に行くと彼女は、数枚の書類を綴じたものを出してきた。そこには人名や会社名、そしてそれぞれの住所がびっしりと印刷されている。

「何ですか、これは」新田は訊いた。

「五年前にうちで開かれたパーティについて、以前お訊きになったことがあったでしょう？　自動車部品メーカーが主催したものです。宴会部の知り合いに、何でもいいからその時の記録みたいなものはないかって相談しておいたら、たった今、これを持ってきてくれたんです。パーティの招待状のリストです」

新田は顔を上げ、口を開こうとした。だがそれを制するように、彼女は手を出した。

「余計なことをするな、とはいわないでくださいね。だって、パーティのことは新田さんのほうから尋ねてこられたんですから」

機先を制され、新田はため息をついてリストに目を戻した。

「それに、このリストは捜査に役立つんではないでしょうか」彼女はいった。

「どうしてですか」

「だって、ほら、ここに」彼女は二枚目の中程にある名前を指した。「野口靖彦さんという名前がありますよね。この方って、二番目に殺された女性の旦那さんだと思うんです。新聞に、野口靖彦さんの妻史子さんって書いてありましたし、この住所は現場に近いし」

 やや興奮気味に話すのを聞き、新田は虚しくなるのを感じた。

「どうですか？」山岸尚美が上目遣いをした。「これって、すごい発見かもと思ったんですけど」

新田はゆらゆらと頭を振り、リストを机に置いた。

「いらないんですか？」彼女の声には驚きと失望の響きがあった。「私はかなり貴重な資料だと思ったんですけど。だってこの人、間違いなく第二の被害者の――」

「そんなことはわかってますよ」新田は吐き捨てた。「野口がこのパーティに出席してたことなんて、とうの昔に摑んでいます。だからこそ、このパーティのことを訊いたんです。こんなリストだって、早々に入手しています。警察を舐めないでください」

「そんな、舐めるだなんて……。そうだったんですか。それなら、こんなものは不要ですね。後でシュレッダーにかけておかなくちゃ」山岸尚美は書類を手にした。「じゃあ、このパーティの日に宿泊部でどんなことがあったか、何とか調べてみます。前に新田さんから訊かれた時には、特に印象に残っていることはないって答えましたけど、調べる方法がないわけじゃありませんから。たとえばその日のレポートなんかで――」

「もういいって」新田は語気を強めた。「そのパーティのことはいい。忘れてください。パーティは関係ない。そこにたまたま野口がいただけだ。野口だって、パーティぐらいは出る。その場所がこのホテルだった。それだけのことです。単なる偶然なんです。野口のことはもういいんです」

「そんな、野口野口って呼び捨てにして……」

「当然でしょう。犯人なんだから」横を向きながら新田はいった。だが言葉が口から出た瞬間、取り返しのつかないことをしたと自覚した。鳥肌が立ち、冷や汗が出た。

おそるおそる山岸尚美を見た。彼女は目を見張り、表情を強張らせていた。

「犯人？　そうなんですか。その野口という人が犯人なんですか」

「いや、そうじゃない。いい間違えました」

「ごまかさないでください。犯人がわかってるんですね。だったら、どうしてまだ捜査が続いているんですか。なぜ新田さんは、まだここにおられるのですか」

矢継ぎ早に問われ、新田は狼狽えた。ごまかすための言葉が一つも浮かんでこない。

教えてください、と山岸尚美が詰め寄ってきた。

新田は天井を仰ぎ見た。

27

ホテル・コルテシア東京の宴会場には、それぞれ専用の厨房がある。そのうちの一つに新田はいた。調理台を挟み、山岸尚美と向かい合っている。調理台の上には食器の代わりに四枚のメモ用紙が載っていた。そこには、『x1・手嶋正樹　被・岡部哲晴』、『x2・野口靖彦　被・野口史子』、『x3・不明　被・畑中和之』、『x4・不明　被・不明』と記されている。たった今、新田がボールペンで書いたものだ。書きながら、今回の事件の構造について、すべて山岸尚美に説明した。もちろんこれは重大な命令違反だ。尾崎や稲垣からは、外部の人間には無論のこと、ホテル関係者にも絶対に漏らしてはならないといわれている。だが、野口は犯人だと口走ってしまった以上、もはや彼女をごまかすのは無理だった。

彼の説明を、山岸尚美は途中で口を挟むことなく聞いていた。最初は怪訝そうな顔つきだったが、途中からそれは驚きの表情に変わった。口を挟まなかったのではなく、言葉が出なかった、というべきかもしれない。

新田は胸に深く吸い込んだ息を吐き出し、改めて彼女を見つめた。

「理解していただけましたか。これが今回の事件の姿……本当の姿です」

やや伏し目がちだった山岸尚美が顔を上げた。頬は青ざめていたが、目は少し充血している。

「何といっていいのか、よくわかりません。信じられないし、信じたくない、というのが正直な気持ちです。殺人者たちがネットで連絡を取り合って、別々の事件を連続殺人事件に見せかけていたなんて……」ゆらゆらと頭を振った。「それは本当の話なんですよね。新田さんが私をごまかすために咄嗟に嘘をついている、なんてことはありませんよね」

「残念ながら、そういうことはありません。もしそうであれば、どれだけ気が楽か」

彼女は頷き、ため息をついた。

「それでわかりました。殺人現場とこのホテル、それから高山様がストーカーと出会ったと思われる場所について私なりの推理をお話しした時、新田さんは全く相手にしてくださらなかった。その理由は、こういうことだからなんですね。四つの事件に直接的な関連はない。だから結びつけて考えても無駄……そうおっしゃりたかったんですね」

新田は顔をしかめ、頭を掻いた。

「あの時は失礼しました。たしかにそういう事情があったわけですが、捜査に協力してくださっている方に、あんな言い方はすべきではなかった。じつは謝ろうと思っていたんです。申し訳ありませんでした」そういって頭を下げた。

山岸尚美は、そんなことはもういいとばかりに薄い笑みを浮かべ、後ろの流し台にもたれかかった。

「それで、ほかの事件の犯人は全員逮捕できそうなんですか。今のお話では、x2を名乗っていた野口という人は捕まったようですけど」

「野口に関しては、いつでも逮捕状を請求できる状況です。x1の手嶋についても時間の問題でしょう。こいつには女性の共犯者がいるのですが、そっちのほうの裏づけ捜査も順調に進んでいるはずです。x3だけは、まだ具体的な名前が挙がっていませんが、ほかの事件との関連を考えなくていいという条件なら、容疑者が何人かいるはずです。これもまた時間の問題といっていいと思います」

山岸尚美は小さく頷きながら調理台に近づき、『x4・不明　被・不明』と記されたメモを手にした。いうまでもなく、『被』とは被害者を指している。

「このx4という人物は、まだ殺人を犯してないわけですよね。だから被害者もいない」

「そうです」答えながら新田は、嫌な予感を抱いた。

「ということは」山岸尚美はメモを新田のほうに向けた。「x4を捕まえる必要はないんじゃないですか。要は、第四の殺人を防げばいいだけのことでしょう?」

新田は腕組みし、顎を引いた。「どうやって防ぐんです」

「簡単なことです。事件の構造を公表するんです。計画が警察にばれていることを知れば、x4

なる人物も犯行を断念するはずです。殺人事件が起きなければ、新田さんたちが捜査をする必要もなくなります。被害者も犯人もいないわけですから」

山岸尚美の回答は、新田が予想した通りのものだった。やはりこの女性は頭がいい、と改めて思った。事件の構造を知ってショックを受けているはずなのに、自分たちがどうすべきかを迅速に、そして冷静に分析している。

「残念ながら、そういうわけにはいきません」新田はいった。

「どうしてですか」

「たとえこのホテルでの犯行を断念したところで、x４は無実ではないからです。x１、x２、x３をそそのかし、三つの殺人を誘発させた罪は重い」

「だったら、x４は逮捕すればいいと思います。でもそれは、第四の殺人を断念させてからでも遅くはないでしょう？」

新田は口の中に苦いものが広がるのを感じた。「それではだめなんです」

「なぜですか」

「手がかりがないからです。x４はほかの三人とメールのやりとりをしただけで、何もしていない。だから痕跡がない。x４に結びつくものが何も存在しないんです。それにもう一つ、今のままでは仮にx４の正体を見破ったところで、罪に問えるかどうかは疑わしい。メールの内容など冗談だと主張する手がありますから」

山岸尚美の眉間に皺が寄った。目が少し吊り上がったように見えた。

「ちょっと待ってください。もしかするとあなた方は……」気持ちを落ち着かせるように一息入れてから続けた。「x4を逮捕するために、わざとここで……このホテルで人殺しをさせるというんですか」

新田はかぶりを振った。「させません。犯行は必ず防ぎます」

「でも未然に防ぐわけではないんですよね」

「いいえ、未然に防ぎます」

山岸尚美は深く息を吸った。彼女の胸が大きく上下した。

「新田さん。未然の意味を御存じですか。まだ事が起こらないことをいいます。何も起きなければ、x4を逮捕できないでしょ？　逮捕するには、何かをさせなければならない。違いますか」

新田は彼女から目をそらした。「いいえ、違いません。その通りです」

「やっぱり」

「でも被害者は出しません」顔を上げ、もう一度正面から彼女を見た。「犯行は未遂に終わらせます」

「殺人未遂というやつですか」

「予備罪というのもあります。凶器を持っていたりすれば、それだけで逮捕できます」

山岸尚美は小さく口を開け、見上げた。しばらくそのままの姿勢を保った後、ため息をつきながら今度は深く項垂れた。

「未遂や予備だけで終わるという保証はどこにもないじゃないですか。被害者が危険に晒されるのは事実でしょう?」

「だから被害者のことは我々が全力で守ります」

「どこの誰かもわからないのに?」彼女の表情が一層険しくなった。「答えてください。どこの誰を守るんですか。もしたった今、ロビーに拳銃を持った人物が現れたとします。あなた方は誰を守るんですか」

「仮に銃を持っていたとしても、x4は人前で無闇に発砲はしない」

「そんなこと、わからないじゃないですかっ」

激しい語気に、新田は一瞬たじろいだ。山岸尚美がこれほど大きな声で、しかも鋭い口調で話すのを聞いたのは初めてだった。

感情的になったことを悔いたのか、彼女は額に手を当て、辛そうな顔で首を振った。すみません、と小声で呟いた。

こちらこそ、と新田はいった。「あなたの気持ちはよくわかります。犯行を防ぐ決定的な方法があるのにそれを使わない、というのは理不尽ですよね。でもわかってください。これはもう捜査方針として決まったことなんです」

「そんなもの、いくらでも変更できるじゃないですか」

「x4を逮捕するには、これしか方法がないんです」

「そんなこと、当ホテルには関係ございません」山岸尚美は毅然としていい放ち、出口に向かってつかつかと歩きだした。

「待ってください」新田は急いで彼女を追い抜き、行く手を阻んだ。「どこへ行くんですか」

彼女は目をそらさずに答えた。「決まっています。総支配人室です」

「今の話をするつもりですか」

「もちろんです。道を空けていただけませんか」

「そういうわけにはいかない。いいですか、あなただから話したんだ。捜査上の秘密を口外するような人じゃないと思ったから、すべて打ち明けたんです」

「見損なったとおっしゃりたいならそれでも結構です。いつもなら私だって、捜査上の秘密を軽々に漏らしたりはしません。でもその秘密がお客様や従業員を危険に晒すとなれば話は別です」

新田は唇を嚙み、そばに置いてあったワゴンを拳で叩いた。山岸尚美は眉をひそめた。「乱暴なことはやめてください」

「どうしてもだめですか」

「これぱっかりは」山岸尚美は新田の脇を通り抜けようとした。彼が立ちはだかると、虚しさの漂う視線を向けてきた。「通してください。それとも大声で人を呼びましょうか。そんなことになって困るのは新田さんのほうでしょ」

どうやら彼女の決意は固いようだ。新田は諦めて身体をずらした。ありがとうございます、と会釈してから彼女は歩きだした。その後ろ姿に向かって、「自分たちさえよければいいのか」と彼はいった。彼女の足が止まった。

「このホテルで事件が起きないなら、どこで何が起きても構わないというんですか。今回みたいな冷酷な計画を練った主犯が捕まらなくてもいいというんですか」

「それは別問題です」彼女は背中を向けたままで答えた。「ほかの捜査方法を考えてください」

新田は再び彼女に近づいた。

「何度もいうようですが、ほかに方法がないんです。今ここで事件の裏を公表されたら、x4は永遠に逮捕できない。これまでの捜査がすべて無駄になります。だから上司からは、このことはホテル関係者にも絶対に明かしてはならないと釘を刺されていました」

山岸尚美は横顔を向けてきた。

「ホテルが事件の構造を公表すれば、一体誰が漏らしたんだと問題になるでしょうね。いずれ新田さんだとばれるでしょうから、処分は免れないかもしれませんね。それに関しては申し訳なく思います」

「この際、俺のことはどうでもいいんです」

「そうですか。でも手柄を立てたいんじゃないんですか」

「それはもちろん。でもそれ以上に、人の足を引っ張りたくない。みんな、x4を捕まえようと必死でがんばっている。それを台無しにしたくない」

「お気持ちはわかります。でも私だって台無しにしたくありません。長年に亘って築き上げてきた、このホテルの信頼の歴史を」失礼します、といって彼女は歩きだそうとした。

「次の土曜日っ」新田は叫んだ。「それまで待ってもらえませんか。せめて土曜日まで」

「土曜日というと……」

「例の結婚式……高山佳子さんたちの結婚式が行われる日です。その日、ストーカーと思われる人物が会場に現れる可能性のあることは、あなただって知っているはずだ。本部では、その男がx4ではないかと睨んでいます。すでにそのための特別警備計画が練られており、準備は着々と進んでいるんです」

「だから？　それがどうしたというんですか。新田さんが手柄を立てるチャンスを、あと一回だけほしいということですか」冷淡ともいえる口調で彼女は訊いた。

新田は首を振った。

「たとえその男がx4で、無事に逮捕できたとしても、俺の手柄になんかなりません。俺はこの警備計画には参加していませんから。でも、だからといって、その計画が失敗すればいいとは思っていません。自分の手で捕まえたいというのが正直な気持ちですが、それが叶わないのなら、せめて誰かに捕まえてほしいと思っています」

山岸尚美は数秒間黙り込んだ後、振り返った。

「新田さんは、縁の下の力持ちという柄ではないと思ってたんですけど」

「嫌ですよ、本音をいえば」新田はいった。「でも悪を逃がすのは、もっと嫌なんです」

「それは新田さんが刑事だから？」

「いえ、俺は元々そういう人間なんです。そういう人間だから刑事になったんです」新田は頭を下げた。「お願いです。土曜日まで待ってください。高山さんのストーカーがx4でなかった場合には、あなたの好きにすればいい。でもそれまでは、黙っててもらえませんか。お願いします」

深く頭を下げた状態で新田は静止した。山岸尚美が翻意してくれることを祈った。だが彼の耳に聞こえてきたのは、ごめんなさい、という言葉だった。

新田はゆっくりと顔を上げた。厨房を出ていく彼女の後ろ姿が見えた。

身体中から力が抜けそうだった。彼は流し台に近づき、蛇口を捻った。勢いよく出てきた水で顔を洗った。ポケットからハンカチを出し、拭いた。それでも気力が蘇ってくる気配すらなかった。

重たい足取りで厨房を出た。宴会場を覗き、無人であることを確認してから明かりを点《つ》けた。いくつもの円卓が不規則に置かれている。彼は中央付近まで進み、近くにあった椅子に腰を下ろした。

山岸尚美から真相を聞かされたら、総支配人は警察に抗議するかもしれないな、と新田は思った。犯人逮捕より、新たな犠牲者を出さないことを第一に考えるべきではないか、と。それはそれで正論なのだ。だが警察には警察の事情がある。それは決して自分たちの都合を優先したものではない。

だが総支配人が納得するとは思えなかった。山岸尚美と同様、すべてを公表すると主張するだろう。それを阻止することは警察にもできない。そして公表されれば、おそらくｘ４は犯行を断念する。今なら、たとえ自分がｘ４だと名乗り出たとしても、何かの罪に問われる可能性は極めて低いのだ。

俺はクビだな、と新田は覚悟した。無論、警視庁を辞めさせられることはないだろうが、今の職場にはいられない。閑職に飛ばされるか、所轄に追い出されるかのどちらかだ。仲間たちのこれまでの努力を無にし、永遠にｘ４を逮捕できなくなってしまったのだから、それぐらいの罰を受けるのは当然だ。

腕時計を見た。山岸尚美を見送ってから何分経っただろうか。彼女はもうすべてを総支配人に話してしまっただろうか。総支配人が抗議をするかどうかは不明だが、このことは先に稲垣たちに伝えておいたほうがいい。

新田が腰を上げようとした時だった。周囲が不意に薄暗くなった。天井の照明の半分以上が消えたのだ。

スイッチの並んだ壁に目をやった。山岸尚美が立っていた。

「たった一人でこの部屋を使うだけでも贅沢なのに、すべての照明を点けてるなんて電気の無駄ですよ、新田さん」

「もう行ってきたんですか。総支配人室に」

彼女はため息をつき、黙って小さくかぶりを振った。

「どうしてですか」

新田の質問に、彼女は口元を緩めた。

「だって、待ってくれといったのは新田さんじゃないですか。だから待つことにしたんです。土曜日まで」

新田は立ち上がった。どうして気が変わったのかを知りたかった。しかし訊かないほうがいい。なぜかそんな気がした。だから一言、ありがとうございます、とだけいった。

「でも忘れないでくださいね。もしそれまでに何かあったら、私は辞めます。このホテルだけでなく、ホテルで働くこと自体を辞めます。その覚悟をしています」

俺も、と新田はいった。「刑事を……警察官を辞めます」

山岸尚美は小さく頷いた後、ぱちぱちと瞬きした。胸を張り、顎を引いて新田を見つめると、「では新田さん、職場に戻りましょう」と滑舌よくいった。

28

ニット帽をかぶり、サングラスをかけた男がホテルに入ってくるのを見て、尚美は不穏な気配を察知した。ぶかぶかのジャンパーを羽織り、大きなバッグを提げている。男は荷物を預かろうとするベルボーイを手で追い払い、ロビーを歩いた。やがてフロントから遠く離れたソファに腰を下ろした。

怪しい、と感じた。少なくとも、ふつうの客ではない。新田に相談しようと思ったが、こういう時にかぎって彼はいない。

それからしばらく、男に目立った動きはなかった。ただじっと正面玄関を見つめている。

かすかな動きが見られたのは、十分ほど経った頃だった。帽子をさらに深くかぶり、腕組みをするふりをしながら一方の手で口元を覆ったのだ。明らかに顔を隠そうとしている。

間もなく正面玄関から一人の女性が入ってきた。二十代半ばといったところだろうか。スリムな体形で、和風美人といっていい顔立ちをしている。彼女は真っ直ぐにフロントにやってきた。

「予約したモリカワ様ですけど」彼女は尚美にいった。

「モリカワ様ですね。少々お待ちください」

端末機で確認した。森川寛子の名前で予約が入っていた。禁煙のダブルルーム、朝食付きのプランだ。

宿泊票を出し、記入してくれるよう頼んだ。その間も尚美の目は、ニット帽の男を視界の端に捉えていた。男の顔は、こちらを向いている。サングラスのせいで目は隠れているが、おそらく森川寛子を見つめているのだろう。

記入の終わった宿泊票を受け取ると、尚美はカードキーを出した。

「お待たせしました、森川様。お部屋は２０２５号室です。お部屋まで案内させます」ベルボーイを手招きした。

「大丈夫です。荷物はないから」そういうと森川寛子は手を出してきた。

「左様でございますか……」尚美は後方に視線を走らせた。ニット帽の男が立ち上がるのが見える。

あのう、と森川寛子がいった。「キーがほしいんですけど」

「あ……失礼いたしました」尚美はカードキーを渡し、頭を下げた。「どうぞごゆっくりお寛ぎくださいませ」

森川寛子が怪訝そうな顔で立ち去るのを見送った後、改めてニット帽の男の様子を窺うと、彼はエレベータホール付近まで移動していた。壁のほうを向いているので、こちらからだと顔は見えない。

森川寛子が男の横を通り、エレベータホールへと向かった。男に動きはないが、明らかに彼女のことを意識している。尚美は確信した。男は、森川寛子が乗ったエレベータに駆け込む気だ。エレベータで二人きりになってから何をする気なのか。不吉な想像はいくらでも広がる。

「ここ、ちょっとお願いね」後輩のフロントクラークにいい、尚美はフロントを出た。小走りにエレベータホールに向かう。

ニット帽の男はまだ佇んでいた。尚美は、気づかれぬよう背後に立った。エレベータが到着したのは、その直後だった。扉が開き、森川寛子が乗り込んでいく。ほかに客はいない。

次の瞬間、男が動いた。エレベータに向かって駆けだそうとしたのだ。予想していた通りだったので、尚美は素早く反応できた。男の腕を両手で摑んだ。

えっ、というように男は振り返った。その拍子にサングラスがずれた。露わになった目は丸くて、意外にかわいかった。

「森川様、早く行ってくださいっ」尚美はエレベータに向かって叫んだ。扉は、まだ開いたままだ。

「馬鹿野郎、何やってんだ。離せっ」男が振りほどこうとする。

だが尚美は渾身の力で摑み、引っ張った。「おやめください。警察を呼びますよ」

「何いってるんだっ。俺が何をしたっていうんだ」

「してるじゃないの。森川様を襲う気だったでしょ」

「襲う？　何のことだ」

「ごまかしたってだめよ。ずっと見てたんだから」そういいながら尚美はエレベータホールを見て、息を吞んだ。森川寛子が立っていたからだ。エレベータを降りたらしい。「森川様、早くお部屋のほうへ——」

尚美が言葉を切ったのは、森川寛子がゆっくりと首を振ったからだった。

「いいの。離してやってください。その人、あたしの連れです」

「えっ？」尚美は男と森川寛子の顔を見比べた。頭の中が真っ白になった。

「離せよっ」男が思いきり腕を振った。それで尚美も手を離した。

男は、焦った様子でサングラスをかけ直した。その時、尚美は気づいた。この人物の顔には見覚えがある。テレビによく出ている政治評論家だ。たしか妻帯者のはずだ。

「馬鹿ね。だからあまり変なことをしたら却って目立つっていったのよ。さあ、行きましょ」森川寛子は男の手を取り、エレベータに向かって歩きだした。だがすぐに立ち止まると、振り返っていった。「この落とし前はつけてもらいますからね」

尚美は、はっとして後ろを見た。いつの間にか、人が集まっていた。その中には新田の姿もある。

　申し訳ございませんでした、と彼女は二人の男女に深々と頭を下げた。

「要するに、テレビで顔の売れている政治評論家が若い女性とホテルで密会するにあたり、誰かに気づかれるのを恐れ、変装めいたことをして、女性とは別々に行動した。エレベータに後から駆け込もうとしたのも、二人きりでいるところを見られたくなかったから――そういうことなんだね」頭の中を整理するように藤木はゆっくりとした口調で尋ねてきた。

　尚美は身の縮む思いで頷いた。

「たぶん、そういうことなんだろうと思います。はっきりとしたことは教えていただけませんでしたけど」

　あの後、森川寛子たちの部屋を訪ね、改めて詫びてきたのだった。部屋代を無料にすることで相手には納得してもらった。ただし例の政治評論家は、最後まで顔を出さなかった。

「しかし、おかしなことをする人もいるもんだねえ。一緒にいるところを見られたくないなら、後からゆっくりと自分一人で部屋へ行けばいいものを。なあ」藤木が同意を求めた相手は、傍らに立っている宿泊部長の田倉だった。

「一緒にいるところを見られたくはないが部屋には二人で入りたい、と考える人も中にはいるようです」

　田倉の答えに、なるほど、と藤木は合点した様子だ。しかし、と田倉は続けた。

「君らしくない軽率な行動だったね。たしかに誤解してもおかしくない状況だったようだが、ほかにもっと適切な解決法があったはずだ」

「おっしゃる通りです。反省しています」尚美は頭を垂れた。その言葉に嘘はなかった。全く愚かなことをしたものだと自分に腹が立った。

「まあ、山岸君の気持ちもわかるよ。状況が状況だけに、少々神経過敏になるのも無理はない」藤木が取りなすようにいった。「しかしホテルマンとしての仕事に支障をきたしてしまっては本末転倒だ。事件のことを考えるのは警察に任せなさい。そのために潜入捜査を受け入れているんだから」

「わかりました。以後気をつけます」

「うん、しっかりな」

尚美はもう一度頭を下げ、失礼します、といって総支配人室を出た。彼女の勤務時間はすでに過ぎている。フロントには戻らず、そのまま事務棟に向かった。

だが三階にある宿泊部のオフィスに着いても、すぐに着替える気にはなれなかった。上着だけを脱ぎ、手近にあった椅子に腰を下ろした。

ミスの原因は自分でもわかっていた。藤木が指摘した通り、事件のことを過剰に意識し過ぎたせいで生じたのだ。だがなぜ彼女がそれほど意識するようになったのか、という点については藤木もわかっていない。

土曜日まで待つと新田と約束はしたが、やはり胸中には不安が渦巻いている。それを罪悪感とい替えることも可能だ。x4なる人物による犯行を防ぐ方法を知りながら、それを藤木たちに知らせないのは、ホテルマンとして失格ではないか、という思いが頭から離れない。万一、x4によって何らかの犯行が成された時には、きっと自分は立ち直れないだろうと思っている。そんな心理が、ほんの些細な出来事にも過敏になり、判断を誤らせてしまったのだ。

さっき総支配人室にいる時、新田との約束など反故《ほご》にして、今ここですべてを明かしてしまおうか、という考えが頭をよぎった。だが結局、口には出せなかった。新田の、縁の下の力持ちは嫌だが悪を逃がすのはもっと嫌だ、という言葉が蘇ってきたからだ。彼のあの強い思いを無視したくなかった。

しかし本当にこれでいいのだろうか。自分は人間として正しいことをしているのだろうか。容易に答えを見つけられそうになく、尚美は小さく頭を振った。

「辛いですか」不意に後ろから声が聞こえた。ぎくりとして振り向くと新田が立っていた。

「脅かさないでください」

失礼、といって新田は近づいてきて、椅子に座った。

「話は聞きました。肝心な時にいなくて申し訳ありませんでした」

尚美は彼の顔を見つめた。「新田さんなら、どのように対処されてました?」

新田は首を捻った。

「俺なら……そうですね。まずはニット帽の男に話しかけてましたね。何かお困りのことでもありますか、とか何とか。その暇がないのなら、いっそのこと一緒にエレベータに乗ってましたね」

尚美は頷いた。「それでいいと思います。私もそうすべきでした」

「できなかったのは、いつものあなたではなかったから……ですね」

「まあそういうことになります。ホテルマンは言い訳をしてはいけないんですけど」

新田は気まずそうな顔で頭を掻き、すみません、と呟いた。責任の一端は自分にもあると思っているようだ。

「でも改めて思いますが、ホテルというところは本当にいろいろな人間が来るものですね。誰もが腹に一物あるように感じられます」

彼の言葉に尚美は頬を緩めた。

「昔、先輩からこんなふうに教わりました。ホテルに来る人々は、お客様という仮面を被っている、そのことを絶対に忘れてはならない、と」

「はは あ、仮面ですか」

「ホテルマンはお客様の素顔を想像しつつも、その仮面を尊重しなければなりません。決して、剝がそうと思ってはなりません。ある意味お客様は、仮面舞踏会を楽しむためにホテルに来ておられるのですから」

「仮面舞踏会ねえ。そいつは厄介だ。あの政治評論家にしても、素顔を晒してくれてたら、妙な騒ぎになることもなかったのに」

「あの方のケースなど単純です。有名な方のアバンチュールでは、もっと複雑な方法が使われたりします」

新田は目に好奇の色を浮かべ、へえ、といった。「たとえばどんな方法ですか」

「そうですね、すぐに思いつくことといえば、男性だけの旅行を装ったものです」

「なるほど、男だけのように見せかけて、じつは女が混じってるわけだ」

尚美は苦笑した。

「そんなに単純ではありません。実際に男性だけでチェックインするんです。有名な方と、そのお供の方という感じです。それとは全く別に、女性が一人でチェックインします。見かけ上、彼女は男性グループとは何の関係もないように振る舞います。でも実際には――」

「夜になると、その女性は有名人の部屋に行く」

「そういうことです」尚美は顎を引いた。「よく使われる手です」

「そうか。協力してくれる取り巻きがいれば、何とでもなるんだなあ」

「泊まっているグループのうちの一人だけが、じつは別の誰かとカップルだなんて、ふつう考えませんからね」

「そうですよねえ」新田は両手を頭の後ろに回し、背もたれに身を預けた。だがその直後、彼はバネ仕掛けのように上体を起こした。「何だって？　グループのうちの一人が、じつは誰かとカップル？」

新田の目は刑事のものになっていた。そのことに戸惑いながら、「それが何か？」と尚美は訊いた。

だが彼は答えず、深く思考を巡らせるように眉間に皺を寄せた。やがて、そうか、といって勢いよく立ち上がった。

「その可能性はある。もし当たってたらとんでもないことだけど、十分に考えられる」

「あの、新田さん、一体どうしたんですか」

新田がようやく尚美を見た。

「ありがとうございます。あなたのおかげで大きな謎が解けたかもしれない。そうなれば、あなたの今夜のミスは無駄ではなかったということです」そういうと踵を返し、階段に向かって駆けだした。

29

間もなく日付が変わろうかという頃になって、能勢が店に入ってきた。物珍しそうに店内を眺め回した後、新田に気づいたらしく、満面の笑みを浮かべて歩み寄ってきた。新田は立ち上がり、丁寧に一礼した。彼は今もホテルの制服姿だ。ぞんざいな態度で客に接しているように周囲から見られてはならない。

ホテルの地下一階にあるバーにいた。閉店時刻の午前一時まで、まだ少し時間がある。店内には十数名の客が残っていた。

「どうも、お待たせしました」能勢は新田の前まで来ると、ぺこりと頭を下げた。

「どうぞおかけになってください」にこやかに椅子を勧めたが、能勢は戸惑っている様子だ。新田が立ったままだからだろう。こういうところは鈍いな、と少々苛々する。どうぞ、と目配せしながら繰り返すと、ようやく、「あ……はいはい」と頷きながら腰を下ろした。

新田も座ると、ウェイターが注文を取りにきた。無論ウェイターは新田たちの正体を知っているが、ほかの客の手前、無視するわけにはいかないのだろう。能勢はフレッシュオレンジジュースを注文した。

「急に呼び出してすみませんでした」新田は小声で謝った。「どうしても、今夜中に話しておきたいことがありまして」

いやいや、と能勢は手を振った。

「気にせんでください。前に新田さんから呼ばれた時には、手嶋の電話トリックを見破っておられました。今回もまた、大きな土産をいただけるのではないかと期待しております。私が想像するに、例の謎が解けたんじゃないですか。今朝方、私がお話しした件ですよ。x4は野口に、どうして自宅のパソコンを使わないように釘を刺さなかったのか——違いますか」

探るような目を受けとめ、新田は頰を緩めた。

「その謎そのものについてではありませんが、関係はしています。まだ推論にすぎませんが、俺は十分に可能性のある仮説だと思っています」

能勢は背筋を伸ばし、細い目を精一杯開いた。

「ほら、やっぱり私のいった通りだ。あなたならできる。そう思ってました」

「いえ、まだ確証は何もありません。だから能勢さんに手伝っていただきたいんです」

「もちろん、手伝わせてもらいますよ。遠慮なく指示してください。しかしまずは、その推論というやつを聞かせてもらわねばなりませんな」

新田は頷き、話しだそうとして口を閉じた。ウェイターがオレンジジュースを運んできたからだ。それに気づいたらしく、能勢は自分で立っていって、オレンジジュースと伝票をトレイから取って戻ってきた。だが伝票を一瞥し、瞬きした。

「おお……ジュース一杯がこんなにするとは」

「フレッシュオレンジジュースですからね。実際にオレンジを搾って作るんです」

「さすがは一流ホテルのバーですな」能勢はストローで飲み、驚きの顔になった。「なるほど。紙パックに入ってるジュースとは、ものが違います」ハンカチで口をぬぐい、身を乗り出してきた。「どうぞ、話してください」

新田はグラスの水を飲み、唇を濡らした。

「x4の計画で、一つだけどうしても納得できないことがあったんです。それは、なぜ犯行手段を統一しておかなかったのか、ということです」

「ははあ……犯行手段」

「第一の事件は絞殺で第二の事件は扼殺です。この二つは似通ってなくもないが、第三の事件で被害者は後頭部を鈍器で殴られて死亡しています。すべてを同一犯による連続殺人事件に見せかけたいのなら、殺害方法も揃えたほうがいいと考えるのではないでしょうか」

能勢はまたジュースを一口飲み、腕組みした。「切り裂きジャックのように、ですか」

「実際には、連続殺人犯がいつも同じ手口を使うとはかぎりません。同一犯であることを隠すために、毎回違う方法を選ぶ者だって少なくありません。ただ、今回のケースは逆です。犯人たちは、同一犯の仕業だと見せかけたかったはずなんです」

「たしかに、そう考えると妙ですな。それで、新田さんのお考えは？」

「犯人たちの、というよりx４の狙いは、もっと別のところにあるんじゃないでしょうか。警察が同一犯による連続殺人事件だと思わなくてもいい。それどころか、全く別の四人による犯行だとばれても構わない。とにかく重要なことは、警察が四つの殺人事件をセットにして考えるよう誘導することだった。野口に自宅のパソコンを使わないよう釘を刺さなかったのも、そう考えれば説明がつきます。x４にとっては、事件の構造がばれることなどどうでもよかったのです」

だが能勢は腑に落ちないというように首を傾げた。

「わかりませんな。事件の構造が警察に知られてしまえば、x４にとっては何のメリットもなくなると思うのですが」

「ふつうはそうです。でも、ある条件を満たしていれば、大きなメリットが生じます」

能勢は顎を引き、下唇を突き出した。「その条件とは？」

「x４が、ほかにも殺害計画を持っている、ということです」

「ほかにも？」さすがに能勢は息を呑んだようだ。「それ、どういうことです」

新田は近くに人がいないことを確認した上で、さらに顔を近づけていった。

「x4には殺したい人間が二人いるとします。しかし単純に、その二人だけを殺すわけにはいかなかった。なぜなら万一警察がその二つの事件を結びつけて捜査を行った場合、容疑者としてx4の名前が浮かびあがってくる可能性が高いからです。そこでx4は、警察が二つの事件を結びつけないようにするにはどうすればいいかを考えた。そうして出てきたのが、一方の殺人を、全く別の三つの殺人事件と結びつけてしまうというアイデアです。具体的な方法は御存じの通り。闇のネットワークで共犯者を募り、緯度と経度と日付を使った奇妙な数字を現場に残すというやり方です。警察は、四つの事件をセットにして考えていますが、じつは最後の犯行だけは、全く別のところで起きた殺人事件とペアになっている——どうですか？」

能勢は口を半開きにしていた。新田の顔に向けたままの細い目は、感情を失っているように見える。やがて彼はすうーっと息を吸い込んだ。

「それは推論……仮説なわけですね。新田さんの」

「そうです。仮説に過ぎません。裏づけるものは何もなく、単なる思いつきだといわれればそれまでなのですが」

新田が話している途中で、能勢は大きく手を振り始めた。

「いやいやいや、そういうふうに思いつくところが新田さんのすごいところです。何かの手がかりから推理を組み立てるってことなら、得意にしている刑事が私の周りにも何人かいます。だけどあなたは違う。何の材料もなしに、犯人になったつもりで想像力を働かせ、今まで誰も思いつかなかった仮説を立ててしまった。しかもその仮説には、じつに説得力がある。驚きました。まるでｘ４から話を聞いてきたのかと思うほど見事です」

大仰な言い方に新田は思わず苦笑した。「そういうお世辞は結構です」

「お世辞じゃありません。正直な感想です。こんな話を聞かせてもらった以上、期待に応えないわけにはいきません。早速明日から、いやいや、今夜から動いてみましょう。その仮説が当たっているとすれば、ｘ４は別の殺害計画を持っているわけですよね」

「そうです。その犯行が、すでに実施されている可能性も低くないと思います」

「つまり、現時点でｘ４に殺された被害者がいる……と」

「最近、都内もしくは近郊で起きた殺人事件のうち、容疑者がまだ特定できていない事件について当たってみる必要があるでしょうね」

能勢は両手を勢いよくテーブルに載せた。

「やってみましょう。問題は、ｘ４による犯行かどうかをどうやって判断するかですね。何か、いい知恵はありますか」

「俺も、それが難問だと思っています。でも一つだけヒントがある。それは、ｘ４がこのホテルを犯行現場に選んでいるということです。そこに何の意味もないとは思えません。必ず何かあるはずです。ｘ４自身か、被害者か、あるいは双方が、このホテルと何らかの関わりがあるのかもしれない。だとすれば、もう一人の被害者も、どこかでこのホテルと繋がっている可能性があります」

能勢はしげしげと新田の顔を眺めると、口元を緩めながらゆっくりと首を左右に振った。

「さすがですな。そのセンでいってみましょう。これから署に戻って、最近の事件について情報を集めてみます」

立ち上がりかけた能勢を、「ちょっと待ってください」と新田は引き留めた。「管轄外で起きた事件について調べるのは簡単ではないでしょう。能勢さん一人では手に余るということでしたら、おたくの課長さんに今のことを話して、うちの尾崎管理官に伝えてもらってください。そうすれば本庁で動いてくれるはずです。手嶋の電話トリックを暴いた時のように」

能勢は怪訝そうな顔をした。それを見て新田はかぶりを振った。

「誤解しないでください。前回のことを恨んで、嫌味でいってるわけじゃありません。もう、自分の手柄がどうとかいってる場合じゃないと思うからです。一刻も早くx4を捕まえたい、ただそれだけなんです。だけど俺の口から管理官に進言したのでは、また本来の任務に集中していないように思われます。だからおたくの課長さんに話すにしても、俺の名前は出さないでください。お願いします」

「新田さん……」能勢は眉間に皺を寄せて頷いた。「わかりました。では、いざとなったら、そのようにします」

「いざとなったら？」

能勢は自分の胸を叩いた。

「まずは私に任せてください。考えはあるんです。それで手一杯になったら、うちの課長に泣きつきます。それでどうですか」

「いや、でもそれでは――」

「大丈夫です。後手に回るようなヘマはしません。せっかく新田さんが、真っ先に私に話してくださったんだ。私も意地を見せさせていただきます」能勢は腰を上げた。「待っていてください。明日の夜までには何か見つけておきます」そういうとぺこりと頭を下げ、伝票を手にして出口に向かった。彼が値段の高さに驚いたオレンジジュースは、グラスに半分以上が残っていた。

30

山岸尚美は午前九時を少し過ぎてから現れた。フロントオフィス・マネージャーの久我に、遅くなってすみません、と謝っている。たしかに彼女にしては遅い出社だが、今は出勤時刻などは決められていない。新田に付き合わされ、時には深夜まで居残らねばならない立場だからだ。久我も、謝る必要などないと笑いながらいっている。

「いえ、引き継ぎは九時ですから、やはりそれまでには来ておかないと。御迷惑をおかけしました」山岸尚美は改めて久我に頭を下げた後、新田のそばにやってきた。顔色が良くないし、目も少し充血している。「おはようございます」声にも張りがなかった。

「大丈夫ですか」新田は小声で訊いた。

「何がですか」

「かなり疲れているように見えますが」

山岸尚美は自分の頬を軽く二度叩き、頭の冴えを取り戻そうとするかのように首を素早く振った。「平気です」

「もしかして、あまり寝てないんですか」

返事がなかった。図星のようだ。よくないな、と新田はいった。

「ここは大丈夫ですから、どこかで休んできてください。俺が来て以来、あなたの勤務時間は激増しています。少しぐらい休んだって、誰も文句をいいませんよ」

彼女はじろりと新田を見上げ、かぶりを振った。「そんなことできません」

「どうしてですか。俺のことなら大丈夫です。チェックアウト業務については、ほぼ完璧にこなせます」

「そういうことをいってるんじゃありません」

「じゃあ、何ですか」

だが山岸尚美は答えず、突然、「おはようございます」とにこやかにいった。無論新田にではなく、近づいてきた男性宿泊客に向かって発せられた言葉だった。そのまま彼女はチェックアウト業務に取りかかった。

やがて次々と宿泊客が精算しにやってきた。本物のフロントクラークたちに混じって、新田もチェックアウト業務をこなすことになった。

この日彼が最初に応対したのは、横柄な態度の中年男だった。

「急いでるんだ。早くやってくれ。領収書は手書きだ。プリントしたやつはだめだからな。あとそれから日付は書くなよ」ぞんざいな口調でいう。

かしこまりました、とカードキーを受け取り、端末を操作する。以前は何をするにもまごついたものだが、今では自然に手が動く。

「お客様、冷蔵庫の御利用はございましたか」言葉もすんなりと出る。

「うん？　あー、ビールだ。あとはウーロン。そんなとこだ。早くやってくれよなあ」

客の舌打ちを聞き流しながら明細書を印刷し、サインを貰ったら領収書の作成だ。宛名を客に確認してから記入し、収入印紙を貼って完了。我ながらスムーズな動きだ。

話し方も振る舞いも、本物のホテルマンに近づいてきているのではないか、と自分で感じることさえあった。しかもそれが決して嫌ではなく、むしろ少し誇らしく思えるのだ。

「お待たせいたしました。これでよろしいでしょうか」

「ああ、いいよ」男性客は奪うように領収書を受け取ると、不機嫌な顔つきのまま、くるりと背中を向けた。

「ありがとうございました。またのお越しをお待ちしております」その背中に向かってお辞儀をしながら、俺は変わったのかなと新田は思った。

チェックアウト業務が一段落した頃だった。「新田さん、ちょっといいですか」久我から声をかけられた。「山岸君も、ちょっと」

二人が並ぶと、「総支配人室に行ってください。僕も行きます」と久我はいった。

「何かあったんですか」新田は訊いた。

「詳しいことは向こうに行ってから」久我は声を落としていう。表情も硬い。余程のことだな、と新田は感じた。

三人で総支配人室に向かった。久我がノックし、ドアを開けた。

部屋に足を踏み入れた途端、新田は少し驚いた。稲垣の姿があったからだ。本宮もいる。二人は藤木と向き合うようにソファに座っていた。藤木の隣にいるのは宿泊部長の田倉だ。

「忙しいところを申し訳ありません」藤木がいった。「しかし、急を要することなんです。それで稲垣係長にも来ていただいたというわけです」

「一体何が？」新田は藤木から本来の上司に視線を移した。

「わかっていると思うが、明日は土曜日。例の結婚式がある日だ」稲垣はいった。

もちろん承知していることなので新田は黙って頷いた。

「そこで結婚式場及び結婚披露宴会場周辺の警備を徹底させるべく着々と準備を進めているわけだが、新たに別の問題が発生した」

「どういう問題ですか」

田倉が新田のほうに顔を巡らせてきた。

「渡辺様……というのは明日の新郎ですが、つい先程渡辺様から連絡があり、今日はこのホテルで宿泊したいということなんです」

「えっ、そんな急に……。どうしてですか」

「いやそれが、急ということではないんです。元々渡辺様と高山様は、今夜、部屋を予約しておられたのです。スイートを」

新田は息を吸い込み、稲垣を見て首を横に振った。「俺は聞いてませんでした」

「だろうな」稲垣は答えた。「我々も、さっき知ったところだ。しかし話を聞いてみると、特に情報伝達ミスがあったわけではなさそうだ」

「というと？」

「当ホテルで結婚式と披露宴を執り行ってくださるお客様には、スイートルーム一泊分をプレゼントすることになっております」田倉がいった。「利用されるのはいつでも構わないのですが、お二人は結婚式当日を予約されました」

「当日、ということは明日ですね」

「そうです。ところがここで一つ、困ったことが起きました。新婦の高山様は、ヘアメイクを御自身が懇意にしているスタイリストにやってもらいたいとおっしゃっているのですが、その場合ですと当ホテルのメイク室は使えません。お部屋をお取りいただいて、そこでメイクをしていただくということになります」

「では、ちょうどよかったわけですね。スイートを確保してあるわけだから」

だが田倉は首を振った。

「新田さんも御存じの通り、当ホテルのチェックインは早くても午後二時です。メイクだけなら何とか間に合うかもしれませんが、ウェディングドレスの準備ができません」

「ドレスの準備？」

「スケジュールの都合上、午前中にはメイクする部屋にドレスやアクセサリー類を運び込んでおかねばならないということです。そこで当ホテルでは、外部からヘアメイクの人間を招く場合には、前日から部屋を取っていただくことにしております」

ようやく田倉のいっていることがわかってきた。

「つまり、スイートの部屋を今日と明日の二日分予約してあるということですか」

「そうです。しかしそういう事情ですから、当初は実際にお二人がお泊まりになるのは明日だけということでした」

「それが急遽、今夜も泊まると？」

「そういうことです。せっかくそんなにいい部屋を予約してあるなら二日とも泊まろうじゃないか、と新郎がいいだされたみたいです。もちろん我々としては拒むことなどできません。当然の権利なのです」

新田は肩をすくめた。

「花嫁がストーカーに狙われているかもしれないっていうのに呑気なものだな」

「仕方がないだろう」稲垣がいった。「新郎はストーカーのことなんか知らないんだから。新婦としても、泊まろうといわれて断るわけにもいかんだろうしな」

新田は吐息をついて頷いた。「で、俺はどうすれば？」

「二人は夕方の五時頃にチェックインする予定らしい。それ以後、食事などで外に出ることもあるかもしれんが、基本的にはずっとこのホテルにいるはずだ。ロビーやラウンジなら本宮たちも見張っているが、二人が部屋にいる間はどうしようもない。おまえはなるべくフロントにいて、部屋から電話がかかってきた場合にはすぐに出られるようにしておいてくれ。もしかかってこなかった場合には、おまえのほうから電話をかけるんだ。その口実については、ホテル側で考えてもらうことになっている」

「ドレスの搬入時刻についてとか、ヘアメイク用の鏡台をどうするかとか、理由はいろいろとつけられると思います」田倉がいい添えた。

「つまり定期的に二人の安否を確認せよと」

「そういうことだ。防犯カメラで部屋の入り口を見張っているから、不審人物が近づいたならわかるだろうが、まあ念のためだ」

「わかりました」

「こちらからの指示は以上だ。何か質問は？」

特に思いつくことがなかったので、新田は首を振った。「ありません」

「よし。では持ち場に戻ってくれ。いうまでもないことだと思うが、高山さんを狙っているストーカーが我々の追っている犯人だと決まったわけじゃない。これまでと同様、気を抜かず任務に当たるように」

「わかっています。ではこれで失礼します」一礼し、新田はドアに向かった。山岸尚美も後からついてきた。

部屋を出て少し歩いたところで、「あの件は、もう上の方に話されたのですか」と山岸尚美が低い声で尋ねてきた。

「あの件というと？」

「昨夜の件です。私が浮気旅行をカムフラージュする方法をお話ししたところ、新田さんは何か閃かれた御様子でした」

「あれですか。あれについては、俺からは話していません」新田は歩きながら答えた。

「どうしてですか。とても重要なことにお気づきになったように感じましたけど」

「俺なりにいろいろと考えがあるんです。それより――」新田は足を止め、彼女のほうに向き直った。「あなたには本当に申し訳ないと思っています」

「突然、どうしたんですか」

「なぜあなたが昨夜ゆっくりと眠れなかったのかを考えてみたんです。答えはすぐに思いつきました。昨日、あなたらしからぬミスをしたのと同じ原因だ。俺との約束が引っ掛かっているんですね」

山岸尚美は目を伏せた。肯定と受け取ってよさそうだった。

「第四の犯行を……少なくともこのホテルでの犯行を防ぐ方法がわかっていながら、それを黙っているのはとても辛いことだと思います。もし誰かの身に何かあったらどうしよう――それを考えていたら眠れないのは当然です。あなたのその疲れた表情を見ていると、俺は一層辛くなります。そこで提案ですが、少しの間、休んでいただけませんか」

はっと息を呑むように彼女が顔を上げた。その目を見つめながら新田は続けた。「せめて、明日の結婚披露宴が終わるまで。終わったら、俺との約束は成立です。あなたは総支配人にすべてを話せばいい。それならあなたの心の負担も軽くなるんじゃないですか」

山岸尚美は大きく息を吸い込み、胸を張った。心持ち顎を上げ、新田を見据えるような視線を向けてきた。

「重要な秘密を抱えたまま、家で籠もっていろと？　そのほうが気が楽だとでも？」

「あなたのためを思っていってるんですが」

「見損なわないでくださいっ」ぴしりといいきった。「新田さんのおっしゃる通りです。犯行を防ぐ方法を知っていながら黙っていることについて、大きな罪悪感があります。でも、だからこそ自分だけが逃げるわけにはいかないと思っています。未然に防ぐための最大限の努力を、誰よりもしなければならないんです。休むなんて、そんな……論外です」最後のほうは思い詰めたような口調になっていた。

すごい女性だな、と新田は改めて感心した。口元を緩め、ため息をついた。

「わかりました。この件については、もういいません。俺も腹をくくります」

山岸尚美は口を真一文字に結んだ後、「そうしてください」と答えた。

フロントに戻り、新田は彼女らと共に通常の業務をこなした。金曜日だけに、予約だけでほぼ満室となっている。夕方以降は、チェックインをする宿泊客の応対に追われそうだった。

ベルキャプテンの杉下がフロントにやってきたのは、間もなく午後四時になろうとする頃だった。ほかのフロントクラークと少し話した後、彼は新田に近寄ってきた。

「渡辺様と高山様の部屋については、新田さんに御相談すればいいんですね」

「そうですが、何か」

「部屋は、もう決まっているんでしょうか。もし決まっているなら、荷物を運んでおこうと思うんですけど」

「荷物？」山岸尚美が横から口を挟んできた。「ウェディングドレス関連なら、明日の朝に搬入することになっているはずだけど」

「いいえ、ドレスじゃなくて宅配便です。中身はワインとなっているから、たぶんお二人へのプレゼントだと思うんですけど」

「プレゼント？」新田が訊いた。「それは今どこにありますか」

「ベルデスクにございます」

「裏の事務所まで持ってきてください」そういうと新田は山岸尚美と顔を見合わせた。

杉下が持ってきたのは、ワインボトルが一本だけ入っていると思われる包みだった。受け取り側の住所はこのホテルで、氏名欄には渡辺紀之と高山佳子の名前を書き込んである。送り主は『北川敦美』で、東京都吉祥寺の住所が記されていた。ただし、電話番号は書かれていない。

「おかしいな」新田は即座にいった。「この包み紙はデパートのものです。デパートで買ったのなら、そこから直接送るはずです。でもこの宅配便の伝票はデパートのものじゃない。一旦持ち帰った後、別の場所から発送したということになる」

「中にメッセージを書いたカードでも入れたかった……とか」山岸尚美がいう。

「それなら先にカードを用意しておいて、包装してもらう前に店員に渡すんじゃないかな」

「カードを入れることはワインを買ってから思いついた、ということも考えられます」

新田は彼女の顔を見つめた。

「仮にそうだとしましょう。その場合、あなたならどうしますか。買ったワインを持ち帰るのはいいでしょう。でもわざわざ包装を開いてカードを入れ、また包装し直すということをしますか。俺ならそうはしません。別に段ボール箱か何かを用意し、そこに包装されたワインとカードを入れます」

杉下が自分も同感だというように頷いている。山岸尚美も細かく首を縦に動かした。

「たしかに……そうですね」

「ブライダルの仁科さんに連絡してください」

新田がいった時には、山岸尚美は携帯電話を取り出していた。


「北川さんの名前は、ここにありますね」披露宴の席次表を広げ、仁科理恵はいった。彼女が指差したところには、たしかに『北川敦美』と記されている。名前の上には『新婦友人』とあった。

「どういう友人かはわかりませんか」

「そこまではちょっと……」

「この方にも招待状を送ったはずよね。住所はわかる？」山岸尚美が訊いた。

「もちろん。招待状はすべてうちから発送したから。——これが名簿です」仁科理恵は新田の前で一冊のファイルを開いた。名前と住所がずらりと並んでいる。

北川敦美の名前もあった。住所は宅配便の伝票に記されたものと一致していた。

「ここまでは不審な点はないな」

「でも、伝票に電話番号が書いてないのは変ですよね」

山岸尚美の意見に新田も同感だった。

「高山さんに電話をかけてもらえますか」仁科理恵にいった。「事情を話し、北川さんの連絡先を教えてもらうんです」

ブライダルの担当者は眉をひそめた。

「事情を話さなきゃいけませんか？　何か別の口実を作って聞き出したほうが……」

新田は小さく手を振った。

「高山さんを怯えさせたくないという気持ちはよくわかりますが、小細工すると却って後が面倒です。北川さん本人に確認して、確かに送ったということなら、高山さんも安心するでしょう。逆にそうでないということになれば、謎の人物から不審物が送られてきたのですから、本人たちに教えないわけにはいきません」

納得したのか、仁科理恵は険しい表情をしながらも頷いた。自分の携帯電話を取り出し、どう説明するかを考えるようにしばらく沈黙した後、指を動かし始めた。

電話はすぐに繋がったらしく、仁科理恵は話し始めた。慎重な口ぶりで用件を切りだす。一応、念のため、万一を考えて、といった言葉を繰り返している。高山佳子は、かなり動揺しているのかもしれない。

「わかりました。ではお待ちしております」そう締めくくって仁科理恵は電話を切った。北川敦美の番号を聞き出した様子はない。「御自分で北川さんに確認されるそうです。はっきりしたら、私に電話をくださると」新田たちを見ていった。

「なるほど。それならそれでいい」

「高山様の御様子は？」山岸尚美が訊いた。「やっぱり、気味悪がっておられた？」

「そりゃあね。北川さんは大学時代からの友人だけど、ホテルにワインを送るぐらいなら、自宅に食器か何かを送ってくれるんじゃないかとおっしゃってた」

彼女たちのやりとりを聞き、たしかにそうだろうな、と新田も思った。

重苦しい沈黙の時間が流れた。ワインの包みは机の上に載ったままだ。それを見つめながら、新田は様々な推測を組み立てた。最悪のことも考えておかねばならない。状況によっては、即座に稲垣に知らせる必要があるだろう。無論、笑い話で済んでくれれば何よりだが。

仁科理恵の電話が着信を告げた。沈殿していた空気が張りつめた。

「はい、仁科です。……あ、そうなんですか。……はい……はい」

声のトーンが落ち、顔が青ざめていく。それだけで新田には事態が把握できた。山岸尚美と顔を見合わせた。彼女の表情も険しくなっていた。

仁科理恵が電話の送話口を手で塞ぎ、新田のほうを向いた。

「高山様が北川さんに確認したところ、そんな荷物は送ってないとおっしゃってるそうです」予想通りの答えだ。

「高山さんには、後でこちらから連絡するといって、一旦電話を切ってください」そういってから新田は机の上に目をやった。山岸尚美が包みに手を伸ばしかけている。「触るなっ」思わず声を荒らげた。彼女はぎくりとしたように手を引っ込めた。

新田は唾を呑み、息を整えてから改めて口を開いた。「それには触れないで。鑑識に来てもらうことになると思います」

「鑑識……」山岸尚美は瞬きした。

「しかも、ここでは開封しません。その前にX線で中身を確認する必要がありますから」

「中身はワインではないと？」

「見かけはワインかもしれません。でも、箱を開けた途端、それが爆発しないとはかぎらない」

山岸尚美の身体が硬直するのが、制服の上からでもわかった。

31

午後五時を過ぎた頃だった。ロビーの雰囲気が変わるのを尚美は感じた。男性宿泊客のチェックイン手続きの最中だったが、彼女は思わず顔を上げ、視線を周囲に走らせていた。

ロビーに捜査員が潜んでいることは承知している。すでに何人かは顔を覚えていた。彼等の様子が違っていることに気づいた。全員が緊張の面持ちで正面玄関のほうを見ている。

尚美もそちらに目を向けた。予想通りだった。高山佳子が男性と腕を組んで入ってくるところだった。男性は、明日の新郎すなわち渡辺紀之だろう。背が高く、ひょろりとした印象だ。

「どうかしたの？」声をかけられ、はっとした。男性宿泊客が怪訝そうに見ている。

「いえ、何でもございません。失礼いたしました」急いで手続きを済ませ、ベルボーイを手招きする。カードキーを渡し、客を部屋へ案内するよう指示した。

どうぞごゆっくり、と頭を下げてから、再び正面玄関のほうを見た。渡辺紀之と高山佳子は、ブライダルのポスターを見ている。明日の自分たちのことを想像しているのかもしれない。このモデルが着ているドレスより今回の君のドレスのほうが素敵だね、というふうに。新婦はともかく新郎のほうは、幸福な思いしか頭にないのだろう。

ひとしきりポスターを眺めた後、二人はフロントにやってきた。そばにいた新田が目で合図を送ってくる。この二人には尚美が応対することが事前に決まっている。

「当ホテルへようこそ。チェックインでございますね」

「うん、渡辺です」渡辺紀之がいった。高山佳子と腕を組んだままだ。

「渡辺紀之様でございますね。お待ちしておりました。このたびは誠におめでとうございます」頭を下げ、宿泊票を出した。「では、こちらに御記入をお願いできますでしょうか。渡辺様の分だけで結構です」

通常の場合と違って、すでにカードキーなどは用意してある。渡辺紀之が宿泊票に記入をしている間、尚美は高山佳子の様子を窺った。彼女のほうは、明らかに落ち着きがなかった。かすかに笑みを浮かべながらも、怯えの色が滲み出てくるようだ。未来の夫は、この表情から何も読み取れないのだろうか。渡辺紀之が、ひどく能天気な男のように思えた。だが無論、そんな思いはおくびにも出すわけにはいかない。

　宿泊票への記入が終わったのを確認し、カードキーとサービス券などをカウンターに置いた。付帯しているサービス内容について説明した後、ベルボーイを呼んだ。関根という捜査員が扮しているが、彼も新田と同様、制服がなかなか板に付いてきている。怪しまれることはないだろう。

　明日の新郎新婦がエレベータホールに消えるのを見届けると、新田を振り返った。つい、大きなため息が漏れた。

「賽《さい》は投げられたってところですかね」新田はいった。

「高山様は予定を変更されると思ったんですけど」

「仕方がないでしょう。結婚式を明日に控えて、ストーカーに命を狙われているかもしれない、なんてことを彼氏にいうのは、なかなか勇気のいることです」

「それはわかりますけど……」

　例のワイン、いや正確にいえばワイン入りと表示された荷物は、警視庁の鑑識課が持っていった。爆発の危険性などを考慮し、場合によってはどこか安全な場所で開封するのだという。中身がどうだったかについては、まだ連絡がきていない。

　高山佳子には仁科理恵から事情を伝えてもらうことにした。その際、今夜の宿泊をどうするかも確認してもらった。ホテル側としては宿泊を自粛してほしかったが、今さら予定は変えられないというのが高山佳子の回答だった。明日のためのすべての準備を、今夜ホテルに泊まることを前提に進めてしまったからだという。無論、ストーカーのことを新郎に知られたくないという思いも強いのだろう。

二人が泊まるスイートルームは、本職によってハウスキーピングが施された後、鑑識課員が不審物や盗聴器の有無などを調べた。警察がホテルの従業員の中に犯人がいることも考慮しているのは明白だった。明日の朝には、ウェディングドレスやブーケ、新郎の衣装などが部屋に届けられるが、その前に別室に控えた女性鑑識課員がそれらをすべてチェックすることになっている。

「もしあのワインを送ってきたのが犯人ならば、次は何をしてくると思いますか」尚美は新田に訊いた。

新田は思案顔で腕組みをした。

「ワインの正体がわからないので、まだ何ともいえませんが、仮に毒物などを仕込んであるのだとしたら、犯人としては、まず犯行がうまくいったかどうかを確かめたいんじゃないでしょうか」

「確かめるというと……」

「もし犯人の思惑通りに二人がワインを飲み、そのまま死亡したとします。二人が倒れているところが見つかれば、ホテル側としては病院と警察に連絡するでしょう。間もなく救急車とパトカーが到着する――」

新田のいいたいことがわかった。尚美は頷いた。

「ホテルの近くで見張っている、というわけですね」

「俺が犯人ならそうします。問題は、いつまで見張っているかということです。救急車やパトカーが来ないからといって、計画が失敗したとはかぎらない。いつ二人がワインを飲むかはわかりませんからね。ふつうに考えれば、夕食後、部屋に戻ってからでしょう。その場合だと、仮に二人が死亡したとしても、朝まで発見されない可能性が高い。ただし、朝になれば間違いなく発見されます。ウェディングドレスなどが部屋に運び込まれることになっていますからね。遅くても明日の午前十一時頃までに異変がなければ、犯人は計画が失敗したと判断するでしょう」

新田の説明に、尚美は納得した。自分が犯人でもそう考えるだろうと思った。

「計画が失敗したと知り、犯人はどうするでしょうか」

「さあ、それは何とも」新田は首を捻った。「もしワインを送ったのがx4なら、おいそれと諦めたりはしないと思いますがね。ここまで手間をかけてきたわけですから」

「結婚式や披露宴の最中に何かするかもしれないと?」

「大いに考えられると思います。ただ、それらを無事に終えられたとしても油断は禁物です。新郎新婦は、明日もこのホテルに泊まることになっていますから」

そうだった。この緊張は、二人がチェックアウトする明後日の朝まで続くのだ。

チェックインしようとする宿泊客が、またちらほらとフロントに訪れるようになった。尚美は無論のこと新田も、チェックイン業務に専念することになった。今や新田はフロントクラークとして十分戦力になっている。

ロビーの雰囲気が、また少し変わったと感じたのは、間もなく午後七時になろうという頃だった。客に扮していた捜査員の一人が足早にエレベータホールに向かったのだ。

尚美は新田を見た。ふだん彼はインカムを着けていないが、今は耳にイヤホンが入っている。

「高山さんたちが夕食に出たようです。最上階の鉄板焼きの店を七時から予約したとか」

「それで刑事さんが行ったんですね」

新田は頬を緩めた。

「あの刑事はラッキーだ。高級レストランの鉄板焼きをただで食べられる。さすがにアルコールはだめでしょうが」そういいながら彼は上着の内ポケットに手を入れ、携帯電話を取り出した。低い声で二言三言話した後、電話を切った。顔つきが険しくなっている。

何か、と尚美は訊いた。

新田は周りに聞き耳をたてている者がいないことを確かめてから、尚美の耳元に顔を近づけてきた。

「鑑識から中間報告が届いたそうです。例のワインは爆発物ではありませんでした」低いがよく響く声で囁いた。「ただし、瓶の口を覆っているカバーに、針で突いたような穴が開いていたそうです。中のコルク栓を調べたところ、やはり針で貫通させた形跡があるとか。二つの穴の位置は完全に一致しており、何者かが注射針を差し込んだ可能性が高いとのことでした」

「注射針ということは……」

新田は鋭い目つきをし、ゆっくりと首を縦に振った。

「ただ穴を開けただけとは思えませんからね。何らかの薬剤を混入させた、と考えるのが妥当だと思います」

「薬剤って……毒ですか」

おそらく、と新田は答えた。「何が混入されているかは、まだわからないという話でしたがね。詳しく分析するには、少々時間がかかるみたいです」

尚美は急速に口の中が渇くのを感じた。寒気がし、全身が粟立った。

殺人事件の捜査に関わっているという自覚は、これまでも十分にあった。新田から捜査上の極秘事項まで教えられ、自分にはとてつもない責任があるのだと認識していた。だがそれでも頭の片隅に、現実として受けとめていない部分があった。そんな大事件はそうそう起きるものではない、大騒ぎした末に結局何も起きないのではないか――そんなふうに楽観した思いがどこかに残っていた。

だがついに思い知らされた。これは現実なのだ。どこかに殺人を犯そうとしている人間がいて、すでに行動を始めている。

尚美はじっとしていられなくなった。フロントから外に出ようとして、新田に肩を摑まれた。

「どこへ行くんですか」

「レストランに行って、お二人の様子を見ておこうと思って……」

新田は苦笑し、首を振った。

「レストランには、さっきの刑事以外にも警備の者がいるはずです。あなたが行っても、どうしようもないでしょう。俺の話を思い出してください。ワインに毒物が入っていたとなれば、犯人は今夜は動かない」

「あ……そうでしたね」

「勝負は明日です。x４の狙っているのが高山さんなら、という話ですが」新田は慎重な口ぶりでいった。

32

午後十時ちょうど、新田は尾崎や稲垣らと共に事務棟の会議室にいた。ほかに、十数名の捜査員が集まっている。

ホワイトボードには、チャペルがあるフロアと披露宴会場があるフロアの見取り図が貼られていた。警備の捜査員をどのように配置するか、サインペンで細かく記されている。

「宅配便を扱った店がわかった。高円寺駅のそばにあるコンビニだ」稲垣が書類に目を落としながら声を張った。「昨日の午後二時頃、持ち込まれたらしい。応対した店員によれば、若い男だったような気がする、ということだ。この言い方から想像がつくと思うが、店員の記憶は甚だ曖昧で、客の顔はもちろんのこと服装もろくに覚えていない。若い男、というイメージには縛られないでくれ。またワインが買われたデパートだが、こちらのほうは客のことを覚えていた店員はいない。そもそも、いつ購入されたのかも不明だ。昨日でないことは伝票から判明している。次に鑑識から追加報告。ワインの瓶から指紋は全く見つからなかった。布で拭いた形跡もないようなので、おそらく犯人は手袋を使用したと思われる。包装紙と箱からは何点か見つかっているが、購入時と宅配便に出す時だけ無警戒だったとは思えないので、それらの中に犯人のものが混じっていることはあまり期待できない、とのことだ」

新田はこっそりとため息をつく。要するに、現時点ではあのワインからは何の手がかりも得られていないというわけだ。

捜査員の一人が、ワインの送り主として名前を使われた北川敦美から聞いてきた話を報告した。それによれば、明日の式について話したのは、一緒に出席することになっている大学時代の友人ぐらいだという。祝儀をいくらにするか、ということで電話で話し合ったらしい。名前を使用されたことについては全く心当たりがないようだ。

「その女性の名前が使われたのは、おそらくたまたまでしょうね」稲垣が隣の尾崎に話しかけた。「高山さんは、しばしば郵便物を何者かに盗み読みされています。結婚式の出欠確認の葉書を見れば、明日の式に出る人間の住所など簡単にわかります」

同意らしく、尾崎は黙って小さく頷いた。表情が冴えないのは、捜査が捗《はかど》っている感触がないからだろう。

「犯人が、今夜高山さんたちが宿泊することを知っていた点についてはどうだ。何かわかったか」稲垣の視線の先には本宮の姿があった。本宮は手帳を見ながら立ち上がった。

「これもまた、郵便物を見られた可能性が高いです。数週間前、結婚式と披露宴の費用の大まかな見積金額を記した書類が、高山さんの元に郵送されています。その明細に、スイートに二泊することも書かれていたそうです。ただし金額自体は、一泊分はホテルのサービスで無料になっています。それを見れば、前日と当日に泊まることはすぐに想像がつくと思われます。むしろ犯人は、本来二人が今夜は泊まらない予定だったってことを知らなかったんじゃないでしょうか」

稲垣が顔をしかめ、頭を掻いた。「郵便物の送り先を新婦の住所にしておいたのが、すべての間違いってことだな」

本宮の話を聞き、ふと疑問が湧いた。新田は手を挙げた。「ちょっといいですか」

何だ、と答える代わりに稲垣は指先を向けてきた。

「郵送されたのは見積金額の明細書だけだったんでしょうか。そこに式やパーティの進行表のようなものは添えられてなかったんですかね」

どうだ、と稲垣が本宮に訊く。本宮は、さあ、と首を傾げた。

「明細書以外に何が送られたかは確認していません。——進行表がどうかしたのか」後半の問いかけは新田に直接向けられたものだ。

「高山さんが何者かに狙われているのではないかと気づいたきっかけは、ブライダルコーナーにかかってきた不審な電話です。高山さんの兄だと名乗り、結婚式や披露宴の詳しいスケジュールを聞きだそうとしました。郵便物の中に進行表が入っていたのなら、犯人としてはそんな電話をかける必要はなかったはずです」

「じゃあ、入ってなかったんだろうな」稲垣はあっさりいう。

「一応、確認してみます」本宮は携帯電話を手にしながら部屋を出ていった。

仮に進行表などは郵送されておらず、犯人が目にするチャンスがなかったのだとしても、あの電話は納得がいかない、と新田は思った。ワインで毒殺する計画があったのなら、式やパーティのスケジュールなどどうでもいいはずだ。それにあんな電話をかけてこなければ、もしかすると毒殺は成功していたかもしれない。

やがて本宮が戻ってきた。やや当惑した表情で新田を見た後、視線を上司たちに向けた。

「どうだった」稲垣が訊いた。

「進行表も同封した、ということでした。今、コピーを取ってもらっています」

稲垣は意表をつかれた表情になり、尾崎と顔を見合わせた。

新田が事務棟を出る頃には、時計の針は十一時を回っていた。犯人は進行表を見たはずなのに、なぜブライダルコーナーに電話をかけてきたのか。その疑問は、結局最後まで解消されなかった。進行表には、大まかな流れが書いてあっただけで、細かい時間までは記されていない。だから犯人はもっと正確なことを知りたかったのではないか、というのが稲垣たちの意見だが、新田としては首を傾げざるをえない。仮に細かく予定を知ったところで、式や披露宴がその通りに進行するとはかぎらないからだ。

釈然としない思いを抱えたまま、ホテルのロビーに戻った。フロントに山岸尚美の姿はない。今夜、彼女は久しぶりに早く帰った。そうするよう新田が強くいったのだ。

「明日は勝負の一日になるかもしれません。どうか今夜は、体力を温存しておいてください」この言葉に、頑固な彼女も首肯した。

フロントに向かって歩いていると携帯電話が鳴った。着信表示を見ると能勢からだ。

「はい、新田です」

「お疲れ様です。能勢です。ちょっと上に来てもらえませんか」

「上？」新田は携帯電話を耳に付けたままで見上げた。二階フロアの手すりから能勢が下を覗き込んでいる。その丸い顔を見ながら、「いつ来たんですか」と訊いた。

「ついさっきです。一刻も早くお話ししたいことがありましてね。会議中だと伺ったので、ここで待っておりました」

能勢の声には、勿体をつけるような響きがあった。どうやら収穫があったらしい。新田は敢えて何もいわずに電話を切り、そばのエスカレータに乗った。

二人でブライダルコーナーに入った。当然のことながら無人で、しかも暗かった。一部だけ明かりをつけ、テーブルを挟んで向き合った。

「捜査一課の資料班に同期がいましてね、現在警視庁が扱っている殺人事件について情報を流してもらいました」能勢は手帳を開きながらいった。「自分が住んでいて、こんなことをいうのも何ですが、人殺しの多いところですな、東京は。今年になってから起きた殺人事件は認知されたものだけでも百三十件以上で、そのうちの三十件近くが未解決です。そこには今回のｘ４によって仕組まれた三件の殺人も入っております」

ひと月に十人以上が殺され、四分の一ほどが犯人未検挙ということだ。たしかに物騒なところだと改めて思う。

「その未解決の三十件ほどをすべて当たるのはさすがに無理だと思いましたので、ここ三か月間に起きたものに絞って調べてみました。該当する事件は六件です。うち一件は轢き逃げで、二件は暴力団抗争にまつわる殺人でした。これらは新田さんのおっしゃってた事件とは性質が違うと感じましたので、外していいと判断しました」

「結構です。それでいいと思います」

「残る三件のうち一件は無差別殺人といえるものでした。隅田公園のそばでホームレスが死んでいるのが見つかっています。複数の人間によると思われる暴行の痕跡がありました」

その事件のことなら新田も知っている。不良少年たちによる犯行と推定されているはずだ。全くひどい世の中になったものだ。

「外してよさそうですね」

「そう思います。次は強盗殺人です。殺されたのは中野区で独り暮らしをしていた資産家の婆さんで、現金などが盗まれています。一見したところでは金目当ての犯行ですが……」意見を伺う、というように能勢が上目遣いをした。

「即断するのは危険ですね。そう見せかけただけという可能性もあります」

能勢は満足そうに頬の肉を緩めた。

「同感ですな。私もそう思いました。この事件では中野署に捜査本部が立っています。昔一緒に仕事をした刑事が捜査に加わっているので、その男を通じて遺族に、被害者がホテル・コルテシア東京と関係がなかったかどうかを確かめてもらいました」

「そんな妙なことを頼んで、その刑事さんからよく変に思われなかったですね」

能勢はぐふふふと身体を揺すって笑った。

「大丈夫です。ふだんから私は変人で通ってますから。で、その結果ですが、うちの婆さんがそんな洒落たホテルと関係があるとは思えない、というのが遺族らの回答だったそうです。もっと詳しく調べたら何か出てくるかもしれませんが、とりあえずこの事件は除外していいんじゃないでしょうか」

「了解です」

「となると残るのは一件ですが、これがまた厄介でして」指先を舐め、手帳の頁をめくった。

「じつは、まだ正式には殺人事件としての捜査本部は開設されておらんのです」

「どういうことですか」

能勢は手帳から顔を上げ、「死因が特定できないそうです」といった。

彼によれば、死んだのは松岡高志という二十四歳の男性モデルで、一か月ほど前、下高井戸にある自室で倒れているのを、同棲中の女性が発見したらしい。すぐに救急車を呼んだが、救急隊員が駆けつけた時には心停止していたという。

「外傷はなく、テーブルの上にはビールやチューハイの空き缶が転がっていたそうです。元々、栄養失調かと思うほど痩せていて、昼間から酒を飲んでいるうちに心臓発作を起こして死んじまったんだろう、と当初は考えられたみたいですな。モデルとはいっても実際には仕事は殆どなく、実質的には女性に食わせてもらっている状態だったようですから、事件性があるようには思えなかったんでしょう」

「ところが殺人事件の可能性が出てきたわけですか」

「同棲していた女性が被害者のことを、昼間から酒を飲むような人ではなかった、といい張ったそうです。もし飲むにしても少量だろうと。それでまず血液検査が行われました。するとたしかに血中アルコール濃度がさほど高くなかったんです。そこでようやく解剖が行われることになりました。しかし、結局それでも死因は特定できなかったんです。毒物が使われた形跡もありませんでした。ただし、一点だけ見つかったものがありました」能勢は人差し指を立てた。「右の足首に注射の痕が」

「注射？　でも毒物が使われた形跡はないと……」

能勢はにやりと笑い、手帳に目を落とした。

「使用の痕跡がなくなる薬物ならいくつかあるそうです。筋弛緩剤とか。とはいえ、注射痕だけでは殺人と断定する根拠としては弱い。それでまあ、殺人事件としては扱われていないというわけです。無論捜査は行われておりますが、現時点ではこれといった手がかりはないという状況です」

新田は頷き、指先でテーブルを叩きながら頭の中を整理した。

「それが殺人事件なら、俺の推理を成立させる条件は満たしていますね」

「そう思いましたから、早速知り合いに連絡を取りました」

「知り合いとは？」

「高井戸署の警務課に麻雀仲間がいるんです。そいつに頼んで、被害者と同棲していたという女性に会わせてもらえるよう取り計らってもらいました」

新田は瞬きし、能勢の顔をしげしげと眺めた。

警視庁捜査一課の資料班に同期がいて、中野署にも高井戸署にもコネがきく。この一見風采の上がらない中年男が、じつはとてつもなく大きなバックグラウンドを持っていることに、感服する思いだった。昨夜、「意地を見せさせていただきます」と啖呵を切ったのには、それだけの根拠があったのだ。

「何か？」能勢が尋ねてくる。

「いえ、何でも」新田はかぶりを振った。「で、その女性に会ったのですか」

「会ってきました」

能勢によれば、女性の名前は高取清香、都内の設計事務所で働いているデザイナーらしい。死んだ松岡高志より四歳上で、昨年の暮れ、あるミュージカルを見に行った際に席が隣だったことがきっかけで知り合ったという。その後、デートを繰り返し、今年に入ってから同棲を始めたわけだが、松岡が彼女の部屋に転がり込んだというのが実情のようだ。

「松岡さんは昨年の十一月に名古屋から上京してきた後、こっちでは大学時代の友人宅で居候をしていたそうです。上京の目的は、ある有名劇団のオーディションを受けるためでしたが、残念ながらオーディションには落ち、途方に暮れている時に高取さんと出会った、ということらしいです。同棲後、松岡さんはモデル事務所に登録し、役者になるための準備を進行中で、高取さんはそれをバックアップしていたということですが……」

新田は苦笑を漏らした。

「髪結いの亭主ってわけだ。そんなのにかぎって、本当に役者やアーティストとして成功すると、女をぽいと捨てたりする」

「よくある話ですな。私が高取さんの親なら、そんな男は死んでくれたほうがせいせいします。彼女の前ではいえませんでしたが」

「高取さんの親が疑われているんですか」

「いや、そのセンはないようです。高取さんの親は、娘が同棲していること自体を知らなかったそうですから。それ以外にも容疑者らしき人物は挙がっていません。松岡さんや高取さんを巡ってのトラブルというものも確認されておらず、そもそも松岡さんは東京に知人が殆どいませんでした。そうしたことから、これはやっぱり殺人ではなく自然死じゃないのか、という説も出てきたりしているみたいですな」

「なるほど。で、肝心の件ですが……」

「松岡さんとホテル・コルテシア東京の関係、ですね。もちろん、高取さんに確認しました。そのために会いに行ったのですから」

「その結果は？」

「残念ながら彼女には心当たりはないようです」

新田は胸に溜めていた息を吐き出した。失望しつつ、しかし、と思った。これだけのことを報告するためだけに能勢がわざわざ来たとは思えない。

「彼女には心当たりはなかった……つまり、能勢さんはほかの人間にも当たったということですか」

すると能勢は何かを企む顔になり、親指にべったりと唾を付けてから手帳をめくった。

「高取さんと同棲する前、松岡さんは友人の家で居候していたといいましたね。先程、その友人に会ってきました」

こっちが本題なのか。新田は身を乗り出す。「それで？」

「その人は松岡さんとは名古屋の大学で一緒だったそうですが、格別仲が良かったわけではなく、ほんの数日間だけ泊めてやるつもりが、ひと月以上も居座られて迷惑したといってました。松岡さんとは、それ以来一度も会ってないらしいです。死んだことは知っているし、刑事が話を聞きに来たけれど、事件について心当たりはないとのことでした。どうも、今でも松岡さんのことを快くは思っていない感じでしたね。金を持っていないのかと思っていたら、銀行預金のあることが出ていく直前になってわかり、頭にきて家賃の半月分を出させたとか。で、問題は、なぜ貯金があることに気づいたかですが」能勢は舌なめずりをした。「領収書を見つけたらしいんです」

「領収書？」

「高級ホテルの、です」能勢はにんまりした。

新田は両手でテーブルを叩き、背筋を伸ばした。「ホテル名は？　覚えてましたか」

「ええ、ホテル・コルテシア東京だと明言されました」

新田は体温が上昇するのを感じた。両手を握りしめる。

「日付によれば、どうやら松岡さんが上京してきた日だったようです。そこで友人は松岡さんを問い詰めました。なぜこんな高級ホテルに泊まれるんだ、金はどうしたんだ、とね。最初はごまかそうとしたみたいですが、松岡さんは白状しました。じつは親から仕送りを受けている、と。上京の記念に、一日だけ高級ホテルに泊まりたかったと言い訳したそうです」

「上京の記念か」新田は腕を組み、椅子にもたれかかった。「去年の十一月だといいましたね。後でホテルの記録を調べてみます。偽名を使っていなければ、正確な日にちもわかるはずです。こちらの事件と繋がりがあるとすれば、その日に何かがあったということになります」

「面白いことになるかもしれませんな。私は明日、名古屋に行ってこようと思います」

新田は眉をひそめ、能勢の丸い顔を見返した。「名古屋に？」

「なぜ松岡さんが、このホテル・コルテシア東京に泊まることにしたのかを知りたいし、どんな人だったのかも確かめておきたいんです。さっきうちの課長にも連絡しておきました。私の場合、自費で動く分には、あまり文句をいわれませんのでね」

それはおそらくこの男が上司から高く評価されているからだろう。今となっては、新田にはよくわかる。

「わかりました。よろしくお願いいたします。こっちはこっちで、大きな山場を明日に控えていますから」

能勢はぐいと顎を引いた。二重顎になった。

「上司から話は聞きました。明日行われる結婚式で、新婦が狙われるかもしれないとか」

「それだけでなく、すでに犯人は行動を起こしていると思われます」

新田は例のワインのことを話した。

「今の能勢さんの話を聞いていて、共通点はあると思いました。松岡さんは薬物を注射されて殺された疑いがある。そして今日届いたワインにも注射針によると思われる穴が開いていた。これは偶然とは思えません」

「たしかにそうですな。ただ、一つだけ気になることが……」能勢は短い指を立てた。

「何ですか」

「それがもしｘ４の犯行であるならば、当然例の数字を犯行現場に残そうとするのではないですか。それとも、ワインの箱か何かに、数字を記した紙が入ってたんでしょうか」

「いや、鑑識からそんな報告は来ていません。数字は別の形で残す気なのかも。たとえば高山さんの携帯電話にメールで送るとか」

「なるほど。それは考えられますね。しかしもし毒殺に成功したとしても、被害者がいつ死んだかは犯人にはわからないんじゃないですか。救急車やパトカーが来たからといって、その直前に死んだとはかぎらない。午前零時を過ぎれば日付は変わる。御記憶だと思いますが、例の数字は緯度と経度、そして犯行日を組み合わせたものです。日にちが一日違えば、経度が一度変わります。一度というのは東京タワーから山梨の勝沼までの距離です。たとえ一日であっても、犯人にとっては無視できないと思うのですが」

新田は思わず目を見開いていた。能勢の指摘に衝撃を受けたからだ。たしかにその通りだと思った。捜査会議中、誰一人としてこの点には気づかなかった。

「えーと、私のいってること、何か変ですか」

とんでもない、と新田は首を振った。「素晴らしい着眼だと思います。能勢さん、あなたはすごい人だ」心の底から出た言葉だった。「すごい刑事だ」

いやいや、と能勢は照れた表情で手を振り、手帳をポケットにしまった。

「ちょっと気づいたことをいったまでです。では私は、明日の準備のために引き上げます。お互いがんばりましょう」

能勢が立ち上がったので、新田も腰を上げた。「正面玄関まで送らせてください」

「いやいやそんな」

「遠慮は無用です。俺の服装を見てください。ホテルマンがお客様を見送るのは当然です」そういって新田はエスカレータに向かって歩きだした。

33

午前九時を少し過ぎていた。夜勤組からの引き継ぎを終えた後、尚美はフロントに立ち、こっそりと深呼吸をした。ついにこの日が来てしまったという思いと、本当に今日何かが起きるのだろうかという疑いが、交互に押し寄せてくる。だが、と彼女は自分自身にいい聞かせる。今日何が起きようとも、そしてもし何も起こらないにしても、自分は自分のすべきこと、やれることを精一杯にやるだけだ。

ロビーの雰囲気は明らかにいつもと違っていた。土曜日なので、いつもより混み合っているのは当然だ。だが違和感の原因は、たぶんそれではない。

尚美はゆっくりとロビー全体に視線を巡らせた。見覚えのある捜査員たちは、今はいない。だがおそらくいつも以上にたくさんの捜査員が、この中に潜んでいることは間違いなかった。彼等一人一人の発する険しい気配が、華やかな空気を微妙に焦臭くさせているように思えた。

山岸さん、と後ろから声をかけられた。新田が立っていた。「ちょっといいですか」

ええ、と頷いた。「何か?」

「お願いしたいことがあるんです」そういって彼は後方を指した。

二人で裏の事務所に回った。そこでは久我が立ったままでファイルを開いていた。机の上の端末には、顧客リストが表示されているようだ。

「何か、調べごとでも?」尚美は新田に訊いた。

「じつはそうなんです。昨年の十一月のことなんですが」

「十一月?」

「正確にいうと、十一月十七日のことです」

「その日に何か?」

新田は頷いてノート型の端末を引き寄せ、リストの一部を指差した。

「松岡高志という男性が一人で宿泊しています。シングルルームで一泊。冷蔵庫のビールを二本飲んで、一階のコーヒーショップで食事をしています」

「その方がどうかしたんですか」

「いや、それはまだ何ともいえないんです。事件に関係があるかどうかもわかりません。ただ、もし関係があるとすれば、この人物がこのホテルに泊まったことに意味があるはずなんです。それを調べているわけです」

尚美は首を傾げながら画面を覗き込んだ。松岡高志。特に記憶している名前ではない。

うーん、と唸ったのは久我だ。

「その日は特にトラブルらしきことは発生していませんね。平日で、大きなイベントが行われたという記録もありません」

「翌日はどうですか」

「十八日の分も調べましたが、何も起きてはいません」久我は首を振り、ファイルを机に置いた。

「どうぞ。気が済むまで見てくださって結構です」

「わかりました。どうもお手数をおかけしました」

久我は頷き、部屋を出ていった。

「その、松岡という方に訊いてみたらいいんじゃないですか」尚美はいった。「その日、ホテルで何かあったんですか、と」

「たしかにそれが可能なら一番いいのですが」新田は肩をすくめた。「亡くなっているんです。ひと月ほど前に」

尚美は、どきりとした。「それはもしかして、殺された……とか？」

「その可能性が高い、とだけいっておきましょう」

「どうして、こちらの事件と関係があるかもしれないと思うんですか」

新田は指で鼻の下を擦った。

「それを説明するのは少々難しい。ここではひとまず、刑事の勘といっておきましょう。勘ですから、外れていることも大いにありえます。いかがですか。去年の十一月十七日、あるいは十八日。何か思い出すことはありませんか」

尚美は端末を操作した。昨年十一月十七日と十八日のデータを呼び出してみる。その日、どんな部屋がどれだけ使われたか、どういう客が来て、収益はいくらだったか等の記録はすべて残っている。

だがそれらを眺めてみても、何らかの記憶が喚起されることはなかった。十一月十七日も翌日の十八日も、このホテルにとっては平穏で平凡な一日だったようだ。記録によれば尚美は夜勤だったらしいが、それすらも覚えていない。

何もなかったと思う、としか尚美にはいえなかった。

「あなたがそういうんだから、きっと何もなかったんでしょうね。刑事の勘は外れたかな」新田は諦めたような顔でいい、小さく首を捻った。

「あちらはどうなっていますか。高山さんたちのほうですけど」

「無事かどうかという質問なら、もちろんお二人とも無事です。先程、ルームサービスを頼まれたようですから、今頃は食事中じゃないですか。厨房には見張りの捜査員がいるし、料理を運んだのはベルボーイに化けた関根ですから、毒を盛られた心配はまずありません」

厨房に捜査員がいるというのを聞き、尚美は少しショックを受けた。警察は本気でホテルの従業員も疑っているようだ。しかし事件を未然に防ぐには、そこまで徹底する必要があるのかもしれない。

ちょっと失礼、といって新田は眉をひそめた。今日も彼の耳にはイヤホンが入っている。

「追加情報です。ウェディングドレスやアクセサリー類が、高山さんたちの部屋に届けられた模様です。すべての品は鑑識でチェック済みですから、ここまでは問題なしと思っていいでしょう」

尚美は時計を見た。間もなく十時になろうとしている。

「昨日新田さんは、午前十一時を過ぎてもパトカーや救急車が駆けつける様子がなければ、犯人はワインによる毒殺は失敗したと考えるだろう、とおっしゃってましたよね。それまであと一時間ほどですけど……」

「犯人は、もう失敗に気づいているかもしれませんね。問題は、どんなふうに失敗したと考えるかです。単に二人がたまたまワインを飲まなかっただけだろうと考えるか、ワインの正体がばれたのかもしれないと考えるか。後者だとすれば、警察が動きだしていることを見越して、しばらくおとなしくしてくれるかもしれない」

「でも昨日は、これがｘ４の犯行なら、そう簡単に犯行を断念しないだろうと……」

「ｘ４の犯行ならね。でもワインに関してはｘ４とは関係がないように思うんです」

「どうしてですか。じゃあ、ｘ４とは関係のない全然別の殺人が、たまたま行われようとしたということですか。そんな偶然ってあるでしょうか」

「可能性は低いと思います。でもｘ４がワインによる毒殺を狙ったとすれば、納得できないことがあるんです」

これは能勢刑事の推理ですが、と前置きして新田が話す内容に、尚美は目を開かされる思いがした。ワインを飲んで高山佳子たちが死んだとして、それが夜なのか朝なのかは犯人にはわからない。だから例の暗号めいた数字を残すにも残せない。仮に一日の違いがあれば、経度は大きく変わる——聞いてみれば、まさにその通りだと思った。

「すごい推理ですね」

「同感です」新田は即答した。「初めの頃は、冴えないおっさんだと思ったんだけどなあ」

「それで、どうされるんですか。ワインがｘ４の仕業じゃないとしたら」

尚美の質問に、新田は意外そうに目を見開いた。

「どうするか？　そんなのは決まってるじゃないですか。ｘ４であろうとなかろうと、人の命を狙っている奴がいるなら、それを阻止するのが俺たちの役目です。大切なお客様の命を守るのもね」

優等生的な回答を聞き、尚美は彼の顔を下から覗き込んだ。

「それは刑事としておっしゃってるの？　それともホテルマンとして？」

新田は不意打ちを食らったような顔をした後、苦笑した。

「どっちでもいいじゃないですか。そろそろフロントに戻りましょう。忙しくなる頃だ」

34

チェックアウト業務が一段落した頃、上着の内側で携帯電話が振動した。着信を確認した後、新田はフロントの隅に移動した。電話は能勢からだった。

新田です、と低く答えた。

「能勢です。今、大丈夫ですか」

「平気です。名古屋におられるんですか」

「そうです。ついさっき、松岡高志さんの実家を訪ねてきました。瑞穂区のミョウオンドオリというところです。なかなか立派な邸宅でしたよ。お母さんがいたので、いろいろと話を聞かせてもらいました。といっても、一人息子が死んでまだ一か月ですから、話の途中で涙ぐんだり怒りだしたり、なかなか大変でしたが」

状況が目に浮かぶようだ。しかし能勢なら、そんな相手からもうまく話を引き出してくれたに違いない。

「で、何か収穫はありましたか」

「まだ何ともいえませんね。お母さんによれば、松岡さんは学生時代から芝居に夢中になっていて、小さな劇団に所属していたそうです。大学よりも稽古場にいる時間のほうが長いぐらいで、一時は卒業できないんじゃないかと心配になったこともあるとか。卒業後も就職せず、バイトをしながら芝居を続けていたところ、去年の秋、急に上京するといいだしたらしいです」

「急に？　それは何かきっかけがあったんでしょうか」

「そのあたりは、お母さんもよくわかってないみたいでしたね。本格的に芝居を続けるからには東京に行かねばならんようだ、という程度の認識で御両親とも了解したようです。劇団のオーディションに落ちて、一旦は名古屋に帰ってくるものと思い込んでいたら、そのまま東京に居着いたようなので驚いた、とおっしゃってました。友達の家で居候していると聞き、あまり迷惑をかけるなといって仕送りだけは十分にしておいたとも。女性と同棲していたことは、今回初めて知ったそうです。知らぬは親ばかりなり、ですな」

「事件について、何か心当たりはあるようでしたか」

「何ひとつ思いつかないとおっしゃってました。私の見たかぎり、隠し事をしているようには思えませんでしたね。死んだと聞いて駆けつけた時点では、心臓発作による死亡と聞いていたので、悪い女に引っ掛かって、荒れた生活を送っていたせいだろうと思ったそうです。殺されたとは、とても考えられないということでした。しかしまあ、遺族は大抵そういいますから、あてにはできません」

その通りだと思い、新田は電話を耳に当てたままで頷いた。

「このホテルについてはどうですか。松岡さんが泊まったことについて、何か思い当たることはあるようでしたか」

「それについてはわかりました。松岡さんは受験生だった頃、東京の大学も受けたそうです。その際に宿泊したのがホテル・コルテシア東京——そちらのホテルです。松岡さんは殊の外満足したらしく、受験を終えて名古屋に帰ってからも、事あるごとにホテルの素晴らしさを語っていたとのことです」

「それで上京の記念に泊まりにきたわけですか」

受験生の目には、東京の高級ホテルはさぞかし華やかな光に溢れて見えたことだろう。ホテルマンたちのサービスぶりにも感動したかもしれない。そう思うと新田は嬉しくなったが、同時に本物のホテルマンでもないのに喜んでいる自分自身がおかしくもあった。

「松岡さんが、このホテルを選んだ理由はわかりました。しかしそれだけでは、こちらの事件との繋がりは見えてきませんね」

「そうなんです。そこでこれから松岡さんの芝居仲間に会ってこようと思います。何人かの名前と連絡先を教えてもらいましたので」

「なるほど、それはいいかもしれない」

「稽古場も見てこようかと思います。それで何かが掴めるかどうかはわかりませんが、親しくしていた人間の名前と写真ぐらいは入手しておこうと思います」

「よろしくお願いします。こちらは今のところ異状なしです」

「犯人が尻尾を出してくれるといいですね。また何かわかりましたら連絡します」そういって能勢は電話を切った。

電話を内ポケットに戻し、新田はため息をついた。あちらは能勢に任せるしかない。そして任せて大丈夫だという確信が、今の新田にはあった。

その後も通常のフロント業務をこなしていたが、午後二時半になって、左の耳に入れたイヤホンから声が聞こえた。着替えを済ませた高山佳子と渡辺紀之が、部屋を出て、写真室に向かったという内容だった。当該場所の警備を担当している者たちが、了解したと応答している。

いよいよ始まるのだなと思い、新田は緊張した。客に音声を聞かれるおそれがあるため、フロント業務の最中はトランシーバーの電源を切ることが許されているが、これからしばらくの間は入れたままにしておこうと思った。

やがて、高山佳子たちが無事写真室に到着し、撮影に入ったという連絡が聞こえてきた。時刻は午後二時四十分。すべてが予定通りだ。

新田は正面玄関に目を向けた。礼服に身を包んだ年配の男性と、妻と思われる留袖姿の女性が並んで入ってきた。本日の催事が示されたボードの前で足を止め、渡辺家高山家結婚式と書かれた表示を指差し、目を細めている。二人は優しげな笑みを浮かべたまま、エレベータホールに向かった。

その後、高山佳子たちの結婚式に出席すると思われる老若男女が、次々とやってきた。それに伴い、イヤホンから飛び込んでくる指令や応答の数も増えてくる。

（こちらA班。渡辺家、高山家の親族用控え室の入り口付近にいます。孤立している人物は見当たりません）

（稲垣だ。了解した。B班、撮影はどうですか）

（B班です。たった今、終わりました。新郎新婦は写真室を出て、控え室に向かいます）

（稲垣、了解しました）

通信内容を聞いているだけで、状況が目に浮かぶようだった。ウェディングドレスを着た高山佳子は、幸せな気分に浸りつつも、ストーカーのことが頭から離れず、不安を抱えているに違いない。そして新郎の渡辺紀之は、そんな花嫁の心中など全く想像することなく、ただにやけているのだろう。

もしかするとこれで事件が解決するのかもしれないと思うと、新田はじっとしているのも辛かった。自分もほかの刑事たちと一緒に結婚式会場や披露宴会場で張り込みたいと思った。だがそれは自分の仕事ではなかった。今すべきことは、フロントクラークとしてここにいて、ホテルに来るすべての客をチェックすることだった。

そんな彼の目が一人の客を捉えたのは、間もなく午後三時半になろうかという頃だ。地下からのエスカレータを上がってきたその男は、一見して場違いな感じがした。大人なのか子供なのか一瞬迷うほど華奢な体格をしており、ジーンズを穿いた足は棒のように細かった。やや猫背気味で、上着の肩のあたりが安物のハンガーに吊したように尖っていた。顔も細く、色白でひ弱な印象を受ける。そのくせ、エスカレータから降りてロビー全体をさっと見渡した表情には、何か悲愴な決意を秘めているような迫力があった。吊り上がり気味の目に宿っている光には、狂気めいたものを感じる。

男は紙袋を提げていた。やけに大きな腕時計に目を落とした後、近くのソファまで移動して腰を下ろした。新田はその動きに合わせて視線を動かしていたが、座った直後に男が不意に顔を上げたので、危うく目が合ってしまうところだった。

刑事の勘……か——。

心の中で呟き、思わず苦笑した。一目見ただけで犯人を見つけだせるなら、警察官の数は百分の一で済む。

中年の男性客が、真っ直ぐに新田のところへやってきた。新田は頭を下げ、応対する。男性客はシングルルームを予約していた。手順通りにチェックインの作業を行う。その間もイヤホンからは様々な情報が流れてくる。トランシーバーのボリュームを少し絞った。

チェックインの手続きを終え、ベルボーイを呼び寄せた。カードキーを渡し、男性客を見送った後、先程の小柄な男のほうに視線を走らせた。だが男はいつの間にかいなくなっている。ロビー中を見回したが、どこにも姿はなかった。

どうやら立ち去ったらしい。この地下は地下鉄とも繋がっているから、駅から来た客がたまたまロビーに上がってきたのかもしれない。大した刑事の勘だ、と新田は再び口元を緩めた。

「何がおかしいんですか」横から声をかけられた。山岸尚美が近寄ってくるところだった。「楽しいことでもあったんですか？」

まさか、と新田は手を振った。「自分の能力の限界に気づいて、がっかりしていたところです。もちろんそれは刑事としての能力のほうです」

「ホテルマンとしての能力には、まだ限界を感じていないと？」

「少なくとも、そちらのほうが可能性はあるかもしれません」そういってから、冗談です、と付け足した。本気にされたら困る。

山岸尚美は薄く笑い、腕時計を見た。時刻を気にしているようだ。

「結婚式のことが気になっているんでしょう？　様子を見てきたらどうですか。ここは大丈夫ですよ。久我さんたちもいるし」

「いえ、私が行っても邪魔なだけですから。それに、もうすぐ大事なお客様がいらっしゃる予定なんです」

「大事なお客様？　誰ですか。ＶＩＰが来る予定なんてありましたっけ」

「ＶＩＰじゃありません。いらっしゃれば新田さんにもわかると思います」

思わせぶりな台詞に新田が眉をひそめた時、またしてもトランシーバーからの音声が賑やかになった。ボリュームを上げる。

（Ａ班です。新郎新婦の家族に続いて、親族や友人たちが教会に入っていくところです。不審な人物は見当たりません。新郎新婦と新婦の父親は、すでに教会の控え室にいます）

（稲垣です。了解。全員が教会に入ったら、知らせてくれ）

（Ａ班、了解しました）

新田は山岸尚美を見た。「間もなく結婚式が始まるようです」

「何も起こらなければいいんですけど」

「起こりませんよ。起こるとしても未遂です。警察を信用してください。そして何も起こらないまますべてが終わり、無事に高山さんたちがこのホテルを後にしたなら、あなたは総支配人に今回の犯行の構造を話せばいい」声を落とし、新田は続けた。「じつは連続殺人事件ではないのだ、とね」

「いいんですか」

「あなたと約束しましたから」

山岸尚美は顎を少し上げたままで目を伏せた。胸を上下させて息を吐いた後、真剣な目を新田に向けてきた。

「どうするかは、高山様たちがお帰りになってから考えます」

新田は頷いた。「わかりました」

結婚式が始まったという連絡が無線を通じて聞こえてきた。ここまでのところ、何ひとつ異状はない。すべてが順調だ。

ワインを送った人物は、今頃はどこで何をやっているのか。何かを仕掛けようと息を潜めているのか。仕掛けるとすればいつか。

そして約二十分後、結婚式が終了したという知らせが入った。新郎新婦と親族は、写真室で記念撮影をするらしい。

（友人らは五階の宴会場に移動しています。A班の三名は、予定通りこちら四階に留まります）

（稲垣です。了解した。五階宴会場周辺の警備班、状況報告願います）

（こちらC班です。異状なし）

（D班です。目下のところ異状なし）

（E班です。異状ありません。どうぞ）

宴会場には結婚式に出なかった人々もやってくる。披露宴が始まるまでの間、廊下や控え室は多少混雑するだろうと予想された。だがじつはそれ以上に人の動きが激しいのは、表から見えないところだ。宴会場に繋がる従業員専用エリアでは、披露宴が始まるよりもずいぶん前から、多くの従業員たちがバスケットボール選手のように動き回っている。そのうちの一人が不審な動きをしていても、おそらく誰も気に留めないだろう。そうした理由から、宴会場周辺は特に細かく警備範囲が分けられている。

「勝負の行方は披露宴に持ち越されたようです」新田は山岸尚美にいった。

彼女は頷いた。だがその表情は、やや上の空という感じだった。視線が遠くに向けられている。

どうかしましたか、と新田は訊いた。

「あ、いえ……」山岸尚美は一点を見つめたままでいった。「あそこに座っている女性が、ちょっと気になるなと思いまして」

「どこですか」新田は彼女と同じ方向を見た。

「エスカレータの手前にある柱の、すぐ横のソファに座っている女性です。黒い帽子をかぶっておられます」

その場所には、たしかにそういう女性がいた。新田からだと右の横顔が見える。ただし帽子のつばが広いので、よくわからない。グレーのワンピースを着て、膝に黒いバッグを置いている。

「あの女性の何が気になるんですか」

山岸尚美は首を傾げた。

「何がと訊かれるとうまく説明できないんですけど、一言でいえば佇まいです。あの雰囲気に合わない帽子もそうですけど、どこか不自然さを感じます。さっきから眺めているんですけど、あの姿勢のままで殆ど動かないんです。そのくせ左手だけは、ほんの少しだけですけど頻繁に動かします。たぶん時計を見ているんだと思います」

「刑事の勘ならぬホテルマンの勘、ですか」

「そんなものは当てにならないとおっしゃりたいんでしょうけど」

「いや、決してそんなことは――」ない、といおうとして新田は言葉を呑んだ。黒い帽子の女が時計を確認したところだった。彼を絶句させたのは、女がはめている腕時計だ。服装には全く合わないごつい時計だった。それと同じものを、ついさっき見たばかりだ。

新田は女の横顔を凝視した。帽子で隠れているが、鼻のあたりはわかる。

「山岸さん」

はい、と彼女は答える。

「あれは……男です」

「えっ？」

新田は、黒い帽子の女の顔をよく見ようとフロントの中を移動した。間違いなかった。先程地下から上がってきた、紙袋を持った男だ。あの中身は女装用の衣装だったらしい。トイレかどこかで着替えたのだろう。

「何者だ……」

本人に直接尋ねたいところだが、そういうわけにはいかない。女装自体は犯罪行為でも何でもない。しかも現在、新田はホテルマンに扮している。ホテルの人間が客の秘密を暴いたら大騒ぎになる。

どうしようかと思っていたら、男が立ち上がった。ハイヒールを履いた足でエスカレータに向かい、そのまま乗った。動きに躊躇いがなかった。

「山岸さん、ここをお願いします」新田はそういうとフロントを出た。

足早にロビーを横切り、エスカレータに乗った。足音をたてぬようにステップを上っていく。

二階に着くと、素早く周囲を見渡した。

廊下の角を曲がる後ろ姿が見えた。その先には階段があるはずだ。新田は駆け足になった。絨毯が足音を消してくれるのがありがたい。

曲がり角から顔だけを覗かせた。グレーのワンピース姿が階段を上がっていく。

その時、イヤホンから声が聞こえた。

（A班です。親族での記念撮影が終わりました。新郎新婦を残し、家族と親族は五階の宴会場に

向かう模様。新郎と新婦は、一旦この階の控え室に戻るそうです）

（稲垣です。了解）

新田はトランシーバーの送信スイッチを入れた。マイクを口元に近づける。

「新田です。不審者発見。応答願います」

（稲垣だ。状況を説明せよ）

「こちら新田。女装した男。年齢は二十代か三十代。小柄。黒い帽子、グレーのワンピース。二階ブライダルコーナー横の階段から移動中。三階より上に行くと思われます」

（A班、話は聞いていたな。当該の階段付近を見張れ）

（A班、了解しました）

（新田、報告御苦労。持ち場に戻ってくれ）

稲垣の指示に、了解と答えて新田は踵を返した。あの女装男が犯人かどうかは不明だが、宴会場のエリアに入った以上は、持ち場の人間たちに任せるしかない。

下りのエスカレータに乗ろうとした時だった。耳に声が飛び込んできた。

（A班です。不審者を確認。親族用控え室横の女性用トイレに入りました）

少し間が空いてから稲垣が応答した。

（よし、真渕に入らせて職質をさせろ）

（A班、了解しました）

真渕というのは女性の捜査員だ。このホテルにはハウスキーパーとして潜入していたが、今日の警備のために駆り出されている。彼女に職務質問をさせる気らしい。

これであの女装男の正体はわかりそうだと新田が思った時だった。（逃げたっ）という声がイヤホンから聞こえた。

（不審者が逃走。階段を下りました。追跡しますっ）

（馬鹿っ、何やってるんだっ）稲垣が罵声を飛ばした。

新田は身体の向きを変え、駆けだした。階段の下で待ち構えていると、グレーのワンピースを着た男が必死の形相で下りてきた。帽子はかぶっていない。彼を追う足音も、すぐ後から近づいてくる。

男は新田を見て足を止めかけたが、再び加速して駆け下りてきた。ホテルの人間なら振りきれると思ったのだろう。

新田は男にタックルした。華奢な相手は簡単に倒れた。持っていたバッグが転がった。

「離せよっ。違うって。俺は違うんだ。頼まれただけなんだ。ただのバイトだって」じたばたしながら男は喚いた。

上から刑事たちが下りてきた。いずれもホテルマンの服装をしている。

「誰に何を頼まれたんだ」新田は訊いた。

「どこの誰かは知らないよ。ネットで知ったんだ。そいつから、ホテルのブライダル係に電話をかけたり、花嫁に手紙を渡してくれたりしたらお金を払うって持ちかけられたんだ」

「手紙？」

「そこに入ってるよ」男は落ちているバッグを顎先で示した。

刑事の一人が手袋を嵌めてからバッグを拾い上げ、中を探った。白い封筒が出てきた。

「この手紙を預かったのか」

新田の質問に男は首を振った。

「いわれた変な数字を紙に書いて、手持ちの便箋に入れただけだ」

「変な数字？」ぴんときた。手紙を持っている刑事に目配せした。

刑事は封筒から紙を取り出し、じっと見つめてから新田のほうに向けた。そこには次のように記されていた。

46.609755

144.745043

新田は女装男の襟首を摑んだ。「ほかにはどんなことを頼まれた？」

「それだけだ。手紙を渡したら、すぐにホテルを出ろっていわれた。女子便所に隠れて新婦が入ってくるのを待てっていうのも、そいつからの指示なんだ。ほんとなんだ。信じてくれ」

「ワインを送ったのはおまえじゃないのか」

「ワイン？　何のことだよ。知らねえよ」

怯えながら主張する男の目を見て、新田は手を離した。こんなやつがｘ４のわけがない。

「……すぐに係長に連絡を」女装男を刑事たちに引き渡し、新田は立ち上がった。その場を離れながら考えを巡らせた。

おそらく男のいっていることに嘘はない。男は単にｘ４に利用されただけだ。ではｘ４の狙いは何なのか。数字だけを高山佳子に渡して、どうしようというのか。

考えながらエスカレータに乗ろうとした時、携帯電話がメールの着信を告げた。取り出し、表示を確かめた。能勢からだ。

メールのタイトルは、『劇団やっと亀』となっている。松岡が所属していた劇団名らしい。本文には、『松岡さんが所属していた劇団の稽古場に来ました。劇団員が写っているポスターがありましたので写メールで送ります。』とあり、いくつかのファイルが添付されていた。

こんなことをしている場合ではないのだが、と思いながら写真を見た。たしかに芝居のポスターらしきものが写っている。だが役者は、顔も名前も知らない無名の人物たちばかりだった。

後でゆっくりと確認しようと思い、画面を消そうとした時だ。あるポスターの一部に新田の目は釘付けになった。そこには一人の女が写っている。

じっくりと眺めるうちに、鼓動が速くなってきた。新田はエスカレータに乗り、駆け下りた。フロントに向かいながら能勢に電話をかけた。

「はい、能勢です。メールを見ていただけましたか」

「見ました。能勢さん、五枚目のポスターについて教えてください。そこに写っている女について」

「五枚目？　ええと、ちょっと待ってください」

新田はフロントに駆け寄り、中を見回した。山岸尚美の姿がない。

「ああ、これですね。『タイタニックに乗れなかった人たち』、面白いタイトルですな。真ん中にいる女性は、主にヒロイン担当で――」

「その女性ではなく、左の隅に写っている人です。サングラスをかけていて、首にはスカーフ、服は黒っぽいスーツ」

「あっ、このお婆さんですか」

「そうです。その役者さんのことを至急調べてみてください」

「あ、はあ、調べるというと……」

「名前とか素性とかです。頼みます」

新田は電話を切った。能勢は当惑しているだろうが説明している暇はない。

久我がいたので呼び止めた。「山岸さんはどこですか」

「彼女なら、お客様を部屋まで御案内しているところです」

「案内?」フロントクラークが客を案内することなど通常はない。「お客様というのは、もしかして……」

ええ、と久我は頷いた。「先日もいらっしゃった片桐瑶子様です」

35

尚美は0917号室の前で足を止めた。カードキーを使って鍵を外し、ドアを開けた。

「どうぞ」ドアノブを握ったまま、後ろの片桐瑶子にいった。

「ありがとう」老婦人は微笑み、尚美の前を通って部屋に入った。前回と違い、今日は杖をついていない。もう視覚障害者のふりをする必要はないから当然だ。サングラスはかけていたが、レンズの色は前に比べるとずっと薄かった。そのせいか、肌がずいぶんと若々しく見えた。しかし相変わらず手袋は嵌めている。火傷の痕がある、と彼女がいっていたのを尚美は思い出した。

片桐瑶子からホテルに連絡があったのは昨夜のことだ。ただし電話に出たのは夜勤の者だった。その者によれば、電話でまず彼女は次のように訊いたらしい。

「明日、うちの主人がそちらのホテルに泊まることになっています。じつは主人は目が不自由なんです。それで先日、山岸さんという方に事情をお話しして、よろしくお願いしますと申し上げたんですけど、明日、山岸さんは出勤されるのでしょうか」

間違いなく出勤しますと答えると、それならば、といってこう続けた。

「主人がそっちに着くのは六時頃だと思いますけど、その前に一度私が部屋を確かめておきたいんです。四時頃に行きますから、そのように山岸さんに伝えていただけるとありがたいのですが」

かしこまりました、必ず伝えます、と係の者は答えた。実際、今朝の引き継ぎ時に、その内容が尚美に伝えられた。

予約リストを調べてみると、たしかに片桐一郎という名前があった。

今度主人が昔の仲間たちと会うために上京してくる——前回、片桐瑶子はそんなふうにいっていた。いつもなら自分が同行するところだが、今回にかぎり主人は一人で行くといい張っている。だから下見に来たのだといった。わざわざ目の不自由な芝居までしたことに、尚美は驚かされた。余程夫のことを愛しているのだなと感心したものだ。

現在、ホテルは大変な状況に置かれているわけだが、そんなことは訪れる客たちには関係がない。片桐瑤子の期待に応えることは、今日の自分がやらねばならないことの一つだと尚美は思った。

午後四時半を少し過ぎた頃、片桐瑤子は現れた。ちょうど新田がいなくなった直後だった。フロントにやってきて、尚美に微笑みかけてきた。「この間はどうも」

「お待ちしておりました、いつも御利用ありがとうございます」型通りではあるが、尚美は本心からそういって頭を下げた。

「ごめんなさいね、面倒なことをお願いして」相変わらず、耳に優しい声で謝った。

「いえ、とんでもない」

「前にも話したように、うちの主人は私以上に霊感が強いの。でも考えてみると、あの人は一人で旅行するのは初めてだから、部屋が合わなくても、替えてくれとはいえないような気がするのよ。せっかく高級ホテルに泊まるのに、嫌な気分のままだったらかわいそうでしょ。それで先に私が選んでおこうと思ったわけ」

「そうだろうと思いました。ただ先日伺った時には、片桐様は当日ほかに大事な用があるということでしたが、そちらのほうは大丈夫なんでしょうか」

「友達のお嬢さんの結婚式でしょ。それなら大丈夫。今から部屋を選ばせてもらって、五時半ぐらいにこちらを出れば間に合うから」

「さようでございますか。では急がねばなりませんね。シングルルームの御利用と承っておりますが、間違いないでしょうか」

「間違いありません。でも今日は土曜日で、たぶん満室でしょ？　選べるほど部屋があるのかしら。今さらこんなことをいうのも変なんだけど」

「大丈夫です。まだすべての部屋がチェックインされたわけではありませんから。すでに部屋をいくつか御用意してありますので、これから御案内させていただきます」

五つの部屋のカードキーを手にし、尚美がフロントを出たのが数分前のことだ。そして最初に案内したのが、この０９１７号室だった。五つの部屋番号を片桐瑶子に教えたところ、この部屋を先に見たいといったのだ。

片桐瑶子は室内を見回し、「いい部屋ね」と頷いた。「悪くないわ」

「ありがとうございます」

「でも、ちょっと待ってね」

「はい。どうぞ、ごゆっくり」

片桐瑶子はベッドの脇に立ち、瞑想するように目を閉じ、深呼吸を繰り返した。やがて目を開けると、「ここに立ってみて」と尚美にいった。

「私がですか」

「そう。手伝ってほしいことがあるの。荷物はそのへんに置いてちょうだい」

尚美は片桐瑶子の大きなバッグをそばのラックに置いた。何をする気かはわからないが、霊感をチェックするためには必要な手順なのかもしれない。戸惑いつつ、いわれた場所に立ってみた。

「これでいいですか」

「そうね。もう少し足を揃えてもらえる？　ああ、それぐらいでいいわ」片桐瑶子は床の上で正座をすると、合掌し、尚美を見上げてきた。「これはね、一種のお祓いみたいなものよ。本当は霊能力者同士でやるんだけど、二人揃えられない時は、どちらか一方だけでもかまわないってことになってるの」

「そうなんですか」相槌を打つしかない。ホテルマンになって長いが、霊能力者のお祓いに付き合わされるのは初めてだ。

「私のいう通りにしてね。まず、胸の前で手を合わせて。そして目を閉じるの。それで、これは難しいと思うけど、邪念を捨ててちょうだい」

「あ……それはたしかに難しいかもしれません」

「できるかぎりってことでいいわ。次に目を閉じたまま、瞼の上に手を重ねてちょうだい。自分で目隠しするみたいにね。そう、それでいいわ。そのままじっとしていてね。目を開けちゃだめよ」

おかしなことをさせるものだなと思った。霊能力者が一人の時はどうするのだろうか。

尚美は足首に何かが触れるのを感じた。一体何をしているのか。

両手を瞼から浮かし、薄く目を開いてみた。自分の足首にベルトのようなものが巻き付けられているのがわかった。

「あの、お客様、これは一体どういう……」

尚美が訊くと片桐瑶子は顔を上げた。その表情を見て、ぎくりとした。唇に浮かんでいる冷笑ともいえるものには、つい先程までの優しさや穏やかさが欠片もなかった。

「目を開けちゃだめっていったでしょ」その声も、ぞくりとするほど冷たく響いた。

片桐瑶子は素早く立ち上がると、まだ呆然としたままの尚美の胸をどんと突いてきた。両足首にベルトが巻かれているので、どうすることもできず、尚美は後ろのベッドに倒れた。きゃっと声が出た。

「お客様、何をなさるんですかっ」

だが片桐瑶子は無言でのしかかってきた。尚美はうつ伏せにされ、さらに両腕を後ろにまわされた。抵抗しようとしたが無駄だった。すごい力だ。

悲鳴を上げる余裕もなかった。あっという間に何かで両手首を繋がれた。金属の感触があった。

「何ですか、これはっ。やめてくださいっ。離してっ」

ぐいと後ろ髪を引っ張られた。一瞬、声が出せなくなった。うつ伏せのまま、無理矢理顔を上げさせられた状態だ。片桐瑶子が覗き込んできた。

「うるさいね。絞め殺されたくなかったら、騒ぐんじゃないよ」深い井戸の底から聞こえるような不気味な声で彼女はいった。同じ声のはずなのに、先程までの柔らかさは消失している。

尚美は相手の顔を見て、はっとした。これまであまりじろじろ見ることはなかったが、近くで凝視するとはっきりとわかった。

この人は老婦人なんかじゃない。もっとずっと若い。そして――ずっと以前に、どこかで会ったことがある。

36

山岸尚美の携帯電話は繋がらなかった。一度は繋がりかけたのだが、電源を切られてしまったようだ。しかし勤務中に彼女自身がそんなことをするはずがない。やはり何かが起きているのではないか。

久我によれば、山岸尚美は片桐瑶子のためにいくつかの部屋を用意していたという。たしかに前回も、霊感云々で部屋選びに手こずった。最初から何部屋かを見せて回り、相手に選ばせたほうが話は早いのは事実だ。

「わかりましたよ、新田さん」フロントで端末を操作していた久我が顔を上げた。「山岸君が押さえたのは、0508号室、0917号室、1105号室、1415号室、1809号室の五つですね」

久我はそれらの部屋番号をメモに書き、カウンターの上に置いた。

番号を見て、新田は顔をしかめた。「見事にばらばらだ」

「わざとそうしたらしいです。何しろ考慮すべきことが霊感ですから、階数だとか部屋の向きだとか、なるべくバリエーションがあったほうがいいと思ったようです」

新田は口元を曲げて頷いた。彼女らしい配慮だと感心するべきなのだろうが、そんな気になれなかった。

「あのう新田さん、どうかしたんでしょうか。片桐様が何か……」久我が不安そうに尋ねてきた。

「いや、まだ何とも……」そう答えるしかなかった。新田自身、何かを摑んだわけではない。ただ、あの目の不自由な芝居をしていた老婦人が、ありえない場所にいたというだけのことだ。だがそれが単なる偶然だとはとても思えなかった。

どうする？　山岸尚美が戻ってくるのを、もう少し待つか。

五つの部屋番号を書いたメモを見つめながら思案していると、新田の携帯電話が着信を告げた。能勢からだった。

「わかりました。例の女性の名前はナガクラマキ。年齢は三十五歳。婆さんに扮していますが、実際は若いんですな。老け役を得意にしていたとか。松岡さんと同じ劇団に所属していましたが、昨年の暮れ、突然退団しています。はっきりとした理由は誰にもいわなかったそうです。松岡さんと共演することが多く、一時付き合っていたのではないかという噂もあったそうですが、真偽のほどは不明です。退団後は劇団とは繫がりがなく、何をしているのかは現時点ではわかりません。ただ、一つだけ気になる情報があります」

「何ですか」

「学歴です。ナガクラマキは地元の国立大学の薬学部を出ています。しかも、動物病院で勤務していた経験があります」

「薬学部……動物病院……」

「松岡さんの死因を覚えていますか。薬物を注射された可能性があるということでした」

そうだった。心臓が大きく跳ねた。新田は電話を握りしめていた。

「能勢さん、引き続きその女のことを調べてください。たぶん当たりです」

「いわれなくてもやりますよ。なぜ新田さんがこの女に目をつけたのかはわかりませんが、手応えは私も感じているところです」

よろしくお願いします、といって新田は電話を切った。先程のメモを見つめた後、足早にエレベータホールに向かった。

稲垣たちに連絡している暇などなかった。それに上司たちは例の女装男のことで頭がいっぱいだろう。片桐瑶子に疑いの目を向けた複雑な経緯になど、耳を傾けてくれるかどうかも怪しい。

ナガクラマキ――。

あの女の狙いが山岸尚美にあるのは確実だった。前回このホテルにやって来た時、別のフロントクラークが応対しようとするのを断ってまで、彼女に担当させようとした。すべて、今日のための伏線だと考えられた。

だが一体なぜ彼女を？

37

悪夢を見ているよう、というのとは少し違う。狐につままれたみたい、といったほうが的確かもしれない。とんでもなく危険な状況だとわかりつつ、あまりにも思いがけぬ展開に、恐怖心が湧き上がってこないのだ。何かの間違いではないか、悪い冗談に付き合わされているのではないか、という思いがわずかではあるが残っていた。

だが今の状況を考えると、これが冗談などであるわけがなかった。両足はベルトで縛られ、後ろ手で手錠をかけられている。しかも口にはガムテープが貼られていた。助けを呼ぶこともできない。さっき携帯電話が鳴ったが、すぐに電源を切られてしまった。

片桐瑶子がバスルームから出てきた。ベッドに転がされた状態で尚美は彼女を見上げ、目を大きく開いた。そこに立っているのは、あの老婦人ではなかった。ウィッグを外すと、ショートカットにした髪は黒々としていて、白髪など一本も見当たりそうにない。肌は若々しく、頬から顎にかけてのラインはシャープだった。サングラスを外した目は不気味なほど精気に満ちていて、唇には色気が漂っていた。白いブラウスと足の長さを強調するような黒いパンツは、男装の麗人を思わせた。

「どう？　驚いた？」女はベッドの横に立ち、見下ろしてきた。「結構、若いでしょ？」

どう反応していいかわからず、尚美は瞬きした。褒めろというならいくらでも褒めるが、声を出せないのではどうしようもない。

「ねえ、あたしの顔に見覚えない？」

女にいわれ、尚美は改めて相手の顔を見つめた。こんなことを訊いてくるからには、どこかで会ったことがあるはずなのだ。どこだったか。どういう局面でだったか。思い出せそうで思い出せない。

「仕方ないわね。客の顔を忘れるなんて、ホテルマンとして失格よ」

客？　こんな客がいただろうか。だがほかの場所で会ったとも思えない。

すると女は傍らに置いたバッグから一枚の写真を出してきた。それを尚美のほうに向けた。

「これならどう？　一年前のあたしよ。これでも思い出せない？」

そこに写っているのは二人の男女だった。どちらもTシャツ姿で、劇場の舞台の縁に並んで座っている。女は今よりふっくらとしていて、髪が長かった。男のほうは若く、まだ二十代前半に見える。

はっとした。その男の顔に見覚えがあった。それと連動するように記憶が蘇ってきた。あの日の記憶だ。尚美は大きく息を吸った。写真と女の顔を見比べた。

女がにやりと笑った。「どうやら思い出したみたいね」

尚美は頷いた。思い出せないふりをしても意味がない。

そうか、あの時の――。

「あの夜のことを、あたしは忘れたことがない」女は目に憎悪の色を浮かべた。「あなたに追い返された、あの夜のことをね」

　私だって忘れていない。尚美はそういいたかった。しっかりと記憶に焼き付いている。つい先日も、新田にその話をしたばかりだ。安野絵里子が泊まった夜だった。宿泊客の部屋番号は余程のことがないかぎり外部の者には教えない、ということを説明するのに、一年前の出来事を例に挙げた。

　その女性は、ついさっきニューヨークから帰国したばかりだといった。今夜ここに、遠距離恋愛している恋人が泊まっていることはわかっている。突然現れて驚かせたいので部屋を教えてほしい。そんなふうにいった。

　本当なら素敵なサプライズ・プランだと思ったが、その女性にはどこか危険な気配があった。そこで尚美がこっそりと相手の男性客に確かめてみると、案の定、話が違った。絶対に教えるな、追い返してくれ、と男性はいった。

「あの時あなたは、そんな客は泊まってないといったわね。松岡高志なんていう客はいないと」女はいった。「あたしが、そんなはずはない、彼が予約を入れたことを知っているといったら、一旦予約はされたけど、その後でキャンセルになったと答えた。どう、覚えてる？」

　もちろん覚えている。そしてそれがおそらく今朝新田が調べていた、十一月十七日の夜の出来事だろうと思い至った。あの時の若い男が松岡高志だったのだ。

「あたしは、彼の部屋を教えてくれないなら、自分で探そうと思った。そこで、あたしに部屋を用意してとあなたに頼んだ。でもあなたはこういった。生憎、今夜は満室だってね。あたしはお金ならいくらでも出すといったけど、聞き入れてはくれなかった。ねえ、それであたしはどうしたと思う？　あっさりと家に帰ったと思う？　それともほかのホテルに泊まったと思う？」女は頭を振って続けた。「そんなわけにはいかなかった。あたしはどうしても彼に会う必要があった。彼に責任を取ってもらわなきゃいけなかった」

責任？　どんな責任？　――尚美は女を見返す目に疑問を込めた。

女は泣き笑いのような表情を浮かべた。

「男としての責任よ。だって彼は父親だったんだもの。あたしのお腹の子供の」

38

ノックをしたが返事がなかった。新田はマスターキーを突っ込んで解錠し、１８０９号室のドアを勢いよく開けた。さっと見回したが、人気はなかった。バスルームも覗いてみるが、異状はない。

すぐに部屋を出て、エレベータホールに向かって走った。ぐずぐずしている暇はなかった。ホールに着くと、ボタンを押した。だがエレベータはなかなか来ない。いらいらし、意味はないと思いつつ、何度もボタンを押した。

山岸尚美なら、どういう順番で部屋を案内しようとするか。やはり高層階からだろう、と新田は考えた。多くの宿泊客は、そのほうが喜ぶからだ。そこで上から回ることにしたのだが、正解なのかどうかはわからない。

ようやく一基のエレベータが到着し、扉が開いた。急いで乗り込み、十四階のボタンを押した。だが扉が閉じる瞬間、ふと不安がよぎり、『開』のボタンに指を乗せていた。

もし山岸尚美が下から案内しているのだとしたら、１８０９号室へはこれから来るのかもしれない。今まさにすれ違おうとしているおそれだってある。どうするか。

新田は首を振り、ボタンから指を離した。まだ何も起きていないなら、あの山岸尚美が携帯電話の電源を切るわけがない。彼女はすでにどこかの部屋に留まっている。そして何かが起きている。

39

意外な話に尚美は息を呑んだが、相手に伝わったかどうかはわからなかった。

「三か月、ううん、もう四か月に入りかけていたかもしれない。彼とあたしの子供が、この世に生を享《う》けようとしていた。それがわかっていながら彼は……いえ、わかったから逃げたのよ。急に劇団まで辞めて、姿をくらまそうとした。ねえ、そんなことが許されると思う？　でも、あたしにはわかっていた。彼が名古屋を離れて一体どうする気なのかがね。間近に憧れの劇団のオーディションが迫っていた。きっと受けるに違いないと思った。しかもその時にはホテル・コルテシア東京に泊まる。だって、寝言みたいに同じことばかりいってたんだもの。今度上京する時には、必ずあのホテルに泊まるんだって」女はほんの少し表情を和ませた後、再び尚美を睨みつけてきた。「あなたに追い返された後、あたしはホテルの外で待つことにした。朝になれば彼はオーディションを受けるために出発しなければならない。その時を狙おうと思った。冷たい路上でしゃがみ込んで、一晩を明かした。よりによって、その夜はひどく寒かった。コートもマフラーもなくて、ずっとがたがたと震えてた。氷のように身体が冷たくなったけど我慢した。そうしてようやく朝が来た。あたしはホテルの正面玄関を睨み続けた。ボンボン育ちで東京の地理に詳しくない彼が地下鉄なんかを使うわけがない。きっとタクシーを使うだろうと思った。その予想は的中。やがて彼は現れた。すがすがしい顔をして。気まぐれで妊娠させてしまった年増女から無事逃げ切ったことを祝福しているような感じで。あたしは立ち上がった。全速力で彼に駆け寄ろうとした」

そこまで話したところで、女は口を真一文字に結んだ。細かく身体が震えている。内にある何かが暴発するのを堪えているようだった。

「その瞬間、とてつもない痛みが襲ったの。身体の中心に熱い金属の棒を打ち込まれたような痛みよ。あたしは一瞬にして気が遠くなった。何が起きたのかわからなかった。気づいた時には救急病院のベッドに寝かされていた。そして聞かされた。流産したってことを。あたしの中の大切な命が消えてしまったことを」引きつった笑いを浮かべた。「当然よね。あんな寒い夜に、一晩中道端でしゃがみ込んでたんだから。だけどそうするしかなかった。あの場所を離れることもできず、でもホテルには泊めてもらえなかったんだもの。ベッドの中で、ぺしゃんこになったお腹をさすりながらあたしは決心した。この仇は必ずとってやるって。あの二人を……あたしの大切な命を奪った二人を殺してやるって」

女はバッグを引き寄せた。中からプラスチック製の細長い容器を出してきた。

「どう？　これであなたにも、なぜ自分がこんな目に遭わなきゃいけないのかがわかったでしょ？　この日のためにあたしは、完璧な準備を整えてきた。警察がこのホテルに目をつけていることは織り込み済み。だってそうなるようにあたしが仕組んだんだもの。おかげで警察は、彼が殺された事件と、あなたが殺された事件とを結びつけることはない。仮に二人が同じ方法で殺されたのだとしてもね。あなたは奇妙な四つの連続殺人事件の被害者としか見られない。唯一心配だったのは、今日あなたが休むこと。でも前回来た時に、それはないと確信した。あなたと一緒にいた男は刑事でしょ？　あなたは彼の補佐役。つまり今日のような大事な日には休めない」

女がプラスチック製の容器から出してきたものは注射器だった。

「あたしたちがこの部屋に入ってから何分経ったかしらね。もしこの部屋を防犯カメラで見ている人がいたら、ふつうなら不審に思うかもしれない。でも今回にかぎってはそんな心配はない。片桐瑶子は奇妙な客。だから腕利きの山岸尚美が相手をしている。ただし、部屋から片桐瑶子だけが出てきたら、さすがにおかしいと思われる。だからあたしは髪を切ったの。ブラウスを着て、黒いパンツに着替えたの。上着も持ってきてる。それを羽織れば、防犯カメラの不鮮明な画像では、あなたが客を残して部屋を出てきたようにしか見えないでしょうね」

女の髪型を見て、たしかにそうだと思った。体格も似ている。俯いたまま部屋を出れば、たとえカメラのモニターを凝視している人間がいたとしても不審には思わないだろう。
「怖がらないで。さほど痛くはないみたいだから。彼も痛がらなかった。さっきは絞め殺すといったけど、あれは嘘よ。あたしにそんな野蛮なことはできない。人を殺すとしたら薬を使うことしか思いつかないの」女がさらに近寄ってきた。

40

新田は１１０５号室を後にした。１８０９号室、１４１５号室に続いて、ここもまた空振りだった。誰かが入った気配もない。残るは二部屋だ。次は０９１７号室。階段を使うかどうか迷い、結局エレベータを選んだ。そのほうが廊下での移動距離が短くなるからだ。各フロアの部屋の配置は、ほぼ完璧に頭に入っている。

ナガクラマキは山岸尚美を殺す気なのか。だとしたら、その動機は何か。一体どんな理由があれば、あれほど優秀なフロントクラークのことを殺したいほど憎むことになるのだろうか。松岡高志は昨年の十一月十七日にこのホテルに泊まっているが、山岸尚美によれば、特に大きな出来事はなかったようなのだ。そもそも彼女は松岡の名前さえ覚えていなかった。一緒に殺されるような理由など存在しようがないのではないか。

エレベータが九階に到着した。迷うことなく廊下を進む。０９１７号室の前に立った。呼吸を整え、ゆっくりとドアを二度ノックした。

返事はなかった。新田はマスターキーを差し込み、鍵を外した。ドアノブを捻り、押し開いていく。

部屋には誰もいなかった。彼は室内を見回しながら窓際まで進んだ。カーテンは閉じられたままだ。

新田は踵を返した。ドアを開き、廊下に足を踏み出した。

41

ドアがばたんと閉まるのを尚美は絶望的な思いで聞いた。誰かが来たとわかった時には、新田ではないかと期待したが、違ったのかもしれない。

尚美はバスルームにいた。ほんの少し前に連れ込まれたのだ。洗面所の前で正座させられている。

女はすぐ後ろに立っていた。注射器を手にしている。ノックの音が聞こえた瞬間、その針を尚美の首筋に当ててきた。声を出したら今すぐに注射する――そう威嚇してくるのがわかった。

その状態をしばらく保った後、女がため息をつくのが聞こえた。注射針が、一旦は首筋から離された。

「危ないところだった。こっちに移動しておいてよかった」

尚美は顔を上げた。洗面所の鏡を通して、後ろで立っている女と目が合った。女は唇を緩めた。

「今のは誰だったのかしらね。でもたぶん警察じゃない。警察は今頃、あたしが仕掛けた餌に食らいついているはずだから。美しき花嫁につきまとうストーカーにね」

尚美が目を見張ると、女は一層満足そうな笑みを浮かべた。

「そうよ。あれもすべてあたしが仕組んだこと。警察の注意を向こうの結婚式に向けるのが狙いだった。高山佳子さん、だったわね。花嫁の名前は。彼女は何の関係もない。ただあたしの計画にとって都合がいい存在だっただけ。独り暮らしで隙が多くて、郵便物も盗みやすかった。ワインは無事に届いたのかしら。もちろん本人の手には渡ってないわよね。今頃はたぶん警視庁の鑑識が調べてるのかな。コルクに残っている注射針の跡ぐらいは見つけたかもね。だけどワインにどんな薬が仕込まれているのかはわからないはず。だって、何も入れてないんだもの。コルクに針を貫通させただけで、毒薬なんか注入してない。当然でしょ。万一誰も怪しまず、本人たちの手にワインが届けられて、しかも本人たちが浮かれて飲んだりしたら大変じゃない。あたしは別に無差別殺人がしたいわけではないの」

女はますます饒舌になっていった。自分自身が発した言葉に刺激され、酔いしれ、さらに言葉を発したくなる衝動に駆られているのかもしれなかった。鏡に映る自分に向かってしゃべり続ける彼女の姿からは狂気ともいえるものが漂っていた。

不意にその目が尚美に向けられた。

「さあ、これでもう疑問は何もないでしょ。殺されても仕方がないと諦めがついたんじゃない？あなたの遺体はいつ発見されるかしらね。いつまで経っても戻ってこないことを心配した誰かが見回りに来て、ようやく見つけるというところかな。犯人は片桐瑶子という老女。でも警察は、その女の行方を摑めない。だってそんな女は存在しないから。一体どこの誰だ？　前回宿泊した時の記録を調べろ。だけど宿泊票に記された内容はすべてでたらめ。指紋はどうだ？　宿泊票に付いてないか。レストランで食事をした時に使った点字のメニューを調べてみろ」女は舌なめずりをした。「でもあなたにはわかるわよね。そんなことをしても無駄。片桐瑶子の指紋はどこにも残ってない。なぜなら彼女は常に手袋をしていたから。点字メニューを使う時でさえ外さなかった」

彼女の言葉の一つ一つが尚美を打ちのめした。前回の片桐瑶子とのやりとりは、ホテルマンとして素晴らしい経験になったと自負していたのだ。しかしとんだ勘違いだった。何もかも殺人者の企みにすぎなかったのだ。

女が改めて注射器を構える姿が鏡に映った。尚美は逃げようとした。

「逃げても無駄。こう見えてもあたしは、暴れるドーベルマンにだって静脈注射をしたことがあるんだから」

尚美は髪の毛を鷲摑みにされた。身をよじらせるが、首は全く動かせない。針の触れる感触があった。呻きながら目を閉じた。

その時、突然バスルーム内の空気が動いた。一陣の風が駆け抜けるようだった。それと同時に悲鳴が聞こえた。女の声だ。尚美は目を開けた。

女が床に倒されていた。腕をねじ上げられている。ねじ上げているのは新田だ。注射器が床に落ちていた。

「ナガクラマキ、殺人未遂の現行犯で逮捕する」新田は手錠を取り出し、女の手首に嵌めた。さらにもう一方を、バスルームのドアノブに取り付けた。

女は動かなかった。放心した顔を宙に向けたままだった。何が起きたのか理解できていないように見えた。

新田が尚美に近づいてきて、口のガムテープを剝がしてくれた。痛みに彼女は顔をしかめた。だが口で呼吸ができる快感が、それに勝った。

「怪我はないようですね」新田はいった。

「新田さん……出ていったんじゃないんですか」

「そう思わせるよう、ドアを開閉しただけです。バスルームの外で様子を窺っていました。中の状況がわかるまでは、迂闊には飛び込めなかった」

「なぜ気づいたんですか」

「ベッドの乱れに気づかないほど鈍感じゃありません。それに何より、入った瞬間にあなたの気配を感じました」

尚美は彼の顔を見つめた。「私の気配って？」

「それはまあ、はっきりいうと匂いです。あなたは決して化粧は濃くないが、それでもかすかに匂いはします。いい匂いがね」

「私の匂いがわかるんですか」

「それはもう」新田は肩をすくめた。「だって我々は、ずっと一緒にいたじゃないですか」

尚美は下を向いた。思わず微笑みそうになるのを見られたくなかったからだ。

42

長倉麻貴の逮捕により、関連する特捜本部は一気に動きを見せた。

まず千住新橋で起きた野口史子殺害事件において、正式に夫の野口靖彦に逮捕状が出された。次に品川で起きた岡部哲晴殺害事件に関しては、会社同僚の手嶋正樹と、岡部と不倫関係にあった井上浩代に対して徹底的に事情聴取を繰り返し、ついには自供を引き出した。どちらの事件もすでに捜査陣は決め手を摑んでおり、x4の逮捕待ちという状態だったので、当初の予定通りといったところだ。

急転直下だったのが葛西ジャンクション下で高校教師の畑中和之が殺された事件で、ホテル・コルテシア東京での殺人未遂事件の報道が流れた翌日、犯人が警察に出頭してきた。畑中が教鞭を執る高校の男子生徒だった。

自分がいじめに遭って苦しんでいるのに、学校側はそのことにまるで気づかず、何もしてくれなかった。そんな時にたまたまネットを通じてx4と知り合ったので、彼等の計画に乗って誰かを殺してやろうと思った。誰でもよかったが、たまたま畑中教諭が毎夜ジョギングをすることを知っていたので、自転車で後をつけて殺害した――以上が自供内容だった。

肝心の長倉麻貴は黙秘を続けていた。だが薬物の入手経路など、物的証拠は揃いつつある。何より現行犯であることが大きかった。

例の女装男が持っていた手紙に記された数字についても解読は終わっている。あの数字に隠された緯度と経度は、第一の品川の事件現場を示していた。つまりこれで四つの事件は完全なループとなって完結したわけだ。

新田は久々に出席した正式な捜査会議で、管理官の尾崎が高らかに勝利宣言をするのを聞いた。

43

ドアの前で深呼吸を一つしてからノックをした。どうぞ、と藤木の落ち着いた声が聞こえてくる。尚美はドアを開けた。

いつものように黒檀の机を前にして藤木が座っていた。その脇に田倉が立っている。尚美は一礼してから彼等に近づいた。

藤木は苦笑して田倉と顔を見合わせた後、少しおどけたような表情を尚美に向けてきた。

「これはまた、ずいぶんと怖い顔をしているな。一体何事だ？　君のほうから折り入って話したいことがあるということなので待っていたんだが、何か抗議でもする気かね」

尚美は唾を呑み込み、呼吸を整えてから口を開いた。

「そうじゃありません。そうではなくて、逆にお詫びをしなければいけないと思って、こうしてお時間をいただいたんです」

「お詫び？　それはつまり、今回の犯人の動機に関することかな」藤木はいった。「君が犯人の恋人だか元恋人だかの部屋番号を教えず、宿泊希望も断ったというのが動機だと聞いているが、それについて詫びようということなのかね？」

「いえ、そうではありません」尚美はきっぱりといいきった。「それとも、あの夜の私の対応は間違っていたでしょうか。彼女に恋人の部屋番号を教えるべきでしたか。あるいは、泊まりたいといわれた時、何の疑いも抱かずに部屋を用意したほうがよかったでしょうか」

山岸君、と田倉が窘める口調でいった。

「そうムキにならなくてもいい。君の対応は間違ってはいない。そんなことは我々だってわかっている」

「そうですか」尚美は表情を緩めた。「ただ、難しいものだなと思いました。長倉麻貴さんにも同情すべき点はあります。もしあの時本当のことを、せめて妊娠していることだけでも打ち明けてもらえたなら、たぶん違った対応をしていたと思います。彼女がそうしなかったのは、私が味方をしてくれるとは思わなかったからでしょう。初めて訪れたお客様にも心を開いていただけるにはどうしたらいいか、今後の課題にしたいと思います」

彼女の言葉に藤木は二度頷いた。

「同感だね。今回の事件では、我々もいろいろなことを学ばせてもらった。今後のサービスに生かせればと、今も田倉君と話していたところだ。しかし君が詫びたいというのは、そのことではないのだね」

「はい。私が詫びなきゃいけないのは、総支配人たちを裏切っていたことについてです」

藤木は椅子の背もたれに身体を預け、尚美を見上げた。

「それは聞き捨てならないね。どういうことかな」

尚美は唇を舐めた。

「すでに報道されていますけど、今回の事件の構造は特異なものでした。一人の犯人による連続殺人事件ではなく、複数の犯人が連携して、そう見せかけていたんです。警察はそのことをわかっていながら、ホテル側にも隠していました」

「そのようだね。で、それが何か？」

「じつは……その事件の構造について、私は知っていました」

「知っていた？　君が？」

「誰からかは申し上げられませんが、教えてもらっていたんです。話を聞いて真っ先に私が考えたのは、当ホテルでの犯行を企んでいる人間がそれまでの事件の犯人と別人なら、わざわざその人物に犯罪を行わせる必要はない、ということでした。警察が事件の構造を見抜き、すでに当ホテルを監視していることをホテル側が公表すれば、その人物が犯行を断念する可能性が高くなります。でも私は、結局総支配人たちには黙っていました。おかげで今回のような騒ぎが起きてしまいました。本当に申し訳ありませんでした」

尚美は深々と頭を下げた。藤木たちがどんな顔をしているのかはわからない。重苦しい沈黙が何秒間か続いた。

　藤木がふうーっと息を吐くのが聞こえた。

「そういうことか。なぜ黙ってたのかね」

「それは……頼まれたからです。誰にもいわないでくれ、と」

「なるほど。それはよくないね」

「申し訳ございません」尚美はさらに深く腰を折った。

「山岸君、顔を上げなさい」

「いえ、でも……」

「いいから上げなさい」そういったのは田倉だ。「それでは話ができないだろう」

　はい、と答えて尚美は顔を上げた。二人の上司は、にやにやしていた。

「私がよくないといったのは」藤木はいった。「それだけの極秘事項を話してもらえて、しかも誰にもいわないでくれと頼まれたのなら、無闇に話すのはよくないという意味だ。たとえそれがホテルのためであろうともね。その意味で君の判断は決して間違ってはいない。さっき君は、初めて訪れたお客様にも心を開いていただけるにはどうしたらいいかを今後の課題にしたいといったね。この人になら秘密を打ち明けても大丈夫だ、と信用してもらえることも、ホテルマンとしては大切なことだ」

　尚美は藤木の穏やかな顔を見返した。総支配人の目には、柔らかく尚かつ真剣な光が宿っている。隣では田倉が黙って頷いていた。

「それから、もう一ついっておこう」藤木は身を乗り出し、机の上で指を組んだ。尚美を見上げる顔に意味ありげな笑みが浮かんだ。「事件の構造を知っていたのは君だけじゃない。我々も知っていた。警視庁の尾崎管理官から教えられてね」

えっ、と尚美は二人の上司を交互に見つめた。「そうなんですか」

「知っていたのは、私と田倉君だけだがね」

「でも公表しようとなさらなかったのは、やはり口止めされたからですか」

「うん。それもあるがね、基本的には我々の判断だ。公表しないほうがいいと考えた」

「どうしてですか」

藤木は両手の指を組んだまま、再び後ろにもたれた。

「たしかに公表すれば、第四の事件の犯人は犯行を断念するかもしれない。だけど、そのことをどうやって確認できる？　犯行を断念しました、と犯人が教えてくれるわけではないだろう？　結局のところ、いつまでも同様の警備を続けねばならないわけだし、お客様としては、そんな不気味なホテルを使おうという気にはなれないだろう。公表するメリットなど何もないんだ。だから尾崎管理官にはこのようにお願いした。この話は、我々二人も聞かなかったことにしてくれ、とね」

尚美は瞬きし、息を吸った。常に誠実さで満たされているはずの藤木の目に、一瞬狡猾さが垣間見えた。

「……私一人だけが、つまらないことで悩んでいたみたいですね」呻くような声でいった。

「これも勉強。何事も勉強だよ」そういったのは田倉だ。
尚美は頷き、もう一度上司たちを見た。
ホテルの中で仮面を被っているのは客たちだけではない――改めて思った。

44

「長倉麻貴は優秀な成績で大学を卒業しています。専門科目だけでなく、数学なんかでも抜群の能力を発揮していたといいますから、元来頭がいいんでしょうな。高校では生徒会副会長を務めたそうです」能勢が手帳を開きながら話す。「今回彼女が使用した薬物は、塩化スキサメトニウムという筋弛緩薬です。全身麻酔に使われるもので、静脈注射なら〇・〇一グラムで呼吸停止や心停止を起こすとか。こいつは体内に入った後、速やかに分解され、人間が元々持っているものに変化します。以前彼女が勤めていた動物病院にも置いてありましたから、その頃に盗みだしたと思われます。目的は不明ですが、将来使うことがあるかもしれないと予感していたんでしょうかねえ。まあ何といいますか、いずれにせよ私なんかはあまりお近づきにはなりたくないタイプの女性ですな」

「あれだけの計画を練るんですから、頭はいいんでしょうね」新田はいった。「逆にいえば良過ぎた。そもそも今回の事件は、松岡さんと山岸さんを続けて殺したら自分に疑いがかかる、と考えたことから計画されたものですが、その二人が殺されたからといって、果たして警察が結びつけて考えたかどうかは怪しいです。仮に薬物による犯行ということで共通点を見いだしたとしても、少なくとも山岸さんのセンから長倉麻貴の名前が挙がってくることはなかったと思われます」

「同感ですな。些細なことで恨みを抱くことはあっても、恨まれたほうはさほど気に留めず、ましてや記録しておくことなどないと冷静に考えていれば、今度のような七面倒臭い計画を立てることもなかったでしょうねえ。実際山岸さんは、長倉麻貴から去年の写真を見せられても、すぐには思い出せなかったというじゃありませんか」

「それについては」新田は人差し指を唇に当てた。「山岸さんの前ではいわないでください。長倉麻貴の変装を見抜けず、素顔を見ても誰だか思い出せなかったことについて、少しばかり気落ちしているようです。お客様の顔を忘れているというのは、彼女レベルのホテルマンとしては許されないことらしい」

「はあはあ、なるほど。大変ですねえ」能勢は顔をしかめ、首を振った。

二人はホテル・コルテシア東京のロビーにいた。新田はもうフロントクラークの制服は着ていない。そのせいで何となく落ち着かなかったが、口には出さなかった。

能勢が新田の後方に目をやり、表情を和ませた。新田が振り返ると山岸尚美が近づいてくるところだった。

「本日はお招きいただきありがとうございます」新田は立ち上がり、頭を下げた。

「とんでもない。こちらこそ、その節はありがとうございました。どうか今夜は遠慮なさらないでくださいね」

山岸尚美の声が新田の耳に優しく響いた。ほんの一週間ほど会わなかっただけだが、何となく懐かしく感じられた。爽やかな笑顔が眩しい。

「私なんかも食事に呼んでいただいてよかったんですかねえ。大した働きはしなかったんですが」能勢が頭を掻く。この男のことだから、謙遜ではなく本心からそう思っているのかもしれない。

「大丈夫。功績は、わかっていますから」山岸尚美が微笑んだ。

今日の会食は彼女のほうから誘ってきたものだった。総支配人の藤木が、犯人を逮捕した新田に何か礼をしたいといいだしたのがきっかけらしい。

エレベータで最上階に上がり、フレンチレストランに入った。すでに三人のための席は個室に用意されていて、そこへ案内された。

「藤木が、お二人によろしくと」席についてから山岸尚美がいった。「本当は自分も同席したいけど、それではお二人が気詰まりでしょうから、ということでした」

いいえそんな、といいつつ新田は胸を撫で下ろしていた。一流ホテルの総支配人と向き合っての食事など、考えただけで憂鬱になる。

メニューはすでに決まっているようだ。シャンパングラスが三人の前に置かれた。

突然、能勢がそわそわし始めた。

「あっ、ちょっとすみません。――何だろう、こんな時に」上着のポケットから携帯電話を取り出しながら、部屋を出ていった。

「相変わらず刑事さんは大変そうですね」山岸尚美がいった。

全く、と頷いてから新田は彼女を見た。「元気そうで何より」

「新田さんも」

目が合っていたのは、ほんの一瞬だ。新田がそらしたからだ。

ウェイターが来て、グラスにシャンパンを注ぎ始めた。ドン・ペリニヨンだった。話題が見つからず、新田はグラスの泡を見つめた。

ようやく能勢が戻ってきた。

「いやあ、参りました。娘が急に彼氏を連れてうちに来たそうです」

えっ、と新田は目を剝いた。「それで?」

「申し訳ないんですが、私、失礼させていただいてよろしいですか。家のほうが気になって仕方がないんで」能勢は愛想笑いを浮かべ、顔の前で手刀を切った。

新田は山岸尚美と顔を見合わせた後、能勢に目を戻した。

「それはまあ、そういうことなら仕方がありませんけど」

「そうですか。じゃあ、そうさせてください。山岸さん、せっかくお招きいただいたのに申し訳ありません。じゃあ、私はこれで。どうもどうも」能勢は後ろに下がっていき、そのまま部屋を出た。

新田は唖然とし、再び山岸尚美のほうを見た。彼女もぽかんとしている。やがて二人で苦笑し

「帰るかな、ふつう」新田はいった。

さあ、と彼女も首を傾げている。

おそらく——。

気を利かせたのだろう、と新田は察した。藤木が来ず、三人だけだとわかった瞬間、自分は立ち去ろうと決めたのだ。それぐらいの機転は能勢にとって何でもない。

「とりあえず乾杯しますか」新田はグラスを手にした。

山岸尚美もグラスを持ち上げた。

かちんと合わせたグラスに、東京の夜が映っていた。

初出
「小説すばる」二〇〇八年十二月号〜二〇一〇年九月号

装丁　片岡忠彦
写真　HIROYUKI MATSUMOTO/SEBUN PHOTO /amanaimages
Jeremy Woodhouse/Masterfile /amanaimages

取材協力　ロイヤルパークホテル

東野圭吾（ひがしの・けいご）
1958年大阪府生まれ。大阪府立大学工学部電気工学科卒業。85年『放課後』で第31回江戸川乱歩賞を受賞。99年『秘密』で第52回日本推理作家協会賞、2006年『容疑者Xの献身』で第134回直木賞と第6回本格ミステリ大賞を受賞。
『宿命』『変身』『白夜行』『手紙』『さまよう刃』『黒笑小説』『流星の絆』『白銀ジャック』『麒麟の翼』『真夏の方程式』など著書多数。

マスカレード・ホテル

2011年9月10日　第1刷発行

著　者　東野圭吾《ひがしのけいご》
発行者　加藤　潤
発行所　株式会社集英社
東京都千代田区一ツ橋2-5-10　〒101-8050
電話 03（3230）6100（編集部）
03（3230）6393（販売部）
03（3230）6080（読者係）

印刷所　凸版印刷株式会社
製本所　加藤製本株式会社

ISBN978-4-08-771414-2　C0093
定価はカバーに表示してあります。